미실

미실

김별아 장편소설

문이당

작가의 말

몇 해 전, 아이와 함께 풍납토성에 나들이를 갔다. '토성분식'에서 칼국수를 먹고 '토성문구사'에서 아이가 좋아하는 캐릭터 상품을 샀다. 처음부터 천오백 년 동안 묻혀 있다 갑자기 절규하듯 세상에 모습을 드러낸 한성 백제, 세발 토기와 목 짧은 항아리, 기와 조각, 삽날, 도끼, 어망추 따위에 엄청난 충격을 받았던 것은 아니다. 그때까지도 나에게는 역사적 상상력과 판타지가 없었다. 애초에 없었다기보다 왕조 중심으로 나열된 기계적이고 천편일률적인 역사 교육의 영향을 제대로 받은 덕택일 테다.

그렇다면 나는 무엇에 매혹당해 쓸쓸한 둔덕 아래를 서성였던 것일까.

고대 유적의 발굴과 재건축이 동시에 진행되는 어수선한 풍경 한가운데서, 나는 줄곧 '시간'에 대해 생각했다. 한국의 폼페이라 불리는 그곳은 기원전·후의 아득한 시간을 고스란히 품은 채 인간과 문명이라는 파괴자의 발치에서 신음하다가, 어느 순간 자신의 찬란한 속살을 살짝 드러낸 것이다. 시간에 대한 견딜성이 없어, 고작 백 년도 안 되는 짧은 생애의 부질없음에 흔들리는 내 뺨에, 그때 역시 무언가 먹고사느라 부산하고, 욕망으로 안달복달하고, 싸우고 화해하고 미워하고 사랑하며 살았던 사람들의 숨결이 순간 스치고 지나갔다. 그들은 내가 언젠가 만났던 사람들이다. 그리고 언젠가 영원 속에서 만나게 될 사람들이다.

《화랑세기》와 신라 여인 '미실'을 만난 것은 우연이자 필연이었다. 때마침 나는 소설가라는 이름으로 십 년을 살고도 지나친 아집으로 독자들을 외면했다는 반성을 하고 있던 터였다. 내가 장악할 수 없는 인물, 마음대로 끌고 갈 수 없는 이야기를 하고 싶었다. 그리고 미실은 실제로 내가 감당하기 버거운 여인이었다. 내가 훈련받은 도덕을 간단히 뛰어넘는 여인, 내가 아는 역사를 당당히 배반하는 여인, 자신이 부여받은 시대를 가장 충실하게 살아간 배덕자(背德者). 그녀에게 사로잡혀 시간 여행을 하는 일은 즐거웠다. 미실에게 정열과 순정을 다 바친 아름다운 남자들을 만나는 일도 행복했다. 그리고 실로 그녀의 음덕(蔭德)을 입은 것인지, 나는 이 부족한 소설로 뜻밖의 행운까지 누리게 되었다.

인문학의 척박한 풍토에서도 꿋꿋이 시간을 복원하는 일에 전심전력하고 있는 많은 연구자들이 이 소설의 숨은 기여자이다. 이종욱

선생의 모든 책들, 김태식, 이도흠, 이기동, 김기흥, 이도학 님 등의 고대 사학자들, 손인수, 이상희 님 등의 민간 연구자들, 《시경》을 새로운 시각으로 해석한 원형갑 님의 저서에 큰 도움을 받았다. 또한 보상을 바라지 않는 열정으로 《화랑세기》 필사본을 후세에 남긴 남당 박창화 선생님의 영전에 감사의 인사를 바친다.

날로 '산업'이 될 수 없는 문화가 퇴행해 가는 척박한 현실에서 문학의 가치를 새롭게 조명하는 큰 상을 만들어 주신 세계일보사에도 진심으로 감사드린다.

나는 아직도 미련스레 믿는다. 사라질 수 없는 것들은 분명히 있다.

2005년 2월

김 별 아

차례 / 이슬

《미실》에 등장하는 인물들의 혈연 및 혼인 관계 참고표

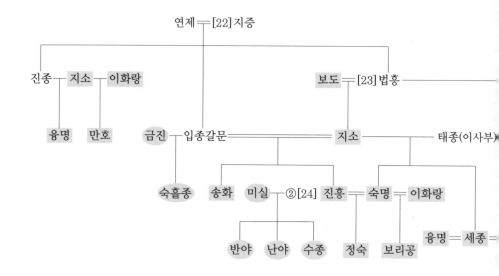

1.   진골정통
2.   대원신통
3. ══ 정식 혼인 관계
4. ── 색공 또는 사통 관계
5. ①~④ 미실이 색공한 순서
6. [　　] 는 왕의 대수

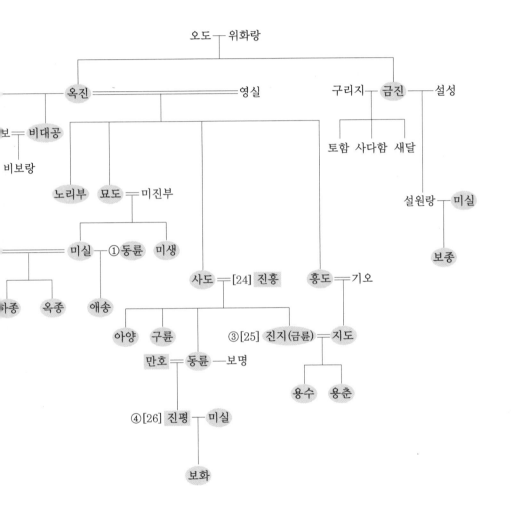

 그녀의 치마가 펄럭였을 때 세상은 그녀 앞에 무릎을 꿇었다. 돌이킬 수 없는 폐허처럼, 그녀는 뒤를 돌아보지 않고 끝까지 갔다. 그곳에 검붉은 아가리를 쩍 벌린 단애가 오롯이 자리함을, 발끝이 흔들리는 아슬아슬함을 모르지 않았다. 하지만 허방을 향해 한 손을 뻗을 때, 온몸과 함께 생애까지도 기우뚱거리는 순간의 아찔한 쾌감을 포기할 수 없었다. 깊은 곳으로부터 절로 몸이 젖고 영혼마저도 울울함을 떨치고 동실 떠올랐다. 어찌 이 가벼운 비상의 충동을 멈출 수 있겠는가. 부박한 생이여, 손아귀 가득 움켜잡은 치맛자락을 놓아라. 뿌리치는 비단 천에 미끄러져 더욱 붉어진 알몸뚱이로 그녀는 간다. 끝까지 오직 아득한 끝만을 주시한 채로.

물앵두, 사라지다

사월 파일의 왁자한 축제가 끝나고, 안거(安居)의 일정을 재촉하는 사문(沙門)들의 행보가 절로 바빠질 즈음이었다.

밤새 비가 내렸다. 새벽녘까지 빗줄기에 흠씬 시달린 땅은 축축이 젖은 채 서늘한 기운을 뿜어냈다. 대기는 가시지 않은 물방울의 잔흔으로 희붐하고 코가 아프도록 싸했다. 청명하게 닦인 하늘은 먼 곳으로부터 날로 우뚝우뚝 다가오는 초록의 행진을 감춤 없이 드러내고 있었다.

미실은 얇은 옷 밑으로 오스스 돋아 오르는 소름을 쓸어 내며 댓돌 아래로 한 걸음을 떼어 내렸다. 가볍게 다물어진 입술이 절로 열렸다. 땅과 하늘과 그 사이를 가득 메운 초록이 뿜어내는 신선하고 깨끗한 기운이 몸과 마음을 두드렸다. 하아……. 실연기 같은 입김이 매초롬한 입술 사이로 새어 나왔다.

바야흐로 열매가 맺히는 계절이다. 짙푸른 잎과 실팍해진 가지 사이로 불그름하게 익어 가는 버찌와 물앵두가 마음을 희롱하듯 간질였다. 다가가는 발걸음이 조심스럽다. 행여 젖을세라 옷자락을 걷어 올리자 희고 가는 팔뚝이 불쑥 드러났다. 부드러운 옷자락이 매끄러운 팔을 타고 흘러내렸다. 발갛고 말간 그것들, 아직 무르익어 이울지 않은 열매들은 사정없이 조여 팽팽했다. 세계가 전부 그 작은 알에 맺힌 듯 고요하고도 옹골찼다. 미실은 엄지와 검지를 조심스레 내밀어 그중 가장 잘 익은 하나를 땄다. 입속에 절로 시고 향기로운 침이 돌았다.

「세상의 모든 걸 맛보렴. 만져 보고, 맡아 보렴. 머뭇대지 말고, 아가, 깨물어 터뜨리길 두려워하지 말고.」

낮고 축축한 옥진의 목소리가 귓가에서 속살거리는 듯하다. 어린 미실에게 세상의 전부를 가르친 그녀. 처음이자 끝이고, 부드럽고도 완고하며, 깊고도 높아 그 온 데와 가는 바를 헤아릴 수 없는 지고의 세계를 가르치는 데 그녀만큼 훌륭한 여스승은 없었다.

물론 스승이기 이전에 옥진은 미실의 어머니인 묘도를 낳은 외할머니였다. 하지만 그들은 스승과 제자, 조모와 손녀의 관계를 떠나 더 높은 곳으로부터 맺어진 사이였다. 손을 뻗어 마음대로 매듭을 풀거나 엮을 수 없는 그 높은 곳의 이름만은 옥진이 부러 가르쳐 이르지 않았다. 그것은 미실이 스스로 깨달아야 할 몫이었다.

미실은 앞니로 살며시 앵두를 깨물었다. 야릇한 순간이 삽시간에 터졌다. 달고도 새큼한 맛이 혀끝에서 입 안 가득 붉게 번졌다. 도톰하니 알맞게 솟은 이마가 살짝 찡그려졌다. 미실은 눈을 감은 채 입을 오물거리며 맛과 향기를 탐닉했다.

잠시 후 미실의 눈까풀이 반짝 뜨였다. 닫혔다 열린 두 눈 속에는 장난기, 호기심, 무료함 따위가 어지러이 뒤엉켜 있었다. 미실은 거침없이 손을 뻗어 나뭇가지를 휘어잡았다. 늘어져라 열매를 매달고

만삭의 느긋함을 즐기던 앵두나무가 불의의 습격에 놀라 몸을 떨며 후드득 후득 물방울을 흩뿌렸다.

비단 옷자락이 젖었다. 서늘한 물기가 팔뚝을 타고 흘러 은밀히 접힌 겨드랑이를 파고들었다. 그럼에도 미실은 주저하거나 멈칫대지 않았다. 곧장 비어 있는 나머지 한 손을 들어 가지를 위에서 아래로 훑어 내렸다. 왁살스러운 손놀림에 나무는 몸을 뒤틀다가 우지끈, 단말마의 비명을 내지르곤 이내 잠잠해졌다. 미실이 굳게 움켜쥔 손아귀를 천천히 폈다. 그 속에 붉은 알들이 보석처럼 가득 빛나고 있었다. 짓뭉개져 터진 것도 있었고 얼결에 봉변당한 찢어진 이파리도 혹간 섞여 있었다. 하지만 미실은 아랑곳없이 곧장 움켜잡은 것들을 입으로 가져갔다. 붉은 세계가 입속에서 순차 없이 우두둑, 뭉클 터졌다.

미실이 불현듯 호르르 깔깔 우는 듯 웃었다. 웃음 끝에 기갈이라도 든 것처럼 가지를 휘어잡은 채 한동안 사나운 기세로 앵두를 훑어 먹었다. 배는 고프지 않았다. 목도 마르지 않았다. 하지만 까닭 모를 갈증과 허기가 포획한 먹이를 앞에 둔 맹수처럼 미실을 멈추지 못하게 부추겼다. 천지를 안고 일렁이는 봄 햇살은 미실의 방자하고 거침없는 행동에 숨이라도 죽인 듯 괴괴했다. 옥진의 목소리는 귀를 타고 흘러내린 부드러운 자분치를 흔드는 바람 속에서도 속삭였다.

「넌 누구와도 같지 않아. 미실! 넌 세상에 단 하나뿐인 너야.」

*

중국의 여씨가 쓴 책에서 옛날이야기를 읽었다. 아득한 과거의 한 시절에 친척과 형제, 남편과 아내, 남자와 여자가 구별 없이, 윗사람과 아랫사람, 어른과 어린아이가 도리도 없이 서로 얽혀 살았던 때가 있었다. 물론 그들을 다스리는 임금조차 있을 리 없었다. 다만 어미가 있음은 알되 아비가 있음은 몰랐으니……

미실은 그 부분을 다시 한 번 속으로 중얼거렸다. 어쩌면 《예기》의 첫 장 〈곡례〉 편에 눌러 박듯 쓰인 잠언과 모순된 이야기다. 《예기》에서 말하길 금수는 아비와 자식이 암컷을 함께하지만 인간은 그럴 수 없다 하였다. 하지만 도리어 구별과 도리가 없던 그때에 위대한 성인과 현자와 영웅이 하늘의 감응과 신령의 도움으로 잉태되어 세상에 나왔음에야!

「나는 어디에서 왔나요?」

언젠가 미실은 아이다운 눈망울을 굴리며 옥진에게 물었다. 옥진은 향분을 바르고 머리를 빗으며 몸치장에 한창이었다. 흠 없이 온전히 아름다운 미녀가 치장하는 모습처럼 농염한 것은 다시없었다. 짐짓 권태를 가장한 그것은 자만이고 오만이면서도 긴장 어린 매혹이었다. 풀어 헤친 옥진의 머리는 한여름의 숲처럼 검고 풍성했다. 울창한 수풀을 무심히 지나는 달님 같은 금 빗이 옥진의 머릿결 사이에서 교교히 반짝이다 사라지곤 하였다.

「기린이 널 보내 주었지. 용의 머리와 사자의 몸을 하고 착한 일을 많이 한 집을 골라 아이를 보내는 기린이 널 낙타에 태워 우리에게 보내 주었단다.」

「나는 어디에서 왔나요?」

그 후로 얼마인가 지나 미실이 좀 더 컸을 때, 다시 옥진에게 물었다. 중년에 접어든 옥진은 만월의 동산에 사는 항아처럼 여전히 우아하고 눈부셨다. 옥진은 동경과 선망의 눈빛을 반짝이는 미실을 향해 웃으며 대답하였다.

「관음보살님이 너를 우리 곁에 보내 주셨지. 관음보살님의 자비로 아이가 생겨나 중생이 기쁨으로 구제받을 수 있는 거란다.」

미실이 더 이상 자기가 어디에서 왔는지를 묻지 않게 되었을 때, 옥진은 마침내 미실이 세상에 난 내력을 말해 주었다. 이제 옥진의 머리에도 잔설이 내리고 머리 장식으로 꽂은 빗이 무겁고 헐거워 보였다.

「나는 너에게 내가 알고 있는 모든 것을 가르치고자 하였다. 네 어미의 태에서 너를 꺼내는 순간부터 그럴 만한 가치가 있다는 걸 나는 깨달았지. 너는 네가 가진 것으로 할 수 있는 일들을 뛰어넘어 그 무언가를 할 수 있는 아이임이 분명하다고.」

옥진에게 미실은 행복한 숙제였다. 딸인 묘도와 사도를 낳았을 때는 몰랐다. 그들은 사납고 서러운 인연으로 엉킨 그녀의 질곡이자 난제였다. 딸들이 성큼성큼 자라나는 것이 두려웠다. 그들의 탐욕스럽고 용맹한 젊음 앞에서 젊어 사랑받던 미인도 늙어지면 반드시 사랑을 잃기 마련이라는 색쇠애이(色衰愛弛)의 이치를 확인하는 남루한 순간을 맞이할까 봐 겁이 났다. 어미를 잡아먹는다는 짐승, 효경(梟獍)에 대한 상상은 그처럼 검고 어두운 꿈에서 싹튼 것이었나 보다. 그래서 때론 밀쳐 내며 냉담을 가장했다. 명목은 그래야만 떠나보내야 할 때 기꺼이 웃으며 떠나보낼 수 있다는 것이었다. 하지만 떠나보낸다곤 하나 멀어질 수는 없었다. 딸들의 넓어진 세계는 그녀가 빼앗긴 어떤 지점이었다. 침범당하였기에 한층 욕심과 미련으로 안타까워지는, 빛을 잃은 기억의 순간.

그러나 미실에게만은 그럴 필요가 없었다. 주고 또 주어도 아깝다거나 애타지 않았다. 옥진의 사랑은 이미 신계(神界)를 향해 영원히 떠나 사라졌고, 추억만은 누구와도 경쟁하여 다툴 필요가 없었다. 그리고 가장 가혹한 진실은, 이미 늙은 그녀가 움켜잡고 놓지 않는 일 전부가 다만 게염과 노욕(老慾)으로부터 비롯될 뿐이라는 사실이었다.

옥진은 미실의 탐스러운 머리를 쓰다듬으며 말했다.

「짐승처럼 솔직해질 줄 모르고서야 사람의 도리를 배울 필요가 없고, 사람이 아니고서야 어찌 여자일 수 있을까? 이제 너는 십 년의 수업을 마쳤으니 스스로 홀로 설 때까지 나머지 삼 년 동안 여자가 되는 법을 배울 차례다. 그러기 위해 너에게 네 어머니와 그 어머니인 나, 우리 여자들의 이야기를 들려주마. 나에게 시간이 얼마나 더 남아 있을지 모르겠구나…….」

이것이 있으므로 저것이 있고, 이것이 없으므로 저것이 없다. 이것이 생기므로 저것이 생기고, 이것이 없어지므로 저것도 없어진다.

미실은 심학(心學)*의 경전에서 읽은 그대로를 믿었다. 옥진이 있으므로 미실이 있고, 옥진이 없어지면 미실도 없어지리라! 캄캄한 숲 한가운데서 길을 잃은 듯 두렵고 외로운 마음이 미실을 엄습했다. 하지만 미실은 울지 않으려고 입술을 세게 물었다. 싸한 아픔이 눈물의 통로를 가로막았다. 할머니는 미실이 우는 것을 보고파 하지 않을 것이다.

미실은 자기가 지어 보일 수 있는 가장 화사한 미소로 싱긋 웃었다. 그녀는 본능적으로 그럴 때 자신이 얼마나 아름다운지, 세상의 어떤 비밀도 그 앞에서 턱없이 무력해진다는 사실을 알고 있었다.

「무슨 이야기든 좋아요! 나는 무엇이라도 두렵지 않아요!」

---

* 심학 : 불학(佛學).

둥글고 겹이 진 옥진의 눈이 선계(仙界)를 향해 있는 듯 더욱 매혹적이었던 이유는 기실 그녀의 부족한 잠 때문이기도 했다. 옥진은 언제나 깨어 있는 듯 졸고 자는 듯 깨어 있었다. 그녀의 잠은 항시 어지럽고 현란하여, 신령은 꿈길 어귀 어디쯤에서 반드시 그녀를 기다리다가 몽조(夢兆)를 전해 주고 사라지곤 하였다. 그녀는 이 같은 꿈의 예지를 강력히 신봉했다.

그날도 옥진은 침상에 기대어 졸다가 문득 꿈속에서 아련한 영상을 보았다. 오색의 영롱한 빛이 하늘을 향해 손짓하는 신수처럼 뻗치어 마침내 거대한 기둥을 이루었다. 옥진은 홀린 듯 빛의 기둥을 향해 다가갔다. 몸을 기대어 볼까, 더듬어 어루만질까 망설이는 사이 삽시간에 그녀의 몸이 빨려들어 빛의 기둥 가운데 갇혔다. 옥진은 순간 당황하여 허공을 더듬어 출구를 찾았지만 이내 그녀의 불안을 다독이는 듯한 다사로운 빛의 세례에 저항할 기력을 잃고 말았다.

기둥은 매끄럽고도 축축했다. 끝없이 떠도는 빛은 느끼고 깨닫지 못하는 사이 는개처럼 보얗게 옥진의 살갗을 적셨다. 탈출의 의지마저 잃은 옥진은 온몸에 맥이 풀리어 그만 스르르 주저앉았다. 그때 멀리서 날카로운 한 점이 번쩍이더니 옥진을 향해 곧바로 돌진해 들었다. 그대로 부딪히면 나동그라질 것만 같았다. 하지만 생각과는 달리 옥진의 손은 어느새 자기의 옷고름을 풀어 젖히고 있었다. 가슴으로 그것을 받아들이려는 것이었다. 아픔을 감수할 만큼 놓치기 싫은 것이었다.

그 정체는 일곱 빛깔의 깃털과 붉은 부리를 가진 아름다운 새 한 마리였다. 놀란 채 감탄하여 넋을 놓고 있는 사이, 새는 옥진의 풀어 헤쳐진 가슴 사이를 뚫고 들어왔다. 가슴에 격렬한 통증이 일었다.

하지만 통증의 뒤란은 황홀하였다. 일곱 빛깔의 야릇한 쾌감이 전신을 뒤흔드는 순간, 옥진은 그만 잠에서 깨어났다.

머리가 어질어질하고 다리가 후들거리는 채로 옥진은 분주히 내실을 나섰다. 화창한 날이었다. 터져 나오는 박수 소리와 탄성이 이끄는 대로 옥진은 내정을 향해 날듯 뛰어갔다. 때마침 내정에서는 축국 놀이가 한창이었다.

부풀린 구가 살별처럼 튀어 올랐다. 법흥제는 가슴으로 그것을 받아 안전하게 발끝으로 흘려 내렸다. 제는 거친 호흡을 조절하며 빠르게 구를 몰았다. 붉은 흙이 튀어 바짓가랑이를 물들였다. 영실이 버티고 서 지키고 있는 구문까지는 한달음이었다. 키가 큰 제는 성큼성큼 다가가 한 발로 굳건히 땅을 디딘 채 온몸의 무게를 실어 구의 중심을 힘껏 차올렸다. 영실이 쓰러지면서 몸을 던져 막으려 했으나 튀어 오른 구는 빈틈을 비집고 간단히 빠져 굴러 나갔다. 데구루루 살아 있는 듯 도망치던 구는 영실의 구문 안에 이르러서야 더는 가지 못하고 멈추었다. 지켜보던 내성 사신들과 사자(使者)*들의 박수와 환성이 드높아졌다.

제가 흡족한 웃음을 가득 머금고 흐른 땀을 닦으며 숨을 고를 때, 옥진이 갑자기 다가서 손목을 잡았다.

「저와 함께 가시옵소서.」

어리둥절해진 제가 쳐다보노라니 옥진은 잠기운이 채 가시지 않아 간잔지런한 눈매에 머리는 헝클어져 부스스한 모습으로 손목을 이끌며 채근하고 있었다. 제가 헛웃음을 날리며 옥진을 향해 물었다.

「어디로? 대체 무슨 일인가?」

＊사자 : 심부름하는 사람들.

「좋은 꿈을 꾸었사옵니다. 지금 합을 이루면 반드시 귀한 아들을 낳을 것입니다. 함께하는 것이 옳습니다.」

법흥제는 문득 곁에 서 있던 영실을 쳐다보았다. 그는 한때 아내였던 옥진을 낯선 듯 물끄러미 바라보고 있다가 제의 시선을 느끼고는 황급히 수병을 들어 입으로 가져갔다. 목울대가 거칠게 요동치며 오르내렸다.

「무슨 꿈이기에 이러는가?」

「칠색조를 보았습니다. 칠색조가 제 가슴으로 들어왔습니다.」

옥진이 칭얼거리며 재촉하였다. 하지만 제는 교용에도 아랑곳없이 빙긋이 웃으며 옥진이 이끄는 손목을 뿌리쳤다.

「일곱 가지 색이라 함은 청, 황, 적, 백, 흑의 다섯 정색에 간색이 섞인 것일 테고 새는 여자를 의미하니, 네 꿈은 황자가 아닌 빈첩(嬪妾)*의 조짐이다. 여기 네 지아비가 있으니 그와 더불어 함께하라.」

영실이 놀라 법흥제와 옥진을 번갈아 바라보았다. 옥진의 얼굴이 절로 와락 찌푸려졌다. 영실은 옥진이 황제의 총애를 받기 전에 혼인한 남편이었으나 본래 약속으로 정해져 맺어진 사이라 부부의 도타운 정이 없었고, 길몽으로 후사를 잉태하기엔 아무래도 옥진의 마음에 흡족지 않았다.

그러나 제는 과연 살아 있는 신으로 불릴 만큼 그 마음 씀이 예사롭지 않아, 곧 옥진의 마음을 읽고 그녀가 꺼리는 바를 살펴 어루만졌다.

「네 지아비와 나는 일체다. 그러니 네 지아비와 합하여 아들을 낳

---

*빈첩 : 후궁.

는다면 나는 그를 태자로 삼을 것이고, 딸을 낳는다면 빈으로 삼을 것이다.」

제의 약속을 듣고서야 비로소 옥진의 얼굴이 활짝 펴졌다. 영실은 둔감하고 단순한 반면 의리와 도의를 무엇보다 중시하는 사내였다. 그는 단 한 번도 아내를 제에게 바쳤다는 사실 때문에 괴로워한 적이 없었다. 아내를 취한 이는 감히 경쟁하거나 도전할 수 없는 지엄한 황제였기 때문이다. 하지만 제의 명령으로 옥진과 함께 장막 안으로 들어가 사랑을 나눌 때, 영실은 숨 막힐 듯 더욱 아름다워진 옥진의 앙가슴에 얼굴을 묻고 아주 잠깐 눈물도 없이 울었다. 이미 남이 되어 버린 아내의 입에서는 잃어버린 추억처럼 아련한 단내가 났다.

영실은 더 이상 옥진의 지아비가 아닌 채로 그녀의 지아비 노릇에 충실했다. 이에 잉태되어 낳은 아이가 묘도였다. 과연 제의 예언대로 아들이 아닌 딸을 낳으니, 모두들 제의 신령함이 예사롭지 아니하다 입을 모았다.

*

묘도는 장막 너머로 너울거리는 그림자를 보았다. 거대하고 우뚝한 그림자는 흐르는 듯 천천히 움직이며 무겁게 걸친 것들을 하나씩 떨어냈다. 그때마다 묘도의 마음이 가파른 돌계단을 층층이 밟아 내려갈 때처럼 출렁였다. 어느 하나 예정되지 않고 예상하지 못한 바 없지만 겪어 보지 못한 처음에 대한 공포는 좀처럼 익숙해질 수 없는 것이었다. 어느덧 묘도는 온몸을 부들부들 떨고 있었다.

「제는 신의 아들이시니라. 우리의 신국을 축조한 신령의 감응을 받아 태어난 분이시니라. 신국의 안녕과 영원을 위하여 진력을 다해 신을 받들라.」

명을 내리는 옥진의 목소리는 근엄했다. 평소에도 그다지 다정하고 살갑지 않은 어머니였지만 대의 앞에 사사로운 감정을 억누르는 그녀는 남보다 더 낯설고 차가웠다. 색공지신(色供之臣)*의 거룩한 임무를 모르는 바 아니다. 첫 남자로 받아들이는 이가 범부가 아닌 황제임은 지극한 영광이다. 하지만 비로소 여자가 되는 처음의 순간에 신하의 예를 먼저 강조하여 이르는 어머니에 대한 서운함만은 억누를 수 없었다. 묘도는 자책감과 서글픔을 동시에 느꼈다.

「네가 대내에 든 것이 처음이라 낯설겠구나.」

장막을 젖히고 들어온 법흥제의 음성은 너그럽고 후한 성품을 드러내듯 낮고 온화했다. 하지만 묘도는 여전히 몸이 떨리고 정신마저 혼미하여 제의 부드러운 성음에도 마음이 가라앉지 않았다. 묘도는 눈을 치떠 제의 모습을 마주하지 못한 채 비에 젖은 메추라기처럼 바들바들 떨었다. 그런 모습이 애틋한 듯 가여운 듯 제는 가벼운 한숨을 내쉬며 말했다.

「가향주나 한잔 들어라. 음양이 화합함에 두려움이 있어서야 되겠느냐?」

제가 친히 술병을 잡아 기울이니 따뜻한 향취가 방중에 물씬 퍼졌다.

「짐이 좋아하는 옥매주로구나. 뼈와 근육의 생육을 돕고 무병장수를 기원하는 약주려니와 오늘은 너와 나의 합방을 축하하는 술이로다. 한잔 가득 부어 마시라.」

제는 술잔을 비우며 탁자 위에 놓인 정병(淨瓶)을 물끄러미 바라보았다. 만개한 연과 뿌리를 함께 꽂아 삽화를 해놓은 솜씨가 예사

---

*색공지신 : 세대 계승을 위해 왕이나 왕족을 색(色事)으로 섬기던 신하.

롭지 않았다. '옥진이로구나!' 제는 마음속으로 가만히 부르짖었다.

「연뿌리를 부러뜨리면 실이 이어져 있지요. 연뿌리의 구멍은 정기를 통하게 한다지요. 그러니 하나의 뿌리에서 생겨난 연은 고스란히 사랑하는 여인네와 사내인걸요. 머리를 나란히 하여 몸도 마음도 서로 통하니, 아득한 겁의 인연이 아니고서야 어찌 서로 애모할 수 있을까요?」

옥진의 간드러진 음성과 나긋한 몸짓이 제의 눈앞에 아른거린다. 사랑하는 남자의 품에 다른 누구도 아닌 딸을 안기고도 순명의 자세를 취해 보일 수밖에 없는 옥진의 심정이 새삼스레 폐부를 찌른다. 하지만 누구도 어쩔 수 없는 일이다. 신성을 보존하기에 힘써야 하는 일 역시 천명이다. 백 명의 자식을 둔 주나라 문왕은 상서롭고 다복한 제왕의 이상이 아니던가.

「이것은 돈륜(敦倫)이다. 인간이 마땅히 지켜야 할 윤리에 도탑게 합치되는 일이다. 두려워하지 말고 가까이 오라.」

제가 거칠게 자기 옷고름을 풀어 젖혔다. 따뜻한 미주 한 잔에 느긋해진 눈으로 묘도를 바라보니 그 얼굴이 음전한 여래의 상이었다. 처녀의 몸을 통해 환희불(歡喜佛)을 만날 생각을 하니 불현듯 양기가 솟구쳤다. 제는 묘도의 머리에서 가란잠을 풀어내고 그대로 끌어 침상 위에 눕혔다. 그리고 저고리를 벗어 던진 채 바지의 매듭을 끄르기 위해 침상에 기대어 섰다. 그 순간 부끄러움에 눈을 질끈 감고 있던 묘도는 자연의 모습으로 그녀 앞에 선 제의 알몸뚱이를 훔쳐보고야 말았다.

「어머나!」

묘도의 입에서 비명과도 같은 소리가 터져 나왔다. 칠 척의 큰 키에 못지않은 거대한 옥경이 우뚝 선 채 그녀를 굽어보고 있었다.

신성한 왕족의 거물에 대한 신화는 이미 전왕인 지증제로부터 비롯되었다. 연제황후를 맞아들일 당시 음경의 길이가 자그마치 한 자 다섯 치였던 지증제는 삼도에 두루 사신을 보내 짝을 찾아야만 했다. 모량부 동로수 아래 이르러 개 두 마리가 북만 한 크기의 똥 덩어리를 다투어 먹는 것을 보고 그 똥의 임자인 상공의 딸을 찾으니, 그녀가 바로 키 칠 척 오 촌의 연제였다. 외치(外治)의 성과로 우산국을 정벌하고 내치(內治)에서 처음으로 소를 이용해 밭을 갈아 일구어 농사일 중 가장 힘든 김매는 수고를 덜어 백성을 보살피니, 지증제의 거대한 음경과 연제황후의 커다란 배설물이야말로 날로 새로워지고(新) 사방을 망라하는(羅) 나라를 세우기에 부족함이 없는 증거였다.

그러나 불행하게도 묘도는 지증제와 연제황후의 맏아들로 더할 나위 없이 우람하고 상서로운 법흥제를 받아들이는 일을 감당하지 못했다. 성교의 마력으로 충만해야 할 초야는 눈물과 비명의 끔찍한 밤이 되고야 말았다. 제와 묘도가 서로 당황하여 옥진이 조제한 미약(媚藥)까지 사용하며 거듭 시도하였으나 번번이 고통을 호소하는 묘도 때문에 끝내 사랑을 나누기에 실패하였다.

「제의 양기가 너무 강하고 소녀가 너무 작고 좁아 맞출 수 없으니, 해가 지고 저녁이 오는 것이 두려울 뿐이옵니다.」

묘도는 울며 옥진에게 호소하였다.

「그것이 어찌 네 죄일 수 있는가? 다만 제에게 바친 약속을 지키지 못해 송구할 뿐. 괴로워 마라. 하늘과 땅 사이 어딘가에 네 작고 좁은 옹굴에 꼭 맞는 두레박이 반드시 있을 터이다.」

옥진은 묘도를 위로하면서도 엄숙한 묘도의 성정이 어머니의 남자를 감히 받아들이지 못하게 몸의 문을 닫게 한 것이 아닌가 의심하였다. 그렇지만 그 또한 어쩔 수 없는 일이었다. 곧바로 꽃의 중심을 향해 돌진하는 강제적인 교합은 여자와 남자의 몸을 상하게 하는 동시에 누구에게도 기쁨을 줄 수 없다. 고통 속에 꽃망울을 떨어뜨려야 했던 묘도가 남녀가 서로 합하여 누리는 기쁨을 알기까지는 더 오랜 시간과 의지가 필요할지도 모를 일이었다. 옥진은 처음으로 딸인 묘도에게 지극한 연민을 느꼈다.

잉태되기 전부터 지어진 약속대로 법흥제에게 빈으로 바쳐졌지만, 묘도는 음양이 어울리는 즐거움을 알지 못해 아침부터 날이 지는 것을 걱정하며 지냈다. 묘도의 고통이 이처럼 잦아들지 않으니 황제도 차차 그녀를 꺼리어 멀리하였다.

「나에게는 정녕 사랑받을 자격이 없단 말인가? 환희의 샘물을 퍼올릴 수 없는 옹굴이 깊고 서늘한들 무슨 소용인가? 이대로 짚뭇으로 메워져 감추어지고자 하니 차라리 머리를 깎고 비구니가 됨이 옳지 않을까?」

묘도에게는 눈을 뜨는 하루하루가 지옥이었다. 사랑을 얻지 못한 괴로움과 그것이 온전히 자기로부터 비롯되었다는 자책에 발걸음은 휘청거렸고 눈동자는 빛을 잃었다. 음전하던 얼굴에는 상실의 쓰라림으로 그늘이 드리워졌고 소리 내어 웃는 일이 없었다. 그러던 어느 날이었다.

자귀나무 이파리가 손짓하듯 이끌기에 묘도는 간만에 머리를 빗고 궁중 뜰에 나섰다. 짝을 지어 달린 자귀나무 잎은 밤에는 두 잎이 서로 붙어 잠을 잔다 하였다. 그래서 금실이 좋은 부부를 자귀나무같다 하니, 묘도는 절로 깊은 한숨을 내쉬었다.

「꽃점이라도 쳐볼까? 누구를 상대로 다정을 셈할까?」

한 가지를 꺾어 들고 이파리를 뜯어내며 철모를 날의 한때처럼 부질없는 꽃점을 쳤다. 싫어요, 좋아요, 싫어요, 좋아요……. 한낱 나무 이파리에 대상도 없는 연모의 마음을 싣는 자기의 처지가 못내 서글퍼, 묘도는 그만 얼굴을 가린 채 쪼그려 앉고 말았다.

「'좋아요'부터 시작해 보셔요. 아마도 당신이 원하던 점괘가 나오고 말걸요?」

재기가 느껴지는 맑고 카랑한 음성이 묘도의 귓전을 스쳤다. 묘도는 문득 당황하여 흙에 쓸린 치맛자락을 털며 일어났다. 날씬하고 호리호리한 미남자가 한 손에 자귀나무 가지를 꺾어 든 채 묘도를 바라보고 있었다. 그의 낯빛은 막 수세를 마치고 나온 양 맑았고 옷 깃에서도 은은한 새물내가 풍기는 듯했다. 묘도의 귀뿌리가 덴 듯 뜨거워졌다.

「사실은 간단한 이치랍니다. 열이면 여덟아홉은 한 송이에 달린 꽃잎의 수가 짝을 지어 맺히는 법이거든요. 믿지 못하시겠다면 한 번 점쳐 보셔요.」

궁중의 정원을 소지하는 사자는 바람도 불지 않는데 마냥 떨어져 흩어져 있는 자귀나무 잎이 이상하기만 하였다. 우연히 뜰에서 사내를 만난 이후 묘도가 매일 꽃점을 치고 있음을 사자가 알 리 없었다. 사내의 말대로 '좋아요'로 시작된 꽃점은 거의가 '좋아요'로 끝나곤 했다. 묘도가 그토록 간단한 놀이에 아이처럼 빠져들어 손끝을 푸르게 물들이는 사이, 어느덧 그녀의 마음에 허황한 점을 쳐서라도 인연을 확인하고 싶은 대상이 자리 잡고야 말았다.

「삼엽공주님의 아드님인 미진부공이라지요. 공주님이 꿈에서 백학을 보고 잉태하신 귀골인데, 원화(源花)*의 자리를 다투다 준정

---

* 원화 : 풍월주의 전신으로 낭도들의 우두머리.

의 손에 죽은 남모공주가 바로 미진부공의 아내였더랍니다. 아마
도 그때의 상처가 컸던지 다시 아내를 맞지 않고 홀로 지내신다
하니, 생전에 부부의 사이가 그토록 도타웠다던가요?」

미진부, 미진부……. 소문에 빠른 시녀에게서 그의 이름을 알아낸
묘도는 뜨겁게 달아오른 연정으로 몸살을 앓았다. 삼엽공주의 아들
이라면 법흥제의 외손자, 외조부의 후궁인 자신을 과연 받아들일지
알 수 없지만 터져 나오는 기침처럼 숨길 수 없는 사랑만은 반드시
고백하고 싶었다.

마침 궁중에 입시(入侍)한 미진부의 거처는 묘도와 전(殿)을 사이
에 두고 마주 보는 곳이었다. 미진부가 자극전으로 제를 뵈러 가거
나 궁 밖으로 거동을 할 때는 반드시 묘도의 침소에서 내다뵈는 회
랑을 지나야만 했다. 묘도는 위태롭고도 절박한 모험을 계획하였다.

그의 발소리는 눈을 감고도 헤아려 가릴 수 있다. 그는 비단뱀이
풀숲을 헤치듯 사르륵사르륵 뒤꿈치를 끌며 걷는다. 그것은 소리로
들려오기보다 공기의 울림으로 다가온다. 가슴의 요동이 확연한 예
감으로 점차 파고를 높인다. 셋, 둘, 하나……. 묘도는 발소리가 문
밖에서 가장 가까이 울리는 순간 몸을 날려 그의 옷깃을 낚아채었
다. 놀란 그의 몸이 숨이 말려드는 짧은 탄식과 함께 장막 안으로 끌
려들었다. 더 이상 말을 주고받아 나눌 틈이 없다. 묻고 대답하여 분
별을 가릴 필요도 없다. 묘도의 뜨거운 입술이 그의 부드러운 입술
을 향해 날아가 덮었다. 거부할 수 없는 진정이었다. 미진부는 질끈
눈을 감았다. 세상이 존재하기 전부터 이미 있었던 무변한 암흑 속
에 모든 셈속이 까무룩 사라졌다.

옥진은 또다시 예지몽을 꾸었다. 옥진의 가슴속에 둥지를 틀었던
칠색조가 별안간 요란한 날갯짓을 퍼덕이더니 저만치에서 다가오는

여인네의 가슴을 향해 날아갔다. 그 여인의 희미한 윤곽을 더듬어 살펴보니 다름 아닌 딸 묘도였다. 놀라 일어난 옥진이 묘도의 침실로 다가가 엿보니, 때마침 묘도와 미진부는 격렬하게 서로를 탐하며 사랑을 나누고 있었다. 여자로서 자신감을 잃고 사그라져 가던 묘도는 사랑을 얻은 순간 마치 다른 사람처럼 당당하고 거침이 없었다. 미진부는 그런 묘도를 지극함으로 아껴 다루었다. 참으로 신령이 기뻐하실 모습이었다.

인기척에 놀란 그들이 허겁지겁 벗은 몸을 가리니 옥진은 부드러운 음성으로 물었다.

「언제부터였던가?」

「만난 날수로 헤아리리까, 오랜 겁의 인연을 말하오리까? 저희는 이미 동혈(同穴)*의 벗이 되기로 약속하였사옵니다.」

미진부의 대답에 옥진은 안심한 듯 다정히 미소 지으며 축복하였다.

「다가올 일들을 미리부터 두려워 마라. 모든 것이 안온하리라. 그리고 너희 부부는 곧 귀한 여식을 얻게 될 것이다.」

옥진은 지소의 허락을 얻어 미진부가 묘도를 아내로 맞게 하였다. 그리고 곧 딸이 태어나니, 그들은 아름다운 사랑의 결실을 미실이라 이름 지었다.

*

묘도가 처음 미실을 낳았을 때, 옥진은 핏덩어리를 감싸 안고 복숭아꽃과 흰 눈으로 세수를 시켰다. 때마침 백화(百花) 내방의 전조인

---

*동혈 : 부부가 한 무덤에 묻힘.

세설이 내려 두 가지를 동시에 축원하기에 흡족하니, 옥진은 미실의 새빨간 낯을 씻으며 중얼거렸다.

「붉은 꽃을 가져라, 흰 눈을 가져라.」

속신(俗信)으로는 그리하면 잡귀로부터 생명을 지키고 광택이 나는 아름다운 뺨을 가질 수 있다 하였다. 옥진은 속신이든 불법이든 무엇이라도 믿고 따라 의지하고 싶었다. 미실에게 자신이 누릴 수 있었던 것 전부와 누릴 수 없었던 것까지도 모두 주고 싶었다.

미실은 태어나 처음 다섯 해를 짐승처럼 자랐다. 옥진은 미실을 숲 속에서 자유롭게 놓아길렀다. 애초에 인간만이 귀하고 짐승은 미천하다는 분별은 자연의 것이 아니다. 그리하여 부처님은 그러한 어리석은 분간이 없는 천축에 몸을 부려 태어나셨던 것인지도 모른다. 소와 돼지와 개와 염소가 사람과 함께 먹고 자고 배설하는 그곳이야말로 천진한 본래의 심성이 살아 숨 쉬는 곳이 아니런가. 짐승은 본능을 거역할 줄 모르고 거짓으로 자기를 구속하지 않는다.

미실은 발가벗은 채 숲을 기고 걷고 달리는 일이 좋았다. 할머니의 명에 따르는 것이 아니더라도 숲에서 보내는 하루는 즐겁고 쾌적했다. 바람은 쌉쌀하고 푸르렀다. 들숨과 날숨은 맑고 청신했다. 숲의 정령이 어루만진 피부는 날로 탄탄하고 매끄러워졌다. 옥진은 다만 숲으로 가라 말했다. 하지만 미실은 숲에서 무엇을 배우고 익혀야 할지 알았다.

친구와 놀이거리는 어디에나 널려 있었다. 미실은 세상의 만물을 벗 삼아 대화하는 법을 익혔다. 빠르게 숲길을 걸을 때 문득 곁에서 들썩이는 나뭇잎들은 단순하고도 순정한 고백을 속삭였다. 귀를 기울일수록 그들의 이야기는 점점 깔밋해졌다. 인간의 말로 풀어낼 수 없는 기기묘묘한 속살거림, 그러나 그 간질이는 고백만으로 가슴은 터질 듯 충만하였다. 미실은 그들이 시키는 대로 울고 웃고 뒹굴며 즐기고 기꺼이 사랑하고자 하였다.

미실은 흘러내린 옷자락을 거두려 들지 않았다. 흘러내리는 것은 흘러내리는 대로, 걸리는 것은 걸리는 대로, 울창한 수풀을 자유로이 빠져나가는 바람처럼 혼연히 두면 되는 것이다. 그녀는 아주 천천히 움직이도록 훈련받았다. 무엇에도 조바심치거나 부러 채근하지 않도록, 스치고 스쳐 지나가고, 흐르고 흘러 사라지는 모든 것들에 마음을 두어 고이도록 하지 않았다. 시간은 그녀 곁에 머물러 아주 천천히 스치고 흘렀다. 미실은 바스락거리는 모든 시간의 소리를 들었다.

무수한 꽃들이 피었다 졌다. 새가 울 때마다 숲은 무성해졌다. 한 개씩 젖니가 빠지고 새로이 간니가 한 개씩 돋을 무렵 미실은 사람의 문자를 배웠다. 글을 쓰고 읽으며 지금껏 지극한 벗으로 함께했던 자연을 섬기고 축복하는 법을 익혔다. 반딧불 초롱을 켜고 상수리 열매껍질로 그릇을 삼아 보리 잎과 수수깡으로 풀각시를 만들어 소꿉놀이를 할 때에도 그녀는 공화(供花)* 의식을 잊지 않았다. 나뭇잎을 태워 피운 향이 파들파들 타들 무렵 서쪽을 향해 꿇어앉아 꽃을 바치면 마음이 절로 간절해졌다.

무엇을 향해 간절해지는지 알 수 없었다. 나뭇잎 향이 지펴 올린 구수한 연기처럼 그 방향을 정한 듯 솟구치다가 시나브로 사라져 버리는 종잡을 수 없는 기분이었다. 설레었다가, 안타까웠다가, 들떠올랐다가, 종내는 마음의 벽을 사각사각 긁는 슬픔으로 가라앉고야 마는 변덕스러운 감정이었다. 미실은 그 어지럽고 정체 모를 흔들림

---

*공화 : 부처나 죽은 사람에게 꽃을 바침.

이 좋았다. 몸을 돌아 빠져나오는 숨결과 몸속을 흐르는 피톨들이 그와 함께 요동하는 것마저 황홀하게 느껴졌다. 미실이 진정으로 즐긴 것은 살림살이를 흉내 낸 소꿉놀이가 아니라 장난질을 핑계 삼아 거듭 맛보는 간절함이었다.

숲은 끝없이 태어나고 죽었다. 숲에서 사는 모든 것들이 숲의 이치를 따랐다. 짐승의 시체가 썩어 가는 한구석에서 새로운 생명이 번식했다. 곳곳에서 살아 있는 것들이 아우성처럼 교미를 했다. 바람은 쉬지 않고 화분을 실어 날랐다. 두꺼비는 영문도 모르는 채 암컷의 음습한 구멍을 향해 무거운 몸을 실었다. 미실은 겁 많은 노루의 눈망울을 마주할 때처럼 물끄러미 그것을 지켜보곤 하였다. 도망치지 마라, 무엇도 너의 도저한 진정을 침범할 수 없으리니.

그리하여 짐승처럼 스스로를 놓아두는 법을 먼저 배운 미실은 경전과 역사 책을 읽을 때에도 문자의 교조에 사로잡히지 않았다. 미실은 종심(從心)에 도달한 공자가 이른 대로 시를 읽지 않고서야 사람으로서 말할 자격이 없다는 가르침에 충실하였다. 공자의 시집과 굴원의 시가를 따라 읽으며 운율과 흥취를 배우고, 반야심경을 읊조리며 색과 공을 깨닫고, 추연의 《담천연》*에 깊이 감화되어 별, 나무, 풀의 생육, 물이 흐르고 불이 일어나는 현상들을 살펴 기록하는 기이를 좇기도 하였다. 훗날 막내아들 보종이 손으로 일일이 베껴 후대에 전한 《미실궁주사기》*의 자료가 되는 미실의 수기(手記) 칠백 권이 쓰이기 시작한 것도 이때부터였다.

바야흐로 미실이 열 살이 되었을 때, 그녀는 만년의 공자가 그의 제자 자공에게 실토한 천하언재(天何言哉)의 내밀한 원리를 이해하

---

*담천연 : 제나라 사람 추연이 지은 음양가 문헌.
*미실궁주사기 : 김대문이 《화랑세기》를 저술할 때 자료가 되었던 책.

여 감화되었다. 미실은 시시때때로 그 말을 중얼거리며 혼자 웃다가 생각에 골몰하다가 다시 빙그레 미소 짓곤 하였다.

「계절이 순환하고, 살아 있는 모든 것이 나고 죽는데, 하늘이 무슨 판단을 한다는 것이냐?」

그 말을 읊조리는 미실의 얼굴에는 천 년도 더 산 노파와 갓 태어난 아이의 낯빛이 함께 어려, 참으로 괴이하고도 아름다웠다.

옥진이 미실에게 물었다.

「색이란 무엇으로부터 비롯되는 것일까?」

「마음으로부터 비롯됩니다.」

미실이 총기 어린 눈을 빛내며 대답했다.

「마음? 그것이 어찌하여 색의 근본이 된단 말이냐?」

「마음이 열리지 않고서야 몸이 열릴 리 없지요. 진정에서 우러나 사모하고 갈구하지 않는다면 남녀가 상합할 시 빚어질 수 있는 일곱 가지 손해 중의 첫째인 절기(絶氣)로 스스로를 상하게 할 수밖에 없습니다. 상대의 마음이 있거나 없거나 신경을 쓰지 않고 강제로 교합을 한다면 정기가 고갈되는 기력 부족증에 시달릴 수밖에 없지요.」

「그렇다면 마음은 어떻게 해야 열리는가?」

「책은 마음을 충만하게 하지요. 음악은 마음을 풍요롭게 하지요. 기도는 마음을 정화시키고 사색은 마음을 고양시키지요. 하지만 그 무엇으로도 마음을 빈틈없이 가득 채워서는 안 될 것입니다. 마음은 얼마쯤 비어 있어야 할 거예요. 절반쯤 채운 항아리 속의 물이 흔들리듯, 새로이 부은 물이 넘쳐흐르지 않고 섞이도록 절반은 비운 채 두어야 할 거예요.」

옥진은 미실의 대답이 썩 마음에 드는 듯 흥미로운 표정을 지으며 다시 물었다.

「마음을 비워 두기 위해 어떤 방법을 택하면 좋겠느냐?」

「마음껏 노는〔游〕 것이죠. 신과 화합하고 신선의 도를 꾀하는 것이죠. 이미 풍류랑들이 행하고 있는 바대로가 아닌가요?」

「네가 화랑도를 아느냐?」

「그럼요! 음률과 문장의 달인 이화랑공과 한수(한강) 이북에서 고구려를 치고 국원(충주)에서 북가야를 쳐 공을 세운 문노공의 명성도 들었는걸요. 전 언젠가 화랑이, 아니 그 꽃들 중에서도 꽃인 원화가 되고야 말 거예요.」

「화주*가 아닌 원화가 되겠다고?」

「네, 언젠가는! ……그리하는 것이 하늘을 거역하는 일이 아니라면 말이에요.」

옥진이 그만 참지 못하고 웃음을 터뜨리며 귀엽고도 당돌한 손녀의 머리를 쓸어 주었다.

「과연 너는 나와 다르구나. 암, 마땅히 그래야지. 이전보다 못하거나 같을 수야 있겠느냐. 네 말대로 마음이 열린다면 무엇이든 못하겠느냐.」

옥진은 미실에게서 상서로운 예감을 느꼈다. 도가의 음양 비서(祕書)에 여자 나이 일곱이면 부끄러움을 알고 열넷이면 천계(天癸)*가 트여 사내가 뿌린 씨를 자신의 밭에서 가꿀 수 있게 된다 하였으나, 이미 마음이 열려 설만함에 대한 시시비비의 분별이 없는 아이라면 음양의 비술을 가르치지 못할 바 없었다.

미실은 과연 타고난 총명함과 탐구심으로 현소(玄小)*는 물론 도

---

*화주: 풍월주의 부인.
*천계: 생식 능력을 일으키는 하늘의 기운.

홍경의 《양성연명록》과 저징의 《저씨유서》를 거침없이 읽어 냈다. 물론 책으로 읽어 익히는 것과 실제는 하늘과 땅의 다른 이치만큼이나 차이가 지는 일이었다. 하지만 옥진은 날로 용모가 절묘하여지는 미실을 바라보면서 미미한 현기증과 같은 설렘을 느꼈다. 미실의 세상은 옥진의 그것과 다를 것이다.

「이 아이, 나의 미실은 반드시 나의 도를 부흥시킬 것이다.」

옥진은 공공연히 미실의 빼어남을 자랑하였다. 그리하여 열한 살이 되던 해부터 좌우에서 떠나지 못하도록 하며 자신이 알고 있는 모든 것, 아양을 떨어 사람의 마음을 홀리는 미태술과 가무의 비법을 전수하였다.

세상은 나날이 아름다워지는 미실을 일컬어 백화의 영검함을 뭉쳤고 세 가지 아름다움의 정기를 모았다고 말하였다. 버드나무처럼 낭창낭창하고도 풍만한 모습은 고스란히 외조모인 옥진이었다. 그늘 한 점 없는 쨍한 날처럼 명랑하고 발랄함은 비처왕*이 세간의 비난에도 불구하고 차마 떨치지 못하여 별실에 가둬 두고 보화처럼 아끼며 사랑했던 벽화를 빼닮았다. 화려하면서도 천박하지 않은 아름다운 이목구비는 법흥제와 위화랑을 동시에 매혹시켰던 오도의 그것에 비견할 만했다.

그러나 미실은 그 세 여인의 미려한 정기를 흠뻑 받아 안았지만 그 세 여인 중 누구와도 완전히 같을 수 없었다. 알 수 없는 깊이로 반짝이는 그녀의 눈동자가 끊임없이 부르짖고 있었다. 미실은 다만 미실이었다.

---

*현소 : 《현녀경》과 《소녀경》.
*비처왕 : 소지왕.

*

　미실이 오갈 때마다 앵두나무에 맺혀 열렸던 홍보석이 하나 둘 사
라졌다. 봄은 이울어 기울고 어느덧 푸른 살구가 열리고 메꽃이 아
침을 알리는 나발을 불고 있었다. 이팝나무의 꽃들이 눈이 내려 덮
인 듯 피었다 지면, 곧 태양의 신 염제와 불의 신 축융이 뜨겁게 위엄
을 떨치는 여름이 오리라.

　고개를 치켜들어 쳐다본다. 손을 뻗어 닿을 수 있는 곳의 앵두는
모두 사라졌다. 발돋움을 하여도 더 이상 손끝에 닿는 것이 없다. 남
은 것은 닿지 않는 곳에 냉큼 올라앉은 몇 가지에 맺힌 열매뿐이다.
사자를 시켜 사다리를 올릴 수도 있다. 하지만 미실은 부러 수고롭
게 굴지 않았다. 저 빨갛게 영글어 이운 것들이 마침내 어떻게 되는
지 보고 싶었다. 시커멓게 썩어 쪼그라드는지, 꽃송이째로 쑥 빠져
떨어지는 동백처럼 땅 위에서도 시들지 않고 데굴데굴 굴러다닐지,
까치밥으로 남겨진 홍시처럼 새들의 몫이 되어 정처 없이 천지간을
떠돌게 될지 자못 궁금하였다.

　「너는 어미에서 다시 그 어미로 이어진 대원신통(大元神統)*의 혈
　맥이도다. 인통(姻統)*은 지상의 신을 몸으로 모셔 왕위를 보존하
　는 지극한 임무를 지녔으니, 네 몸은 의지를 앞서 의무에 충실해야
　하느니라!」

　늘 다감하기만 했던 옥진이 지엄하게 가르침을 전달했다. 미실은
몸을 굽혀 꿇어앉은 채 천제의 하명인 양 지당한 말씀을 소중히 받
아 안았다.

---

*대원신통 : 왕과 그 일족에게 색공했던 혈통으로 오도→옥진→묘도→미실로 이어짐.
*인통 : 왕과 혼인할 여자나 색공할 여자를 배출했던 모계 혈통. 진골정통과 대
　원신통을 지칭.

「색으로 제를 모시리라. 음으로써 도(導)하여 제의 양기가 하늘에 닿도록 하고, 귀골을 잉태하여 신국을 번성하게 하리라.」

선도(仙道)의 비전으로 시부를 짓고 악기를 다루고 여러 재주와 남녀 간의 운우(雲雨)를 배워 익힌 것도, 칠손의 비방과 구기의 상법, 한방과 민간을 통튼 중초약 중에서도 춘약을 정제하는 법을 특별히 배운 것도 목적은 오로지 한 가지였다. 그것이 어머니의 이야기였다. 어머니의 역사였다. 오도에서 옥진으로, 옥진에서 묘도로, 묘도에서 다시 미실로 이어진 피의 숙명이 미실을 그렇게 단련시키고 훈련시킨 것이었다.

모래 위에 부어진 물처럼 옥진의 가르침은 미실의 눈빛 속에 스몄다. 기꺼이 사랑하기 위해, 스스로에게 정직해지기 위해 미실은 자기가 배운 모든 것을 잊었다. 그것만이 배워 익힌 모든 것에 충실한 방법이었다. 미실은 숲의 이야기와 서책의 가르침과 방술의 기교를 잊었다. 그 모두는 바깥에서 그녀를 지배하기보다는 그녀의 반득이는 눈빛 속에 고였다. 스스로 생명을 얻어 살아 있는 눈빛은 과거를 잊게 하고 미래에 저당 잡힌 현재를 가벼이 해방시키는 영묘한 힘을 갖고 있었다. 그리하여 누구도 미실의 눈을 마주하면 순간을 장악하는 신기에 압도당하여 온몸을 관통하는 저릿한 느낌을 받곤 하였다.

그것이 미실의 힘이었다. 연꽃이나 연잎에 맺힌 이슬을 털어다 끓인 하로차를 마시며 속살이 예뻐지기를 기원하거나, 청목향과 산수유로 옥문을 보양하는 약을 지어 먹는 것보다도 더 그녀를 강하고 자유롭게 할 것이었다. 소리를 질러 교합의 수위를 조절하는 감탕법과 곡도(穀道)를 조여 옥문을 강화하는 법을 배우는 것보다 더 그녀를 관능으로 눈부시게 만들 것이었다.

그러나 아직 미실은 아무것도 알 수 없었다. 무엇으로부터 시작되어 무엇으로 끝날지, 바람이 불어오는 곳과 지펴 오른 연기가 사라지는 끝을 알지 못하듯 자신을 기다리는 일들을 짐작할 수 없었다. 다만 막막한 설렘, 둔중한 마음의 무게가 범상치 않은 앞날을 예고할 뿐이었다.

며칠 후 미실은 앵두나무 앞에 다시 섰다. 어느새인가 그녀가 눈여겨보았던 가지 끝의 남은 앵두들이 깡그리 사라진 채였다. 황망함에 사자를 불러 누구의 손을 탔는지 추궁하였다. 아무도 다녀간 이 없다 하였다. 행여 낙과하였나 의심하여 수풀을 뒤졌다. 하지만 붉은 흔적은 어디에도 없었다. 새가 물어 갔다면 귀가 밝아 작은 바스락거림에도 잠 깨는 그녀가 눈치 채지 못했을 리 없다. 그것들은 다만 송두리째 사라졌을 뿐이었다. 열매를 잃은 빈 가지만이 나는 아무것도 몰라요, 시치미를 떼는 양 하늘하늘 흔들리고 있었다.

떨어지지 않고 사라졌으리라. 그 눈부신 것들은 마땅히 그렇게 스스로를 숨길 수 있으리라.

마침내 돌아서는 등 뒤로 짧고 강렬한 빛 한 줄기가 반짝 비치는 듯하였다. 미실은 황급히 몸을 돌렸다. 다른 나무들과 하등 다를 바 없어진 미실의 앵두나무가 우두망찰하니 초록 속에 묻혀 있었다. 다시금 몸을 돌려 돌아서는 미실의 입속에 혓바늘처럼 깔깔한 말이 돋아 있었다.

운명.

그녀는 입 안 가득 숨 막히도록 솟구치는 그것을 꿀꺽 삼켜 버렸다.

벼랑 끝 꽃을 꺾다

신령은 산으로 현현했다. 대악과 계곡이 그들의 거처였다. 신령은 또한 호수와 연못에 거했다. 비와 바람, 별의 흐름이 그들에게서 비롯되었다. 풍년에는 소를 잡아 뿔과 고기와 가죽을 바쳤다. 흉년에는 양을 잡아 털과 고기와 가죽으로 위로했다. 인간의 삶은 한낱 먼지 같았다. 변치 않는 신령을 섬겨 모시기에도 버거울 만큼 미력하고 누추한 존재에 불과했다. 혹 불면 날아가 버릴 것들이었다. 쓸면 쓸리는 대로 정처를 잃을 것들이었다.

사람들은 겪어 깨닫는 대로 행동했다. 제사를 바치며 신령의 도움을 구했다. 마침내 신령이 정성에 감복하여 귀한 신의 자제를 인간에게 내려 주었다. 그들은 용이거나 닭이거나 알 속의 정령으로 다가왔다. 눈 밝고 마음 맑은 자들만이 그들의 신성을 눈치 챘다. 사람의 법이 있기 이전에 신령의 법이, 사람의 도가 있기 이전에 신령의 도가 있었다. 그들이 다스리는 곳이 바로 신국, 살아 있는 신과 영웅들의 나라 신라였다.

경신년(540) 난월(음력 칠월)에 법흥제가 붕(崩)하여 애공사 북쪽 봉우리에 묻히고, 뒤이어 진흥제가 왕위에 올랐다. 입종갈문왕과 지소태후의 아들인 삼맥종이 바로 그였다. 제의 나이는 고작 일곱 살이었다. 왕태후 지소가 제를 도와 섭정했다.

천지의 기운이 예사롭지 않았다. 제가 즉위한 해 겨울에 때 아닌 복숭아꽃과 자두나무 꽃이 피었다. 찬바람이 몰아치는 회색의 산천에 도발하듯 피어오른 붉은 꽃들은 그간 동쪽의 가야와 서쪽의 백제, 북쪽의 고구려와 바다 건너 왜의 침공과 노략에 시달려 온 백성들의 마음을 흔들었다.

산천은 가파르고 지형은 척박했다. 가파른 산맥에 가로막히고 해안을 확보하지 못하여 선진 문물과 교류할 기회도 많지 않았다. 진국(辰國)의 수다한 군소 부족들은 거대한 압력에 맞서 서로 의지하며 지탱할 수밖에 없었다. 사람들의 위태롭고 남루한 삶에는 위로가 필요했다. 마음과 마음 사이에 다리를 놓는 거룩한 매개가 절실했다. 그리하여 신라에는 삼국의 어느 나라보다 섬기는 마음을 일깨우는 제사와 의식이 발흥했다. 법흥제가 이차돈의 희생을 감수하면서까지 불법을 일으키고자 했던 뜻도 그 심오한 연원을 넘어서 이로부터 말미암은 것이었다.

강건하고 명민한 지소태후는 진흥제가 즉위하던 해 원화를 폐지하고 화랑을 설치하였다. 힘이 아니라 아름다움으로 만물을 구원하고자 함이었다. 힘을 넘어선 아름다움, 마침내 힘이 되는 아름다움, 아름다운 힘.

애초에 원화제도는 아름다움의 담지자인 여자들의 것이었다. 서라벌 시기 남해 차차웅이 혁거세를 모신 시조묘를 세우고 처음으로 제를 지낼 때 그의 누이 아로의 영력을 빌렸던 전통에다 전국 시대

연나라 습속인 국화(國花)의 외피를 본떠, 여인들로 하여금 젊고 미려한 낭도들을 거느리며 현세의 삶을 탐련하는 향기로운 국풍을 세우고자 하였다. 하지만 아름다운 여인은 누구도 뿌리칠 수 없는 향기를 가졌으나 한편으로 질투와 시기라는 독을 품고 있었다.

지소태후는 원화의 운영에도 공공연히 자기의 힘을 과시했다. 그녀는 법흥제가 백제에서 데려온 보과공주와의 사이에서 난 딸 남모를 원화로 세우고자 하였으나, 종전의 원화였던 준정이 이를 알고 안간힘을 써 막으려 하였다. 지소태후는 첫 남편인 입종갈문왕과 사별하고 법흥제의 유명으로 옥진의 전남편 영실을 계부(繼夫)*로 삼았는데, 준정은 영실에게까지 손을 뻗쳐 자신의 자리를 지키려 하였다. 여자가 던질 수 있는 가장 귀하고도 천한 패, 색의 뇌물을 쓴 것이었다. 지소태후가 아무리 영실을 남편으로서 신통치 않게 생각했어도 그것만은 용서하기 어려운 일이었다. 지소는 준정의 계략을 아는 채로 되려 남모에게 낭도의 수를 불려 힘을 실어 주었다. 싸움은 남모와 준정의 것이 아니라 준정과 지소태후의 자존심과 권력을 둘러싼 한판 승부가 되었다.

준정은 분노와 상실감으로 분별심을 잃었다. 남모는 경쟁하기에 너무 벅찬 상대였다. 공주의 신분, 뛰어난 미모, 지소태후의 총애와 남편 미진부의 지극하고 도타운 사랑까지. 모두를 가지고도 비는 하나를 채우기 위해 누군가의 단 하나를 빼앗는 것은 잔인하면서도 너무 쉬운 일이었다. 하지만 준정은 번연히 질 수밖에 없는 싸움이라도 하지 않을 수가 없었다. 여자들의 어리석음은 정작 투기라는 날카로운 마음 한 조각을 소유했다는 데 있지 않았다. 그것으로 세상

─────────

*계부: 새 남편.

을 베지 못하면 결국 자기를 베어 해치고야 마는 잔인한 외골수가 여자들을 패배하게 했다. 너덜너덜해진 마음으로 웃는 여자는 없었다. 웃음을 잃은 여자는 살아 하루 세끼를 먹으면서도 이미 속으로부터 죽어 썩어들고 있었다.

준정은 남모를 향기로운 술로 꾀었다. 사과를 하는 양 잔을 채웠고 화해를 구하는 듯 건배를 청했다. 도취와 승리감에 젖은 남모는 빠르게 취해 갔다. 마침내 남모가 누각을 내려서 비틀거리며 정방(淨房)을 찾아갈 때, 준정은 그녀의 목덜미를 찍어 눌러 물속에 처박았다. 일면 부드러운 듯하나 피를 뿜어내지 않고도 목숨을 앗는 가혹한 물의 정령은, 때를 놓치지 않고 탐욕의 제물로 바쳐진 젊고 아름다운 여인의 몸뚱이를 왁살스레 끌어당겼다. 남모는 저항조차 제대로 해보지 못하고 늘어진 팔을 허우적거리며 물을 움켜쥔 채 죽어 갔다.

세간에는 산책을 하던 남모가 실족하여 못에 빠진 것으로 알려졌지만 남모의 낭도들은 슬픔에 젖은 채 준정을 의심하였다. 못을 비워 남모의 시신을 찾고 그녀의 목에 검보랏빛으로 선명하게 새겨진 손자국을 타살의 증거로 삼아 노래를 지어 불렀다. 끔찍한 살해의 노래가 사람들의 입과 입을 통해 음험하게 유포되었다. 온 나라가 희대의 살인 사건에 발칵 뒤집혔다.

결국 사건의 전말이 밝혀져 준정은 일률(一律)*에 의해 까마귀밥이 되었고, 이로 인해 원화는 화랑으로 대체되었다. 첫 풍월주는 위화랑이 맡았고 생전의 법흥제가 위화랑을 부르던 애칭을 따서 거룩한 무리를 '화랑'이라 불렀다. 진흥제가 신력으로 구가한 서른일곱 해의 강구연월(康衢煙月)은 화랑도와 함께 시작되었다.

---

*일률: 사형에 해당하는 죄.

*

　지소는 정력적인 여인이었다. 그녀는 신성한 태후의 위(位)에 자리하며 많은 사랑을 가졌고 많은 자식을 낳았다. 입종갈문왕과의 사이에서 진흥제와 송화공주를 낳았고, 계부인 영실과의 사이에서 황화공주를 낳았으며, 그 밖에도 뛰어난 신하 태종 이사부와 통하여 세종전군(殿君)*과 숙명공주를 낳았고, 이화랑과의 사이에서 딸 만호를 낳기도 했다. 그녀의 욕망은 곧 힘이었다. 힘은 욕망을 더욱 가열하게 했다. 그녀를 가로막을 수 있는 것은 하늘 아래 세사(世事)에 존재하지 않았다.

　그중에서도 태종의 아들 세종은 지소태후가 낳아 십수 년간 기르도록 단 한 번도 어미를 거스르지 않은 자식이었다. 세종은 어린 날에도 크게 울지 않았다. 선잠에서 깨어나도 칭얼거리지 않고 이불자락을 빨며 몸을 굴리고 놀았기에 그를 맡아 기르는 유모가 점차 게을러졌다. 계율과 도리를 따로 가르칠 필요도 없었다. 일절 금지하고 묶어 두지 않아도 타고난 바탕이 극히 선량하여 잘못을 저지르는 일이 없었다. 세종은 태종의 기상을 고스란히 빼닮아 멋진 풍채를 가진 소년으로 자라났다. 짐짓 위압적으로 보일 수 있는 엄장에도 얼굴에는 언제나 미소가 감돌았고 효성과 충성이 누구와도 비견할 수 없이 극진하였다.

　진흥제는 세종을 몹시 아끼고 사랑하여 성골의 일족과 신하들 앞에 세종을 내세울 때 늘 같은 말로 소개하였다.

　「이 아이는 나의 막내아우다.」

　그리고 항상 곁에서 모시도록 하니 모두가 세종을 미더워하며 존

───────────

＊전군 : 정비(正妃)가 아닌 후궁 소생이거나 정비가 정식 남편인 왕 아닌 다른 남자와 사통하여 낳은 왕자.

경하였다. 그럼에도 세종은 교만하지 않아 언제나 몸을 낮추어 사람들을 응대했고 제의 성덕에 거듭 충성으로 화답했다.

　세종의 아버지 태종은 지증제가 친히 국내의 주(州)와 군(郡)과 현(縣)을 정할 때 실직주(삼척)의 군주로 삼았던 중신이었다. 군주라는 이름을 처음 얻은 신하인 만큼 황제의 신임이 각별했다. 태종은 역사에 기록될 수많은 업적을 남겼는데, 임진년(512) 우산국이 해마다 토산물로 세공을 바치기로 약속하고 귀순할 때에도 태종의 공이 막대하였다.

　우산국은 아슬라주(강릉)에서 배를 띄워 바람을 타고 이틀 정도 항해하면 도착하는 바다 가운데 섬이었다. 하지만 섬의 오랑캐들은 그 지세가 험하고 물이 깊은 것을 믿고 기고만장하여 신라에 항복하고 들어오지 않았다. 그때 태종은 아슬라주의 군주가 되어 우산도 토벌을 목표로 삼았다. 하지만 위력으로 굴복시키기엔 미련하고 사나운 우산도 사람들을 제압하기 어려웠고, 배를 거점으로 삼고 뭍으로 들이쳐 진공하기엔 아군의 손실을 피할 수 없었다. 이에 태종은 계교를 써서 나무로 허수아비 사자를 만들어 전선에 가득 갈라 실었다. 그리고 해안에 다다라 우산도 사람들을 향해 외쳤다.

　「만약 너희들이 이대로 몸을 굽혀 신국의 신하가 되기를 거부한다면, 이 맹수들을 놓아 너희를 짓밟도록 하겠다!」

　그러자 우산도 사람들은 목측으로 보기에 꽤 그럴듯한 배 위의 나무 사자들을 진짜 맹수로 착각하여 두려움에 떨며 항복하였다. 이처럼 태종은 지혜와 용기를 동시에 갖춘 장수이자 관리였다. 지소태후가 그의 남성미에 흠뻑 매료되어 사통(私通)하고 전군과 공주를 낳은 것도 충분히 그럴 법한 일이었다.

　하지만 세종은 아버지를 알되 만나지 못하고 자라났다. 아버지의 이름은 아버지가 아니라 그저 상상(上相) 태종이었다. 어머니가 가끔 자신의 팔다리를 어루만지며 씨앗은 속이지 못하는 법이라고 말할 때, 신하들이 짐짓 시치미를 떼고 전설처럼 전해 오는 태종의 전공(前功)을 이야기할 때, 세종은 몸속에서 작은 종이 들썩여 울리는 듯 아주 짧고 가벼운 아픔을 느낄 뿐이었다. 아련한 그리움 같은 것은 함께 나눈 기억이 티끌만큼이라도 남아 있을 때에야 그 공명을 일으킬 수 있을 테다. 다만 어머니의 아들로, 신령의 증거로 살아온 세종에겐 종이 울려도 흔들리며 퍼지는 종소리가 없었다.

그러다 마침내 아버지를 만났다. 늙어 허리가 굽고 백발이 타래진 노인을 만났다. 그는 일전에 자신의 발의로 편찬한 《국사》를 보충하고 수정하는 일을 의논하기 위해 진흥제를 찾아왔는데, 때마침 세종이 제의 곁에서 시측(侍側)하고 있었다. 늙은 신하는 충심을 다하여 황제에게 절을 바치고, 곁에 있던 세종에게도 절을 하려고 굽은 몸을 다시 구부렸다. 세종이 이에 직면하여 황망함에 어찌할 바를 몰랐다. 아버지가 아들에게 절하는 법도가 어디에 있는가. 아들이 어찌 아버지의 절을 받고 턱 끝을 끄덕여 답신할 수 있을까. 세종은 자리를 박차고 달려 내려가 여위고 노쇠한 태종을 부축했다.

「저는 절을 받을 수 없습니다.」

그러자 진흥제는 짐짓 근엄하게 세종을 타일렀다.

「이 노인은 비록 전대의 중신이나 나의 신하이다. 신하의 몸으로 어찌 너에게 절하지 않을 수 있겠는가? 어서 자리에 올라와 절을 받아라!」

몸 안 아주 깊은 곳에서, 알 수 없는 밑바닥에서 소리 없이 울리던 종이 점차 빠르고 격렬하게 뒤척였다. 마침내 종소리가 터져 나오자 세종은 그 놀라운 크기에 귀보다 먼저 심장이 터져 버릴 듯하였다.

세종의 눈에서 어느새 눈물이 솟구쳤다.

「성스러운 아버지만 아버지이겠습니까? 골품이 없고 비천한 자들에게도 아버지는 받들어 모시는 아버지입니다. 어떤 아들이 아버지를 신하로 삼을 수 있겠습니까? 피와 살과 뼈는 비록 어머니의 태내에서 자랐으나 그 출발은 아버지로부터 비롯되었습니다. 덕에 대한 보답을 하고자 해도 지금껏 만날 수 없었거니와 하물며 황금의 방석을 깔고 앉아 아버지의 인사를 받으라 하십니까?」

그러자 오히려 태종이 놀라 몸을 낮추며 말하였다.

「태후는 신성하여 지아비 없이도 전군을 신화(神化)할 수 있사옵니다. 어찌 감히 신하가 성스러운 분의 아버지가 되겠습니까?」

태종이 세종의 부축을 뿌리치려 하자 세종은 더욱 힘을 주어 아비의 몸을 안았다. 정벌의 위업을 달성한 맹장, 사서에 이름을 올린 위인 따위는 어디에도 없었다. 다만 한 아름에 다 안겨 앙상한 뼈가 부대끼는 늙은 아비가 있을 뿐이었다. 이빨을 드러내고 으르렁대는 맹수가 아니라 불티만 튀어도 숯덩이가 되고 말 나무 사자가 그의 품 안에서 흐느끼듯 떨고 있었다. 세종은 흐르는 눈물을 훔치며 말하였다.

「일찍이 철이 없을 때 모후에게 아버지에 대해 여쭈었더랍니다. 어머니가 말씀하시길 우리 역사에 지혜와 책략의 신하로 기록된 유례왕 때의 이벌찬〔角干〕 말구와 왜인들에 맞서 싸우다 죽은 조분왕 때의 이찬 우로를 합친 것이 네 아버지다, 그러나 충신이기 이전에 남자 중의 남자요, 오직 진실을 무기로 세상과 맞섰던 사내가 너의 아버지다……. 그 말씀이 아직도 제 귀에 쟁쟁합니다.」

그 모습을 잠자코 지켜보던 진흥제가 이윽고 성음을 가다듬어 말하였다.

「태후가 신성과 예덕으로 중신을 총애함으로써 나의 사랑하는 아우가 있으니, 이 또한 내 집의 경사스러운 행운이다. 늙은 신하는 천륜 앞에 어찌 피하는 것만이 도리라 하겠는가. 나의 아우 세종에게 태종을 아버지라 부르도록 허하노라.」

이로써 부자는 제의 은혜에 감사하며 처음으로 상견례를 하고 묵은 소원을 풀었다.

세종은 반드시 진정만을 입으로 내뱉고, 내뱉은 대로 행하였다. 그는 거짓이 무엇인지도 몰랐다. 거짓이 그를 살리고 보호한다고 하더라도, 끝내 거짓 뒤로 몸을 피할 수 없었다. 그것이 세종을 다른 누구와도 다른 사람에게 하면서, 종래는 그를 해할 치명적인 약점이었다.

*

지소태후는 세종을 매우 특별하고 애틋하게 생각했다. 다만 성품이 과히 온순하고 자기의 이익을 취하는 데 재바르지 않아 걱정이었다. 그대로 놓아둔다면 짝이나 제대로 만날 수 있을는지, 지소태후는 아들이 소박함과 무욕 때문에 때맞추어 누릴 즐거움마저 누리지 못할까 염려하였다.

「남아의 나이 열다섯에 지나치게 점잖은 것도 자랑이 아니다. 한창 감미로운 꿈에 시달릴 나이가 아니더냐? 상대가 누구든 꺼리지 말고 취하라. 어미가 허락하는 일이며 장려하는 바이다.」

하지만 세종은 부끄러운 듯 얼굴을 붉히며 손사래를 쳤다.

「소자는 오직 제를 섬기고 모후를 모시는 일에 만족할 따름입니다. 어찌 다른 욕심을 품겠습니까?」

「하지만 본디 양의 생리는 쉽게 일어나 흥분하는 만큼 다양한 색을 취하고자 하는 법이다. 어찌 너만이 그 원리를 무시하고 비껴

갈 수 있단 말이냐?」

지소태후는 좀처럼 여자를 향해 눈을 돌리지 않는 아들을 근심하여 세종이 자신을 색도로 이끌 여인을 직접 고르도록 연회를 베풀기로 하였다. 몇 날 몇 시를 기한으로 공경(公卿)의 미녀들은 모두 궁궐에 모이라는 영(令)이 떨어졌다. 궁 밖 미실의 본장(本庄)에도 그 통고가 전달되었다.

미실은 아무래도 연회가 따분하였다. 꽃을 받잡고 노는 일도, 단장한 여인들끼리 삼삼오오 모여 서서 서로 훔쳐보며 낮은 목소리로 속살거리는 일도 지루하고 재미없었다.

모인 목적이 자명했기에 정성껏 치장한 여인들은 오로지 상대에 대한 경쟁심으로 얄궂은 미소를 짓고 있었다. 그들은 자기의 아름다움을 보기 이전에 남들이 자기보다 얼마나 부족한가, 자기가 남들보다 얼마나 부족한가를 살폈다. 이 여자보다 머리 장식이 촌스러운 저여자, 저 여자보다 허리가 굵어 옷맵시가 나지 않는 그 여자, 그 여자보다 손과 발이 크고 두툼하여 볼품없는 이 여자. 그들 하나하나는 나무랄 데 없이 어여쁘고 어느 사내라도 홀려 쓰러뜨릴 듯 요염했지만, 정탐하고 의심하는 눈빛 속에서 그들은 모자라거나 넘치거나 아무 향기도 스스로 내뿜지 못하는 가화(假花)에 지나지 않았다.

'아아, 정말 지루해……. 이럴 줄 알았으면 갑자기 병이 났다 핑계라도 대고 말이나 타러 갈걸.'

미실은 여인들이 조금이라도 더 돋보이기 위해 따가운 햇살도 마다 않고 양지로 앞 다투어 나설 때 살구나무 그늘 아래 구석 자리로 물러나 앉았다. 살금살금 졸음이 밀려왔다.

그때 세종은 억지 미소를 지으며 지소태후의 뒤를 쫓고 있었다. 지소태후는 악기를 연주하고 춤을 추고 다과를 드는 여인들을 일일이 가리키며 세종의 관심을 부추겼다.

「왕경(王京)의 미녀들은 모두 모였다. 반드시 이 중에 국색이 있을
것이다. 찬찬히 살펴 고르라.」

본디 여자를 알지 못하고 관심을 가져 본 적이 없는 세종은 이 순
간이 몹시 난처하고 곤혹스러울 뿐이었다. 눈이 마주치면 빙그레 웃
으며 몸을 꼬고 아양을 떠는 여자들이 낯설기만 했다. 모두가 한결같
이 모습을 보기에 눈이 즐겁고, 목소리를 듣기에 귀가 즐겁고, 풍겨
나는 향기가 코를 즐겁게 했다. 어느 누구를 앞에 데려다 놓아도 싫
다고 내칠 허물을 잡기가 곤란할 것 같았다. 하지만 미녀들의 향연은
세종을 즐겁게 하기는커녕 점점 피로하고 지치게 했다.

그는 살구꽃과 복숭아꽃과 해당화 중에 무엇이 더 아름다운지 알지
못했다. 선연함과 명려함과 가염한 경지가 어떻게 분간되는지 깨닫지
못했다. 단순하고 명료한 심성의 세종에게 아름다움은 다만 아름다움
일 뿐이었다. 그것에 유별난 수식이, 다른 이름이 붙을 수 없었다.

그 역시 지루하고 따분하였다. 하지만 모후의 특별한 마음 씀에
화답하지 않을 방도가 없었다. 세종은 저마다 아우성치는 아름다움
에 혹사당한 눈가를 매만지며 누구라도 자신을 일시에 압도하여 사
로잡아 주길 기원했다. 그저 이 난처한 순간에서 벗어나게 해주기를
소망했다. 그때 그의 쓰라린 붉은 눈에 한 여인의 모습이 들어왔다.

그녀는 길게 몸을 늘여 기지개를 켜며 하품을 하고 있었다. 주위
의 누구도 의식하지 않는 천연덕스러운 몸짓이었다. 살구나무 그늘
아래 몸을 기댄 그녀는 햇살 아래의 풍경이 전혀 흥미롭지 않은 양
권태로운 표정을 짓고 있었다. 악기 대신 늘어진 나뭇가지 한 자락
을 잡은 작고 얌전한 손가락이 가끔씩 향비파의 가락에 맞추어 까딱
거렸다. 그늘에 가려 얼굴은 잘 보이지 않았다. 세종의 발걸음은 알

수 없는 초조함으로 그녀를 향해 조금씩 나아갔다.

지소태후의 하명으로 궁원에 모여든 여인들은 두 부류로 나뉘었다. 한 부류는 끝없이 두려워하고 있었다.

「나의 진짜 모습을 들키면 그는 나를 사랑하지 않을 거야.」

스스로를 의심하며 속이고자 하는 그녀들은 이미 아름답지 않았다. 그리하여 누구도 황홀로 이끌지 못했다. 그런가 하면 다른 한 부류는 침묵 속에서도 웅변하고 있었다.

「나는 어떤 모습을 어떻게 드러낸대도 마땅히 사랑받을 자격이 있어.」

오직 한 여인이었다. 그녀의 오만한 자기 탐닉은 모두와 구별되는 아름다움으로 빛났다. 눈길이 마주치는 순간 알아 버렸다. 세종은 그녀를 만나기 전부터 그녀를 갈구하였고, 그녀에게 깊이 매혹되어 있었음을.

남과 여, 음과 양은 처음 대면하는 순간 그 관계의 내용이 절반쯤은 결정나기 마련이다. 그러나 거짓으로 자기를 가리고 뒤로 돌아설 줄 모르는 세종에게는 나머지 절반의 예감과 추측마저도 소용이 없었다. 미실을 만나는 순간이 그의 모든 것을 결정해 버렸다. 남은 것은 이미 없었다.

*

「하필이면 그 아이랍니까. 물론 미실의 아름다움이야 누구와도 비교될 수 없이 빼어나지요. 내사에는 관심이 없다던 전군을 저토록 설레게 하였으니 애초의 약속대로라면 상을 주고 당장 불러들여야 하겠지요. 하지만 묘도의 딸로 대원신통의 인통을 이은 아이인지라 주인이신 황제의 허락을 반드시 구해야 하리라 생각합니다. 제께옵서는 어떻게 생각하십니까?」

지소태후는 미실을 불러들이기에 앞서 진흥제에게 허락을 구하러 왔다. 제는 신미년(551)에 섭정을 물리치고 친정하기 시작하여 연호를 개국(開國)으로 바꾸고 야심 찬 왕토(王土) 순행과 국경 확보에 전력을 다하던 터였다. 제는 자기의 만족과 필요를 넘어선 도저한 꿈을 꾸고 있었다. 기실 왕의 소유나 다름없는 인통의 여자임을 내세워 아우와 다툴 여유가 없었다. 제는 그저 어린 소년인 줄만 알았던 세종전군이 상사의 병을 앓고 있다는 사실이 기특하고 신통해 껄껄 웃으며 대답하였다.

「그것은 오직 내정을 맡은 웃어른이신 어머니가 정할 바입니다. 다만 세종이 아내를 구하는 일에 아버지인 태종이 알지 못해서야 곤란하지 않겠습니까? 세종에게 아비라 부르기를 허한 처지이니 마땅히 그에게도 의견을 물어야 하겠지요.」

지소태후는 내심 미실을 마땅치 않아 하는 바가 있어 제의 반대를 기대했다가 낭패를 보고 말았다. 할 수 없이 지소태후는 태종을 불러들였다.

「우리 아이 세종에게도 짝이 필요한 때가 되었습니다. 며느리를 얻는 데 지아비에게 의논하지 않을 수 없습니다.」

그러자 태종은 머리를 조아리며 간곡하게 대답하였다.

「말씀을 낮추소서! 폐하의 집안일에 일개 신하가 어찌 감히 말씀을 여쭙겠습니까?」

지소태후는 한때의 연인이었고 사랑하는 아들의 아비인 늙은 신하를 물끄러미 바라보았다. 세월은 사람도 사랑도 비껴가지 않는 매정한 것이었다. 매사에 냉정하고 분명한 지소태후의 눈에도 잠시 물기가 스며들었다. 그녀는 다시 목소리를 가다듬어 말했다.

「세종이 그토록 애모하는 처녀는 바로 영실의 외손녀입니다. 아시 다시피…… 영실은 나의 계부로서 많은 잘못을 저질렀습니다.」

아버지 법흥제의 유명 때문에 영실을 계부로 맞기는 했지만 지소 태후는 둔하고 무심한 영실이 아무래도 마음에 들지 않았다. 그런 데다 지소태후가 남모를 지지하는 것을 뻔히 알면서도 준정의 유혹 에 빠져 그녀의 편에 서고자 했던 일을 생각하면 지금도 눈에서 불 이 돋았다.

그런가 하면 태종에게는 차마 말하지 못하였으나 미실의 외조모 인 옥진 역시 지소태후와 편편찮은 사이였다. 옥진의 아버지인 위화 랑이 중간에서 현명하게 중재하지 않았더라면, 법흥제 이후의 왕위 를 둘러싸고 아들 삼맥종을 즉위시키려는 지소와 황제의 총애를 등 에 업고 아들 비대를 내세우는 옥진의 한판 대결이 불가피했을 터였 다. 그리하여 지소태후는 법흥제가 붕한 이후 왕자 비대의 지위를 낮추어 위화랑이 맡았던 제사를 받들게 한 바 있었다. 지소태후는 한숨을 쉬며 호소하듯 태종에게 말하였다.

「미실이란 아이의 됨됨이야 겪어 보지 않았으니 함부로 말할 수 없겠지만, 영실과의 일을 생각하면 아무래도 꺼려지는 마음을 떨 칠 수 없어 이렇게 어려운 결정에 의견을 구하는 것입니다.」

그러자 태종은 여전히 공손한 자세로 대꾸하였다.

「영실공은 전왕의 총신입니다. 유명을 소홀히 할 수 없습니다. 비 록 태후에게 잘못한 바 있다 하여도 지나치게 나무라서는 안 됩니 다. 그리고 전군이 이미 좋아한다면 어떻게 마음 가는 길을 가로 막아 상처를 줄 수 있겠습니까? 또한 그 처녀는 영실의 외손녀인 동시에 사도황후의 조카이니, 황후를 위로하여 차후를 도모할 수 있지 않겠습니까?」

태종의 말에 지소태후는 많은 위로를 받았다. 조쌀하고 칠칠하게
나이를 먹은 그는 여전히 현명하고 신중했다. 무엇보다도 아들을 위
한 아비의 간언에 셈속 없는 진정이 느껴지려니와 행여 지소태후의
마음이 다칠까 조심하는 모습이 애처롭고 지극했다. 지소태후는 마
음을 풀고 활짝 웃었다.

「옳은 말씀입니다. 사랑하는 지아비의 가르침이 없었다면 나는 아
마도 잘못된 결정을 내렸을 것입니다.」

그들은 아들의 새로운 사랑 앞에서 까마득히 잊고 있었던 묵은 마
음을 끄집어내어 들여다보았다. 세월이 흘러 열기는 식었을지언정
그 빛은 여전히 영롱하였다. 늙은 지아비와 늙은 지어미는 그토록
한참 동안 거울을 들여다보듯 서로 바라보았다.

*

그녀의 입술이 다가와 입술을 덮었다. 부드러운 그것이 닿는 순간
마법처럼 들고 나던 모든 숨이 멈추었다. 가슴에 뻐근한 격통이 느
껴졌다. 조금 전까지 천진하게 발쪽거리던 그것은 흡반처럼 강력하
게 그를 빨아들이기 시작했다. 그녀의 혀는 부드럽고도 힘찼다. 그
녀의 침은 달콤하고도 떫고, 향기로우면서도 비렸다. 연한 지느러미
를 가진 날렵한 물고기 한 마리가 그의 입속에서 거침없이 유영하였
다. 물고기는 잇몸을 두드리고, 이촉 하나하나를 자극하고, 혀를 감
아 말아 올리며 희롱했다. 아찔하였다.

「아아, 날 어쩌시려오?」

세종은 맥없이 입을 벌린 채 자신도 모르게 탄식하였다. 너무도

무력한 자신이 부끄럽다기보다 강복(康福)하여 기꺼웠다. 그녀의 도발에 얼마든지 정복당하여 짓밟히고 싶었다. 새하얀 알몸의 그녀가 지배하는 대로 끌려 다니고 뒤척이고 부서져 버리고 싶었다.

놀라운 일이었다. 까마득히 몰랐던 세계였다. 환(幻)보다 더 아름다운 것은 정작 현실에 없다지만, 미실이 열어 보여 준 새로운 세계는 세종이 꿈꾸었던 모든 것을 간단히 뛰어넘는 것이었다.

첫 포옹, 첫 입맞춤, 첫 교합과 처음으로 터져 나온 신비로운 탄식. 모든 것의 처음.

세종은 천지신명에게 한없이 감사하고 또 감사했다. 미실을 세상에 있게 한, 미실을 사랑하는 자신을 세상에 낸 신령에게 엎드려 감읍(感泣)하고 싶었다. 뿐만 아니라 미실을 처음 본 순간 그녀가 기대어 있던 살구나무에도, 어렴풋이 호리호리한 윤곽만을 비추던 짙은 그늘에도 감사했다. 그가 떠올려 낼 수 있는 가장 고통스러운 상상은, 숱한 미녀들의 틈바구니에서 그가 그녀를 보지 못하고 스쳐 지나거나 그녀가 그를 만나지 못한 채 슬그머니 그늘 속으로 숨어 궁원을 빠져나가 버리는 것이었다. 어떻게든 만났다면, 단 한순간이라도 눈길이 마주쳤다면 그는 반드시 그녀를 사랑하고야 말았을 것이다. 그녀가 어떤 모습을 하고 있었더라도, 어떤 표정을 지으며 어떤 말을 지껄이고 있었더라도 마찬가지였을 것이다.

세종의 가슴에 미실은 각인되었다. 세상에서 가장 날카롭게 벼린 칼이 그의 가슴을 저몄다. 피를 철철 흘리면서도 그는 웃었다. 세종에게 미실은 감히 마지막 사랑을 맹세할 수 있는 첫사랑이었다. 그저 첫 번째 사랑이 아니라 더 이상의 어떤 헤아림도 무의미한 절체절명의 순간이었다.

미실은 세종이 자기에게 매료되어 있다는 것을 느꼈다. 그녀 역시 처음 눈이 마주쳤을 때부터 알았다. 남자의 눈동자는 불현듯 커다랗게 열리면서 짧고 강렬한 빛을 내뿜었다. 빨라진 심장의 박동과 그만큼이나 거칠어진 호흡이 멀리서도 느껴졌다. 그의 눈빛과 호흡은 옷깃에 스쳐 들썩이는 나뭇잎이나 샘가에서 마주쳐 한동안 정적 속에 마주 보고 섰던 새끼 노루처럼 아주 단순하고 분명한 말을 외쳐 대고 있었다.

그는 원한다. 오로지 원한다.

대상은 명확했다. 미실은 한순간 자신을 둘러싼 모든 배경이 희미하게 지워지는 것을 느꼈다. 그의 뜨거운 눈길 속에 오직 미실만이 오도카니 남아 불꽃처럼 타오르고 있었다. 그토록 간절한 갈망의 대상이 다름 아닌 자신이라는 사실을 깨닫는 순간 미실의 가슴도 뛰기 시작했다.

세종의 나이 열다섯, 미실은 열네 살이었다. 처음 태후의 명을 받고 궁에 입궐했을 때에 그들은 한동안 정탐하는 듯 선뜻 다가서지 못하고 서성이었다. 세종은 껑충 큰 키와 건장한 체격에 걸맞지 않게 수줍음이 많고 조용한 소년이었다. 그는 항상 미실 앞에서 제 마음을 전달하지 못해 쩔쩔매었다. 말보다 마음이 넘치고 앞서는 것도 그를 곤혹스럽게 하였다.

미실은 그 모습이 우스꽝스럽고 재미있어 깔깔 웃었다. 그녀가 웃으면 그의 목덜미가 벌겋게 달아올랐다. 아마도 의복 밑에 가려진 속살까지도 그러하리라, 미실은 남모를 상상에 다팔머리를 흔들며 허리를 잡고 웃어 댔다. 세종은 그런 그녀 앞에서 어쩔 줄 몰라 안타까워하면서도 좀처럼 그녀의 곁을 떠나지 못하고 맴돌았다.

미실은 이미 운우에 대한 비방을 익혔을뿐더러 천계가 트여 여인으로서 부족함이 없었다. 하지만 숫기 없고 경험이 전무한 세종은 마치 근기(根氣)에 정진하는 양 좀처럼 먼저 다가설 작심을 내지 못했다. 미실이 입궁한 후 며칠 동안 그들은 다만 사이좋은 남매처럼 함께 먹고 함께 놀았다. 하지만 미실은 점차 자신의 운명에 새겨진 바를 다해야 한다는 중압감을 느꼈다. 그것은 욕망보다도 크며 호기심과 두려움을 넘어섰다.

세종은 호탕한 쾌걸의 성정을 갖지는 못했으나 무사(武事)를 좋아하여 기예 닦기를 즐겼다. 그중에서도 온몸을 부딪쳐 맞서는 수박(手搏)*은 경쟁 상대를 쉽게 찾을 수 없을 만큼 자신이 있었다. 세종은 소년다운 치기로 미실에게 자신의 용맹하고 강건한 모습을 보여 주고 싶었다. 그녀 앞에서라면 누구라도 고꾸라뜨릴 수 있을 것 같았다. 그녀가 탄성을 터뜨리며 박수를 친다면, 그 희고 가지런한 잇바디를 드러낸 채 활짝 웃으며 손을 흔든다면 세상 전부를 들었다 메어칠 수도 있을 것만 같았다.

세종은 그토록 비웃고 경멸하던 주나라의 유왕을 이해하게 되었다. 악희(惡戱)에 빠져 사직을 배반하고 백성들을 사지로 내몬 망국의 군주가 낯설지 않게 느껴졌다. 군주이기 이전에 어리석은 한 사내였던 그는 다만 웃지 않는 여인 포사에게 웃음을 주고 싶었던 것뿐이다. 사랑에 눈이 멀고 귀가 먹고 사지가 마비된 채 거짓 봉화를 올려서라도 포사가 웃어 젖히는 황홀한 순간을 맛보고파 했던 것이다. 웃음의 대가는 패망과 죽음이었다. 그럼에도 유왕은 멈출 수 없었을 것이다. 마침내 시시때때로 올려지는 봉화의 소동에 지친 제후들이 위기에 처한 그를 구하기 위해 아무도 달려와 주지 않아도, 오랑캐의 칼끝에 목이 베이고 사지가 찢겨 죽어 가면서도 그는 자멸을

---

* 수박 : 태권도의 전신.

향해 달려가는 스스로에게 제동을 걸 수 없었던 것이다.

「사랑도 죄인가 봅니다. 죄를 짓는 만큼 세상을 이해하게 되는군
요.」

금모래가 지천으로 펼쳐진 남천으로 미실을 초청해 수박의 기예
를 펼쳐 보인 세종은 헐떡이는 거친 숨을 고르며 다가와 말하였다.
미실은 세종의 말에 영문을 알 수 없다는 듯 고개를 갸웃하고는 시
녀가 받들고 있던 수건을 말아 쥐었다.

「정말 멋진 승부였어요. 올리고 내리고, 모으고 펼치고, 감고 풀
고, 엎고 뿌리는 동작이 마치 아름다운 춤사위 같았어요. 그럼에
도 부드러운 손과 발이 무기가 되어 상대를 제압할 때에는 흐르는
바람에 거목의 뿌리가 뽑히는 이치를 떠올리게 되더군요. 좋은 구
경을 하게 해줘서 고마워요.」

미실은 방긋 웃으며 세종의 등 뒤로 다가섰다. 세종의 목덜미에 서
늘한 비단 수건의 감촉이 느껴졌다. 그의 몸이 절로 부르르 떨렸다.

「조금만 수그려 봐요. 땀과 모래가 범벅이군요.」

「아니, 사자에게 시켜도 좋을 일을…….」

「멋진 기예를 보았으니 이 정도야 구경 값으로 치를 만하죠. 사양
하지 마셔요.」

깨끗한 새싹처럼 매끄럽고 보드라운 미실의 손끝이 살갗에 닿을
때마다 세종은 등을 돌려 수그린 채로 움찔거렸다. 간지러우면서도
짜릿하고, 부끄러우면서도 황홀하였다. 부드러운 비단 수건과 그보
다 더 부드러운 미실의 손이 옆구리에 닿았을 때에는 절로 터져 나
오는 신음을 참기 위해 이를 악물어야 했다. 붉게 달아오른 등판은
쏟아 내리는 햇살의 탓으로 돌리리라. 하지만 무릎을 꿇고 허리 언
저리의 모래까지 꼼꼼하게 털어 낸 미실이 몸을 일으키며 귓가에 '이

제 다 되었어요!' 하고 뜨거운 숨결로 속삭일 때, 세종은 그만 온몸의 아득한 밑바닥에서 솟구쳐 오르는 기운을 참지 못해 벌떡 일어섰다.

「저리로 가요. 비비추들이 속삭이잖아요. 우리 둘 정도는 충분히 감추어 줄 수 있대요.」

세종은 미실이 이끄는 대로 달렸다. 어리둥절하게 쳐다보는 사자들의 시선 따위는 염려하지 않은 지 오래였다. 남천의 반짝이는 물비늘도, 휘이이잇 휘용휘용, 놀란 듯 놀리는 듯 휘파람을 부는 새도 아랑곳없었다. 비비추 수풀 속에는 정적만이 있었다. 뒤엉켜 쓰러진 소년과 소녀의 모습을 감추어 주기 위해 발끝을 세워 키를 돋운 고마운 비비추의 눈속임만이 있었다.

미실은 땀이 흘러 짭조름해진 세종의 얼굴을 핥았다. 파르르 떠는 눈꺼풀과 왕족의 자존심인 양 우뚝한 코, 거무스름한 수염이 돋은 푸른 턱에 일일이 입을 맞췄다. 음과 양의 조화는 참으로 신비로워라! 옷을 갖춰 입고 법도와 예절에 맞추어 살게 된 후 한 번도 누군가의 손길이 닿지 않았던 몸이 낯선 상대 앞에서도 긴장감 없이 절로 열렸다. 그는 분명히 내가 아니라 그일 뿐인데, 나는 분명히 그가 아니라 나일 수밖에 없는데, 서로 손을 뻗는 순간 자타의 구분이 사라지고 분별이 무의미해졌다.

미실과 세종은 서로 처음이었지만 핥고, 어루만지고, 빨고, 깨무는 행위를 거침없이 행하였다. 시간을 돌려 되짚어 보면 기억에 남아 있지 않은 아주 어린 날부터 자연스럽게 거쳐 온 일이었다. 새로운 것은 없었다. 다만 내가 아닌 상대를 통할 때 전혀 색다른 쾌감으로 몸과 마음이 들뜨는 것이 놀라울 뿐이었다.

하지만 이미 숨결이 거칠어지고 손길이 점차 사나워지는 세종과 달리 미실은 냉정하였다. 그녀의 머릿속에는 지금껏 배워 익혔던 모든 비서들과 춘궁화가 펼쳐져 있었다.

혀 아래에는 두 개의 구멍이 있다. 첫 입맞춤을 하는 순간에도 미실은 전설의 명의(名醫) 화타의 강의에 충실했다. 두 개의 구멍, 옥영(玉英)과 화지(華池)는 평소에 잠룡처럼 엎드려 있다가 남녀의 방사가 시작되면 향내를 맡고 튀어나온다. 미실은 세종의 입 안으로 깊숙이 잠입하였다. 길게 누운 혀를 빨고 입천장을 두드리는 순간 어눌한 말투로 부끄러움에 말을 더듬던 소년은 이미 사라졌다. 사내는 오랫동안 고여 있던 달변을 쏟아 내기 시작했다.

나는 원한다! 네 가장 깊은 곳으로 들어가 꼬마 인형처럼 뛰놀고 싶다! 그곳에서 뛰놀다 지친 채로 혼곤한 잠에 빠져들고 싶다! 깨어나지 않고 싶다!

미실은 옥영과 화지가 자극되어 좋은 기운이 전신에 퍼지도록 오랫동안 접문(接吻)에 몰두했다. 그녀는 자기가 믿어 온 바보다도 훨씬 뛰어난 학생이었다.

「무엇을 원해요?」

「오, 오직 당신…….」

미실은 성급해지는 세종을 유연하게 이끌어 마침내 그녀 안으로 데려왔다. 정성껏 시침했던 조각보의 귀퉁이가 두둑 뜯기는 듯하였다. 옥진이 일러 주었던 첫 교합의 통증과 상처는 생각보다 크지 않았다. 다만 갑자기 백 살쯤을 한꺼번에 먹어 버린 듯한 아련한 슬픔이 잠시 밀려왔다 사라졌다. 서책을 통해 배워 익혔던 모든 것과 다를 바 없으면서도 그 모두와 완전히 달랐다. 따로 유희의 비방을 쓸 짬이 없었다.

미실은 더 이상 능란해질 의지를 잃어버렸다. 그저 부대끼며 흔들리는 채로 티 없이 푸른 하늘을 바라보았다. 벗은 등을 따끈하게 데

우는 모래의 고운 결을 느꼈다. 부드러운 바람과 햇살의 애무에 눈을 감았다. 몸보다 마음이 더 달뜬 교합은 오래 지속되지 않았다. 뺨을 적신 것은 그녀의 눈물이 아니라 환희로 충만한 사내가 떨어뜨린 땀방울이었다. 세종은 그녀 안에서 온순하게 길들여졌다.

*

세종은 미실과 상통한 이후 완전히 다른 사람이 된 듯하였다. 미실을 만나기 이전에 어떻게 살아왔는지를 깡그리 잊은 듯, 오직 얽혀 깊어진 정의(情誼)에 사로잡혀 들떠 지냈다. 세종은 미실이 열어 보여 준 즐거움과 활기, 신비와 탐닉과 열정의 영지에서 마음껏 뛰놀고 활개 쳤다. 미실은 아무리 퍼 올려도 마르지 않는 샘과 같았다. 진시(辰時)에 만나고 오시(午時)에 다시 만나도 완전히 새로운 사람인 양 신선하고 반가웠다.

미실 역시 세종전군의 사랑으로 날로 얼굴이 피어올랐다. 세종은 그녀에게 밤의 먹지 위에 핀 별 꽃이라도 따다 바칠 것처럼 지극하게 굴었기에, 부족함도 없었고 더한 욕심도 생겨나지 않았다. 금침 위에서 뒹굴며 서로 탐하고 즐기는 일에 시가 어떻게 흐르고 날이 어떻게 지나는지 알 수 없었다.

세종은 본래 더하고 빼는 일을 모르는 거짓 없는 사내인지라 미실에게 흠뻑 빠진 채로 자기가 듣고 본 모든 일들을 세세히 고하였다. 사랑 앞에 정직해질 수 없는 사내라면 사랑을 모르거나 이미 사랑을 잃은 것이리라.

미실은 궁 안의 생활에 점차 익숙해져 가면서 황후인 사도와 가까이 왕래하며 지냈다. 어머니 묘도의 여동생인 사도는 어린 조카를 친자식처럼 생각하여 아끼고 보살폈다. 그때 궁중에는 한 가지 은밀한 계략에 대한 소문이 발 없는 유령처럼 떠돌고 있었다. 감히 누구도 함부로 입을 놀려 발설할 수 없는 두려운 비밀의 중심에는 다름 아닌 지엄한 지소태후가 자리 잡고 있었다.

지소태후는 세종의 누나인 숙명공주를 시켜 진흥제를 모시게 하였다. 세종만큼이나 숙명공주를 특별한 자식으로 여기던 지소태후는 숙명공주를 통하여 왕비족인 진골정통(眞骨正統)*으로 장차 제통을 잇고자 하는 의지를 품고 있었다. 하지만 제는 이미 사도황후와의 사이에서 동륜과 금륜을 낳은 데다 숙명공주가 동모제(同母弟)*인지라 꺼리는 마음이 없지 않았다. 아무리 지소태후가 제의 총애를 홀로 받게 하고자 숙명공주에게 모든 일을 받들게 하여도 소용이 없었다.

「중국의 도를 상위의 것으로 쳐 독특한 혼도(婚道)를 상피(相避)*의 누습으로 치부하고 오랑캐 흉노에 비견하는 일은 가당치 않은 일입니다. 신국에는 마땅히 신국의 도가 있는 법! 북국 고구려가 산상왕에서 봉상왕까지 왕의 형제들을 죽여 제통의 경쟁을 방지할 때에, 우리는 전왕의 조카인 내해왕과 사위인 조분왕과 동복동생인 첨해왕을 세워 평화로써 나라를 일구었습니다. 제왕의 관후한 성정과 골의 신성함을 지키기 위해 우리만의 혼도를 세운 것이 지금의 신라를 있게 했음을 제는 잊지 말아야 합니다. 부디 숙명을 성심으로 사랑하여 후사를 잇고 나라의 기풍을 세우소서.」

지소태후는 제를 설득하여 숙명공주에게로 마음을 돌리려 하였

---

*진골정통 : 황후를 배출했던 혈통으로 보도→지소→만호로 이어짐.
*동모제 : 어머니가 같고 아버지가 다른 형제.
*상피 : 가까운 친척, 형제간의 남녀가 성적 관계를 맺는 일.

다. 하지만 진흥제는 숙명과 상합하는 일이 아무래도 내키지 않을뿐더러 사도황후를 사랑하는 마음이 여전히 극진하였다. 지소태후는 사도황후가 버티는 한 자신의 뜻을 이룰 수 없음을 깨닫고 마침내 황후를 폐하려는 계책을 세우기에 이르렀다.

미실은 소문을 듣고 세종을 통하여 이를 확인하였다.

과연 지소태후는 무서운 어머니였다. 하지만 정작 등잔 밑이 가장 어둡고 세상 전부가 아는 소문도 당사자만은 비껴가기 마련, 사도황후는 아무것도 모른 채 자신을 향해 시시각각 다가오는 음해의 덫에 무방비로 노출되어 있었다. 미실은 사도에게 사실을 고하고 대책을 세우기를 재촉했다. 사도는 놀라움과 두려움에 질린 채 도리어 어린 조카에게 방도를 물었다.

「지금껏 태후가 하시고자 하는 일이 성사되지 못한 적은 단 한 번도 없었다. 어찌하면 좋단 말인가? 누가 나를 지켜 줄 것인가?」

미실은 사도의 안타깝고 가련한 모습에 자신이 알릴 수 있는 유일한 방도를 조언했다.

「사랑을 믿으십시오. 지금 황후를 지킬 사람은 황후를 사랑하는 그분밖에 없습니다.」

그제야 사도황후는 지금의 위기에서 자신을 지켜 줄 수 있는 사람이 오직 진흥제뿐임을 깨달았다. 그의 사랑과 의지가 아니고서는 지소태후의 전횡에서 살아남을 방도가 없었다. 사도황후는 의복도 제대로 갖추지 못한 채 제의 안전에 뛰어나가 엎드렸다.

「원통합니다! 억울합니다! 소첩에게 무슨 허물이 있기에 발밑을 허물어 허방으로 떨어뜨리려 하십니까? 지아비이신 황제께서 말해 주소서. 황후의 자리가 아까워서가 아닙니다. 궁궐에서 누리는 호사에 욕심을 내서도 아닙니다. 소첩은 오직 제의 사랑을 잃을까 봐 두렵습니다. 동륜과 금륜에게 욕된 어미의 이름을 물려줄까 봐 두렵습니다!」

갑자기 뛰어든 황후가 목을 놓아 울자 진흥제는 당황하였다.

사도는 고작 일곱 살에 황제의 아내가 되었다. 하늘이 내린 대제의 자리가 낯설고 버거워 남몰래 시름에 잠겨 있을 때에도 사도가 다가와 업어 달라, 목말을 태워 달라, 파피리를 만들어 달라, 꽃을 따 달라 조르면 모든 근심이 까마득히 잊히곤 했다. 드디어 첫 꽃이 비쳤으니 이제 제를 즐겁게 해줄 수 있겠다고 철없이 좋아하던 사도의 모습도 고스란히 기억하고 있었다. 그녀는 황후이며 아내이기 이전에 유년의 시간을 함께 나눈 청매죽마(靑梅竹馬)*였고 어린 날 화사한 추억의 전부였다.

제는 사도황후의 헝클어진 머리와 슬픔으로 흐려진 눈빛을 물끄러미 쳐다보았다. 마음이 싸하게 저렸다. 제는 황후의 마른 입술에 엉겨 붙은 머리카락을 거둬 귀에 꽂아 주며 부드럽게 응대하였다.

「대체 무슨 소리요? 황후를 폐하다니요? 그런 소리는 한 번도 입에 담아 본 적이 없고 생각해 본 적도 없소. 허물은 다 무엇이고 욕된 이름으로 아들들을 더럽힐 일은 또 무엇이오? 모두가 헛된 요설일 뿐이니 염두에 두지 마시오.」

사도황후가 선수를 쳐서 진흥제를 만났다는 사실을 까맣게 모르는 지소태후는 뒤늦게 제를 찾아 사도의 험담을 늘어놓았다. 며느리를 밉게 보기 시작한 시어머니에게는 모든 것이 허물이고 잘못이고 고칠 수 없는 약점이며 내쫓기에 마땅한 명분이었다. 하지만 진흥제는 불편한 얼굴로 한참 동안 지소태후의 말을 듣다가 간명하게 자신

---

*청매죽마 : 한 쌍의 연인이 어릴 때부터 의좋게 지낸 관계.

의 의중을 드러냈다.

「그 모두가 사실이라 해도 황후를 폐할 명분은 되지 못합니다. 무엇보다 모후의 눈에 보이는 것이 내 눈에는 뵈지 않으니, 내 눈에도 그것들이 선명하게 보일 때에 다시 한 번 생각해 보도록 하지요.」

제는 말을 마치자마자 지소태후를 남겨 둔 채 자리를 박차고 일어섰다. 단단하게 굳은 황제의 어깨에는 못마땅한 심사와 거부의 의사가 오롯이 새겨져 있었다. 지소태후는 배신감과 부끄러움에 어찌할 바를 몰랐다. 하지만 이제는 더 이상 국정 운영의 하나하나를 모후에게 물어 행하고 모후의 의견을 신의 계시로 받들던 어린 왕이 아니었다. 그는 이미 하나의 세계였고 범접하지 못할 위엄을 가진 군주였다. 그로도 모자라 진흥제는 지소태후에게 과시라도 하듯 황후의 침전에 더욱 자주 들었고 오랜 사랑이 새로워졌다는 향기로운 소문이 궁 안에 자자하였다.

지소태후는 분노하였다. 울화가 치밀어 자다가도 벌떡벌떡 일어나기 일쑤였다. 지독한 모욕감을 느꼈지만 분노를 표출할 방법도 방향도 없어 속이 꺼멓게 타들어 갔다.

「도대체 사도가 어떻게 알고 선수를 쳤단 말인가? 그 물정 모르는 숙맥이 무엇을 어찌 확인하고서 황제의 등 뒤로 몸을 숨겼단 말인가?」

아무리 생각해 봐도 사도황후 혼자의 힘으로 이루어진 일이 아닌 듯하였다. 골똘히 사도의 배후를 짚어 보던 지소태후의 뇌리에 문득 스치는 한 사람이 있었다.

「그렇지! 그 요망한 것이 아니고서야 누가 감히 나에게 저항할 수 있단 말인가?」

지소태후는 궁중의 법도에 익숙하지 못한 만큼 권력을 두려워할 줄 모르는 미실을 이번 일의 주범으로 지목하였다. 일단 지소태후의 노여움을 산 이상 빠져나가는 것은 불가능한 일이었다. 지소태후는 자신의 힘에 굴복하지 않는 상대에게 더욱 가혹하고 집요하였다.

세종은 공포와 무력감에 사로잡혔다. 지소태후가 언제 어떻게 분노의 불길을 뿜어낼지 알 수 없었다. 하지만 어머니의 분노보다 더 무서운 것은 미실이 상처를 입고 다칠지도 모른다는 사실이었다. 그녀가 아파하는 것, 우는 것, 괴로움에 몸부림치는 것을 상상만 해도 세종은 미쳐 버릴 것 같았다. 미실을 지키고 싶었다. 털끝 하나라도 다치지 않게 보호하고 싶었다. 하지만 어머니를 막아 세울 자신이 없었다. 신성한 왕의 지위도, 그만큼의 힘도 갖지 못한 일개 전군이 태후의 권위에 맞설 수는 없는 일이었다. 세종은 밤을 새워 방도를 고민하고 또 고민했다. 사랑을 지킬 힘을 달라고, 천지신명에게 분수에 넘치는 제사라도 지어 바치고 싶었다.

칼날 위를 달리는 듯 위태로운 나날이 계속되었다. 세종은 고통과 시름을 더 이상 견디지 못해 마침내 허청거리는 발걸음으로 태후전을 향했다. 지소태후는 움푹 들어간 눈에 생기를 잃고 해골처럼 마른 아들을 보고 깜짝 놀랐다.

「대체 무슨 일이냐? 무슨 연유로 네 몸이 이토록 상하였느냐?」

세종은 남은 기력을 다 짜내어 모후 앞에 호소하였다.

「모두가 소자의 잘못입니다. 미실에게는 죄가 없습니다. 소자가 사도황후에게 소문을 흘렸습니다. 모후의 생각이 이러저러하신지라 마음을 달래고 용서를 구할 방도를 도모하라고 귀뜸을 했습니다. 미실은 아무것도 모릅니다. 무고한 미실을 책망하지 마시고 미욱한 소자를 벌하여 주십시오.」

지소태후는 대꾸할 말을 잊었다. 미실에게 어떤 벌을 내릴까 고민하면서도 세종의 상심을 염려하여 차일피일 미루어 왔던 터였다. 진중하지 못한 어린 계집임을 고려하여 따끔하게 혼내는 것으로 그칠까 생각하기도 했다. 하지만 세종의 몰골을 보니 미실이 얼마나 위험한 존재인가 하는 자각이 일었다. 미실은 거짓을 모르는 세종이 거짓 고백을 바칠 만큼 그의 진정을 송두리째 소유하고 있었다.

미모와 색을 무기로 세상을 어지럽히는 요화(妖花)가 있다더니, 미실이야말로 그 요화의 현현이 아닌가 하였다. 지소태후는 '빼어나게 아름다운 사람은 반드시 정도를 넘는 악을 가지고 있다'는 옛사람의 말을 다시금 상기했다. 극명한 아름다움의 이면에는 파괴와 광기의 불온한 징후가 도사리고 있었다. 빛이 밝으면 밝을수록 그 어둠도 짙고 깊었다.

지소태후는 차마 세종을 야단칠 수 없었다. 그는 이미 없던 죄를 지어내어 어떤 벌도 달게 받겠노라며 자기를 내던질 지경에 이르러 있지 않은가. 지소태후는 아들에 대한 배신감이나 상실감보다 더한 불길한 예감에 사로잡힌 채 맥없이 지껄였다.

「옛말에 보고 들은 것이 적으면 모든 것이 신기하다 했던가. 네 사랑도 그러할 것이다. 너무 선하고 너무 지극하고 너무 진정한 것도 죄악이니라. 네 죄를 내가 알겠으니 물러가도록 하라.」

비로소 지소태후는 미실을 불러들인 것을 몇십 번 몇백 번 후회하였다. 사사로이 정을 통한 것도 아니고 일별만으로 미색에 혹하여 반한 것뿐인데, 처녀의 몸이기는 하나 인통으로 색을 배워 익힌 미실에게 순진한 세종을 맡기는 것이 아니었다. 세종이 평탄하게 이생의 부귀와 영화를 누리려면 그와 비슷이 닮은 수굿한 여인과 짝을 지음이 마땅할 터이다. 지소태후는 이미 쏘아진 화살이나마 과녁에 박히기 전에 방향을 되돌리려 하였다. 이대로 아들의 파멸을 지켜볼 수는 없는 일이었다.

미실은 지소태후 앞에 불려 가 꿇어앉았다. 지소태후는 고개를 치켜들지 않으면 얼굴조차 보이지 않는 까마득한 상단에 앉은 채로 미실을 굽어보고 있었다. 지소태후의 날카롭고 매서운 눈씨에 미실은 공구하여 몸 둘 바를 몰랐다. 지소태후가 싸늘한 목소리로 물었다.

「듣자 하니 너는 사내처럼 글을 읽고 쓰며 서책을 벗 삼아 지낸다는데, 그것이 사실이냐?」

「네, 아시는바 그대로이옵니다.」

「그처럼 명민한 아이라면 시시콜콜히 잘못을 일러 주지 않아도 스스로 잘 알 터이다. 그렇지 아니한가?」

「무, 무슨 말씀이시온지…….」

「네 이년! 네가 무엇이 두려운 것인지, 정녕 무엇을 두려워해야 하는지 모르는구나?」

지소태후가 갑자기 탁자를 걷어차며 자리에서 일어섰다. 카랑카랑한 목소리와 싸늘한 표정이 주변의 공기마저 얼어붙게 하는 듯했다. 지켜 선 모든 궁인들이 숨을 들이마시지도 내쉬지도 못하고 침조차 삼켜 넘기지 못하였다.

「너로 하여금 전군을 받들게 한 것은 단지 옷을 드리고 음식을 받드는 임무를 다하게 하려던 것이다. 그런데 감히 사사로이 색사로써 전군의 심사를 어지럽혔으니, 그 죄를 용서받을 줄 알았더냐?」

일순 미실은 둔기로 뒤통수를 얻어맞은 듯 아찔했다. 그렇다면 공경의 미녀들을 불러 모아 벌인 연회, 공공연히 세종의 침전 곁에 방을 내주고 양기를 통하게 하는 임무를 소홀히 말라는 전교(傳敎)는 누구로부터 비롯된 것인가. 미실은 대꾸하여 맞설 기력을 잃은 채 지소태후의 무자비한 설시(舌矢)를 고스란히 맞았다. 지소태후의 독설 속에서 미실은 이미 누군가의 소중한 정인도, 누군가의 영원한 약속도, 누군가의 웅숭깊은 소망도 아니었다. 다만 한 마리의 꿈틀거리는 벌레, 짓밟아 죽여도 미련 없는 비천한 존재, 가랑이 사이에 더러운 구정물이 흐르는 천잡한 요부에 지나지 않았다.

「저 야살스러운 계집을 끌어내어 출궁시켜라! 지금 당장!」

지소태후의 명이 떨어졌다. 미실은 궁인들에게 팔을 잡힌 채 질질 끌려 나갔다. 나는 무엇인가, 무엇이기에 이토록 처참한 몰골로 버림받아 내쳐져야 하는가. 미실의 머릿속에는 답을 구할 수 없는 질문만이 파랑에 쓸리는 쪽배처럼 요동치고 있었다.

불모지에 머물다

바람의 반대 방향으로 말을 몰았다. 비단옷이 바람을 얼싸안고 부풀어 올라 펄럭이었다. 왜 밀면 미는 대로 가지 못하고 맞받아 달려오느냐고, 노한 바람이 철벅철벅 뺨을 갈겼다. 머릿결이 사납게 흩어져 눈을 가리고 모래가 입 안에서 자박자박 씹혔다. 그래도 고삐를 돌려 등을 보이고 싶지 않았다. 쫓기는 듯 도망치듯 바람이 부는 대로 가고 싶지 않았다. 바람을 안고 달리면 눈물이 흘러 떨어지는 대신 뒤로 날아가 흩어졌다. 축축한 볼이 어느새 바람에 씻겨 감쪽같았다. 애초에 울지 않은 것 같았다. 언제 내가 울긴 했던가, 의심마저 들었다.

다만 바람을 헤치고 달리는 일이 버거운지 말이 히히힝 목청을 돋웠다. 길들이는 데 꽤 오랜 정성을 들였던 가라말이었다. 온몸의 털빛이 검어 어둠 속에서 그 푸르도록 흰 눈만이 보석처럼 반짝이기에, 미실은 그놈을 귀히 여겨 애마로 길들였다. 오랜만에 주인을 태운 말은 벅찬 질주에도 불구하고 이끄는 대로 달리고 고삐를 당기는 대로 방향을 바꾸었다. 애마는 미실의 마음을 읽고 있는 듯하였다. 박차를 가하지 않아도 주인이 원하는 대로 양껏 달려 주었다. 딸가닥 딸가닥 명징한 말굽 소리에 박자를 맞추어 마음의 무게가 조금씩 덜어졌다. 말을 탈 때만 맡을 수 있는 바람의 냄새, 야성의 향취를 흡입하노라니 마음이 텅 빈 듯 고요해졌다.

하지만 남천 어귀에 이르러 멀리 월성(月城)의 불빛을 바라보니 또다시 비참하고 치욕적인 기억이 되살아나 마음을 짓눌렀다. 마치 역모를 꾀한 죄인인 양 군졸들의 창끝에 몰려 궁문을 나설 때, 미실은 십팔 종의 지옥 중에서도 가장 무거운 죄인 음란을 벌하는 지옥에 떨어진 것만 같았다. 살을 자르고 십자가에 묶고 머리에 칼을 씌우지는 않았을망정 처참한 마음에 몸마저 고문을 당한 듯 아팠다. 황제를 섬겨 모시는 전군이 동정을 바쳐 사랑한 여인이었다는 사실 따위는 거칠고 천한 군졸들이 함부로 내뱉는 모욕의 말속에 갈가리 찢겨 사라졌다.

「이 계집은 무엇 때문에 이리 내모는가?」

「색을 함부로 써서 신성을 더럽히고 어지럽혔다지 않아?」

「그러고 보니 보통 미색이 아니군. 어느 사내인지 덕분에 재미는 톡톡히 봤겠구먼?」

「왜, 부러운가? 그럼 우리도 내치기 전에 한 번씩 올라타 재미나 볼까나? 기왕 버려지는 계집인데 못할 게 또 무언가?」

가마도 없이 출궁하는 길이니 군졸들은 미실을 더러운 음담을 함부로 지껄여도 무방한 천한 신분으로 보았던 것이었다. 창졸간에 일어난 일이라 본장에 알릴 틈도 없었고 알리고 싶지도 않았다. 그때 등이 밀려 고꾸라져 생긴 무릎의 상처는 이제 딱지가 지어 아물었다. 하지만 차라리 혀를 물어 자진하고 싶었던 기억의 상흔은 육신이 회복될수록 도리어 돌올해졌다.

미실이 깨어진 무릎 때문에 잠시 궁문 앞에서 머뭇거리며 지체할 때, 그제야 비로소 미실이 쫓겨 나간다는 소식을 들은 세종이 맨발로 달려 나왔다. 그는 소리도 내지 못하고 끄윽끄윽 속울음을 쏟고 있었다. 넋이 나간 듯 빛을 잃은 눈으로 미실의 모습을 더듬으며 손을 잡지도 못하고 옷깃을 부여잡지도 못한 채 턱없이 허둥거렸다.

그의 얼굴이…… 기억나지 않는다. 혀끝으로 낱낱이 훑어 내린 눈과 코와 입과 은밀한 속살이 하나도 떠오르지 않는다. 눈이 컸던가 작았던가, 코가 높았던가 낮았던가, 입술이 얇았던가 두툼했던가. 무엇도 돌이켜 낼 수 없다. 마치 거짓말처럼, 짧은 낮잠에 꾼 허황한 꿈처럼 그러했다.

다만 기억 속에서 반짝 빛나는 것은 그의 발, 하얗고 끼끗하던 맨발뿐이다. 천상의 계단도 능히 지르밟을 듯 단아하고 예쁜 발만이 남은 기억의 전부였다. 어느 때인가 서로의 몸을 더듬어 탐할 때 미실의 입술이 그곳에까지 닿아 발샅을 파고들자, 그는 가무러지며 비명처럼 소리쳤다.

「그곳은 그만, 내버려 두시오.」

부끄럼에 움츠러들던 발, 애무를 받기에 황송하다며 수줍게 감추던 발, 수박 대련 중에 상대의 얼굴을 향해 날아가 꽂힐 때 한 송이 흰 꽃 같던 그 발. 발을 떠올리며 울 수는 없었다. 발을 위해 기도하고 발을 연모할 수는 없었다.

미실은 입술을 깨물며 박차를 가했다. 놀란 애마가 뛰는 듯 나는 듯 모래펄을 박차고 달렸다. 달도 없는 밤이라 다행이었다. 미실은 누구에게도 쓰라린 눈물을 들키지 않았다.

아무도 기다리지 않고 아무도 그리워하지 않는 나날이 계속되었다.

미실은 점차 당차고 명랑한 소녀에서 우울하고 소심한 계집애가 되어 갔다. 사내에게 이로움을 주는 최고의 여인이라는 칠칠(七七)의 나이, 홍상미판(鴻潒未判)*의 열네 살이 미실에게는 너무 잔인했다. 애가 탄 옥진이 미실이 좋아하던 묘탕을 끓여다 들여도 국물이나 몇 모금 마실까, 끼니를 부실하게 이으니 복숭아꽃을 닮아 희고 불그름 하던 피부도 거칠고 건조해졌다. 빗질을 할 때마다 머리카락은 한 움 큼씩 빠졌고 눈 밑에 검은 그늘이 드리워져 병자처럼 창백했다.

계절은 바뀌어 만발하였던 백화가 지고 깊은 침묵과 정적의 겨울 이 다가오고 있었다. 헐벗은 나무와 검은 산, 추위에 몸을 도사리는 사람들을 바라보는 미실의 마음도 차갑게 굳어 갔다. 그 겨울에 더 욱 끔찍한 두 가지 사건이 있었다.

앞선 하나는 사도황후가 사자를 통해 전한 세종전군의 결혼 소식 이었다. 지소태후는 미실을 내치자마자 강력한 영을 발휘하여 세종 의 혼인을 추진했다. 배우자 간택의 조건은 그 첫째가 골품이요, 두 번째가 정숙함과 품위라 하였다. 정숙함과 품위! 미실은 실소를 터 뜨렸다. 하지만 웃음의 끝은 쓰디썼다.

최종적으로 선택된 여인은 진종전군의 딸 융명이었다. 세종은 정 식 의례를 갖추어 융명을 정비(正妃)로 맞았다. 결혼의 시기로 길한 중양(음력 이월)까지 차마 참지 못하여 한겨울에 서둘러 결혼의 예 를 행한 지소태후를 생각하면 미실은 기가 막히고도 딱했다. 하지만 그들 모자와의 인연은 이미 끝난 상태였다. 불쾌하고 허탈하기는 했

---

*홍상미판 : 초경을 시작한 어린 소녀를 이르는 말.

지만 새삼스럽게 마음을 앓고 애태울 일은 아니었다.

그러나 두 번째 사건은 미실에게 큰 충격을 주었다.

출궁한 이후 미실은 저자에도 나가지 않고 들판을 산책하는 일조차 하지 않았다. 집 안에 틀어박힌 채 한없이 무거운 한숨만을 내쉬다가 모두가 잠든 밤 집을 빠져나가 지칠 때까지 말을 달리는 것이 유일한 외출이었다. 짐승은 어리석은 질문을 던지지 않으므로 사귀기에 족한 벗이었다. 섣불리 위로하려 들지 않고 잊어라 잊어버려라 하고 재촉하지도 않았다. 미실은 애마의 매끄러운 갈기를 쓰다듬으며 상처받은 몸과 마음을 달랬다.

그러던 어느 달도 없이 캄캄한 밤, 미실은 남천을 지나 돌아오던 중 길을 잃고 늪에 빠지고 말았다. 겨울의 마른 늪이라 간단히 건널 수 있으리라 자만한 것이 화근이었다. 말은 미실을 실은 채로 헤어나오지 못하고 점점 깊이 빠져들었다. 정수리가 쭈뼛하며 온몸에 소름이 돋았다. 고삐를 당기고 박차를 가해 보았지만 소용이 없었다. 발버둥 칠수록 질척하고 눅진한 진흙에 더욱 깊이 빠져들 뿐이었다. 땅을 박차고 달리던 늘씬한 다리가, 윤기 흐르는 다부진 몸통이, 미실의 정성으로 탐스럽게 다듬어진 갈기가 수렁 속에 묻혀 갔다. 더는 마상에서 지체할 수 없었다. 이대로라면 미실까지도 함께 늪 속으로 검고 푸르게 묻혀 갈 터였다.

미실은 울부짖으며 말 등에서 뛰어내렸다. 다행히 미실이 몸을 던져 짚은 곳은 적당히 말라 발을 딛고 오를 만했다. 도움을 청할 곳도 없었다. 조금 전까지 하나가 되어 달리던 애마와 마주는 제각각 다른 세상에 갇혔다. 나누어진 두 세상 사이의 골은 아무리 넓은 보폭으로도 뛰어 건널 수 없을 만큼 깊고 아득하였다. 짐승은 제 비참한 죽음에 직면하여 마치 사람처럼 흐느끼며 절규하였다. 미실은 발을 동동 구르다 그만 기절하여 쓰러지고 말았다.

깨어나 보니 익숙한 이부자리 위였다. 기진한 채 며칠을 수마(睡魔)에 사로잡혀 있었는지, 침상에서 발을 내리려 하니 현기증이 밀려와 허방을 짚고 굴러 떨어졌다. 탁상 모서리에 찧은 이마가 아팠다. 화급히 이마를 문질렀지만 금세 새카만 멍이 맺혔다.

아무도 그 무섭고 어두운 밤을 입 밖에 내려 하지 않았다. 미실도 차마 그때를 돌이켜 말하지 못했다. 가끔 어지러운 꿈자리에서 원망하듯 외마디 비명을 지르던 애마의 푸르도록 흰 눈동자가 나타났다 사라질 뿐이었다. 때론 함께 가자고 치맛단을 물고 놓아주지 않는 통에 가위에 눌려 몸부림치기도 했다. 잠에서 깨어나면 미실은 진하고 고약한 취기에 코를 킁킁거렸다. 무언가 부글부글 끓어 썩어 가고 있었다. 죽음의 냄새였다.

난(蘭) 즙으로 목욕물을 끓이고 향기로운 탕 속에 몸을 담갔다. 역한 땀내는 감미로운 난향 속에 지워졌다. 미실은 훈김을 들이마시며 물을 적시다가 새삼 깡마르고 탄력을 잃은 자신의 몸을 발견하고 흠칫 놀랐다. 막 사내를 받아들여 양의 기운으로 충만하여야 할 음의 정(精)이 피기도 전에 시드는 꽃처럼 기력을 잃고 있었다.

미실은 가여운 자신의 몸을 가만가만 어루만졌다. 하얀 발의 기억으로만 남은 사내가 몸 안에서 허우적거리며 뜨거운 숨을 토하던 일을, 그 손길의 감각을 돌이켜 보려 애썼다. 몸이 아주 조금 나라지며 더워졌다. 조심스레 음문을 향해 손을 뻗어 가만히 손가락 하나를 넣어 보았다. 하지만 미실은 돌처럼 딱딱하게 굳어 어떤 감흥도 느끼지 못하는 음도에 이르러 소스라치게 놀라며 손을 빼고 말았다. 정기를 지키고자 하는 사내라면 피해야만 할 여인, 가장 불행한 여인의 징표인 석(石)의 증상이 자신의 몸에 나타나고 있었다.

사랑하지 않는다면 이대로 소멸하리라!

위기감이 그녀의 정수리에 뜨거운 물벼락처럼 쏟아졌다. 새삼스러운 의지, 오기와 용기가 지펴 올랐다. 여기서 끝일 수는 없었다. 아무것도 아닌 채로 사라질 수는 없었다. 미실은 이제부터 절대로 절망과 실의 때문에 울지 않겠노라고 다짐했다. 세상에서 가장 비천한 존재로 취급받아도, 설령 가장 비천한 존재가 된다 하여도 스스로를 지킬 사람은 오직 자신뿐이었다. 더 이상 우울함에 빠져 밤을 낮 삼아 낮을 밤 삼아 지내며 육신을 혹사하고 음식을 기피하며 독주로 정신을 혼탁하게 하지 않으리라. 그녀는 모든 기억을 상실한다 해도 자기를 가장 사랑하는 사람이 누구도 아닌 자신이라는 사실을 잊지 않을 것이었다.

오랜만에 분을 바르고 머리를 정돈하였다. 옥진은 미실이 기운을 차렸다는 사실에 기뻐하며 그 옛날 연인에게 정표로 받았던 가야의 토산품인 장식용 빗을 손녀에게 선물하였다. 수식(首飾)의 생김은 빗과 손잡이가 직각으로 꺾여 있었는데, 나전 세공으로 만든 꽃과 꽃이 서로 어깨를 걸듯 이어져 있어, 미실의 풍성한 머리에 그것을 꽂아 올리자 자개가 빛을 발산하여 꽃이 핀 듯 화사하였다.

「이제 되었다. 네가 네 아름다움을 잊지 않았으니 되었다.」

옥진은 미실의 가냘픈 손을 부여잡고 흔들며 웃었다. 그때 시종이 문을 두드렸다.

「손님이 오셨습니다.」

「누구라고 하더냐?」

「금진낭주의 자제인 줄로 아뢰옵니다. 선물을 전하러 오셨다 합니다.」

미실은 옥진과 함께 뜰로 나섰다. 그곳에는 미실이 늪 속에 묻고 온 가라말을 꼭 빼닮은 검은 망아지 한 마리가 서 있었다.

「어머나! 어디서 금진이 이런 걸 구했다더냐?」

옥진은 탄성을 터뜨리며 미실의 손목을 잡아끌었다. 하지만 미실의 눈길은 부활한 애마인 양 푸르도록 흰 눈을 가진 망아지의 모습을 스쳐, 금빛 수실로 얽은 고삐를 잡고 선 아리따운 소년에게 꽂혔다. 그를 본 순간 가슴이 먹먹하고 숨이 가빴다. 사랑에 대한 집착의 끈을 스르르 놓은 바로 그때에, 바야흐로 새로운 사랑이 찾아왔다.

*

눈이 내리는데 꽃이 폈다. 얼어붙은 땅을 움켜쥔 채 한매(寒梅)는 고고하게 피어났다. 눈이 꽃인 듯 꽃이 눈인 듯하였다. 매화는 헤프고 허황하지 않아서 좋았다. 단단한 줄기와 찬바람에 말라 거친 가지 끝에서도 고아한 꽃을 맺어 틔웠다. 그 모습이 마치 청수한 사문의 정진하는 모양 같았고 홍진(紅塵)을 떨쳐 벗어난 선인과 닮아 있었다.

「이 꽃은 아무것도 두렵지 않은가 봐요. 담설도 얼음 박힌 바람도 아랑곳하지 않으니 말이에요.」

미실은 두근거리는 가슴을 진정시키며 짐짓 무심하게 말을 건넸다.

「속된 기운이라곤 일절 느낄 수 없으니 오히려 사람을 두렵게 하는구나. 매화 앞에서는 내가 묻힌 먼지와 검댕을 속일 수 없으니 말이다.」

그가 허공을 향해 혼잣말처럼 중얼거렸다. 하아, 흰 입김이 차가운 대기를 가르며 피어올랐다.

미실은 예사로운 말 한마디에도 가시에 찔린 듯 소스라치게 놀라며 그를 쳐다보곤 했다. 웬일인지 그가 내뱉는 말은 특별하고 유난하게 느껴졌다. 손짓과 몸짓, 버릇인 양 가끔 미간을 찌푸리며 고개를 떨어뜨리고 생각에 골몰하는 모습도 그러했다. 미실은 보드랍게 맺힌 매화의 봉오리를 매만지며 흘깃흘깃 그의 모습을 훔쳐보았다. 오뚝한 콧날과 그린 듯 선명한 입술이 채 마르지 않은 그림에서 막 뛰쳐나온 양 아득했다. 몸매는 호리호리하면서도 만만찮은 결기가 느껴지고, 성격은 소년다운 활기로 쾌활하면서도 문득 미소 뒤의 그늘이 짙었다.

그를 알고 싶다. 그의 생각과 꿈, 포부와 이상을 모두 알고 싶다. 혼자 있을 때는 어떤 표정을 짓는지, 노래를 부를 때의 목소리는 가는지 혹은 굵은지, 말을 다룰 때는 거친지 다정한지, 어떤 꽃을 좋아하는지, 춤을 출 때에는 손과 발이 어떤 모양으로 움직이는지 속속들이 꿰뚫어 알고 싶다. 그가 지금까지 살아왔던 모든 날을, 지금의 그를 이루고 꾸미는 기억과 추억 전부를 알고 싶다. 지금 알고 있는 것보다 훨씬 더 많이, 그라는 사람 전부를 화첩처럼 펼쳐 들여다보고 싶다.

소년의 이름은 사다함. 석가세존의 뜻을 따르는 성자 계위 중 둘째 지위를 이름으로 삼았으니, 사다함 향(向)이란 곧 뜨거운 불집과도 같은 욕망의 세상에서 감정과 의지에 의해 시시각각 엄습하는 번뇌를 끊어 버린 가장 깨끗하고 가장 맑은 어떤 순간을 일컬었다.

사다함은 자신의 이름만큼이나 아름다운 소년이었다. 사다함의 아름다움은 사람을 압도하는 특별한 힘을 갖고 있었다. 그의 앞에 서면 사람들은 찬연한 아름다움에 절로 마비되고 감염되어 삶과 죽음의 슬픈 경계와 불안마저 잊었다. 화랑 사다함의 우물처럼 깊고 검은 눈을 마주할 때, 사람들은 실로 사다함 향의 눈부신 세계를 엿본 듯 감동하여 몸을 떨었다. 신묘하고 건실한 풍모에 낭도들은 초목이 해를 좇듯 절로 그를 따랐다.

아름다움은 용서받는다. 아름다움은 구원한다. 아름다움은 죄를 씻고 신의 감응에 화답한다. 지상 위에 신국을 축조하고자 꿈꾸었던 신라 사람들에게 아름다움은 최상의 가치이며 신명이 자리한 증거였다. 몸과 마음의 아름다움을 따로 떼어 생각할 수 없었다. 몸은 마음의 현현이요, 마음이야말로 몸을 통해 명백히 증명되는 것이었다. 그러하기에 아름다움을 우러르며 좇아 존경함은 너무도 자연스러운 일이었다. 아름다운 용모와 미색을 지닌 이야말로 추악한 인간의 사사로운 욕심과 고뇌에서 벗어나 가장 가까이 신명에 근접할 수 있는 자격을 가지고 있다고 믿었기 때문이다. 신명은 아름다움을 사랑하시니, 그들의 삶은 축복 속에 만개하여야 마땅했다.

그의 동그랗고 작은 머리에 씌워진 정교한 금관, 그가 몸을 움직일 때마다 함께 흔들리는 현려한 정복 위 고귀한 금은과 영묘한 주옥 장식, 성큼 딛는 발자국마다 향기를 뿜는 아름다운 발을 아늑히 감싼 금동화, 넓고 편편한 어깨에 당당히 매달린 궁시(弓矢)와 전동(箭筒), 큼직하고 두툼한 귀에 이당, 꼿꼿한 목에 경식, 깎은 움버들처럼 희고 부드러운 팔목과 손가락에 새기듯 낀 금환과 지환……. 눈에 보이는 그 모든 것이 사랑스럽고 신비로웠다. 쇠약해진 몸으로 미미한 어지럼증을 느끼며 차가운 공기가 가득한 뜰에 나섰을 때, 미실을 한순간 휘청대게 할 만큼 아름다운 영(靈)과 정(精)을 뿜어내던 사내가 바로 그였다.

그를 매혹시키고 싶다. 그를 사로잡고 싶다. 그를 안고 싶다. 그를 온전히 소유하고 싶다. 그의 품에 으스러지게 안기고 싶다. 그와 입 맞추고 싶다. 그의 팔을 베고 싶다. 그의 가슴을 헤치고 심장에 귀를 댄 채 박동을 느끼고 싶다. 그와 하나가 되고 싶다…….

몸 깊은 곳에서부터 솟구쳐 오르는 뜨겁고 뭉클한 기운에도 불구하고 미실은 쉽사리 그에게 다가서지 못했다. 머뭇거리고 주춤댔다. 미실답지 않은 행동이었고 그녀가 알고 있는 자신에게 어울리지 않는 모습이었다. 그가 자기를 사랑하지 않으면 어쩌나, 다가드는 자기를 밀쳐 내면 어쩌나, 끝없이 두렵고 조바심이 났다. 분명 그녀의 눈에서 반짝이던 빛을 그의 눈에서도 보았는데, 자기가 본 것이 착각이었나 의심하기도 했다. 초조하고 불안한 마음은 끝없이 극락과 지옥 사이를 오갔다.

미실은 지금껏 궁에서 내쳐진 일을 오직 자기에 대한 모욕으로 생각했을 뿐 남의 시선과 입을 의식한 적이 없었다. 옥진은 미실에게 스스로 하나의 온전한 세계를 축조할 것을 요구했다. 타인에 의해 변해서는 안 된다고, 한순간도 자신을 놓치지 말아야 한다고 가르쳤다.

그럼에도 사다함에게만은 부끄러운 모든 것을 감추고 싶었다. 매화처럼 맑고도 단정한 소성(素性)을 지닌 그를 속된 이력으로 실망시키고 싶지 않았다. 그가 비밀까지도 기꺼이 보듬어 주길 간절히 기대하면서도 그 비밀 아닌 비밀을 들키고 싶지 않았다. 그가 원한다면 모든 것을 바꾸리라. 지금까지 알았던 모든 일들, 차곡차곡 쌓인 기억과 추억까지도 지우리라. 완전히 다른 사람이 되리라. 그가 원하는 미실이 되리라.

매화나무 가지에 머물렀던 사다함의 손끝에 꽃잎 한 장이 얹혀 있었다. 그는 나비처럼 가벼운 몸놀림으로 미실을 향해 웃으며 다가왔다. 부드러운 손가락이 이마에 봄눈처럼 닿았다.

「매화장이라 하던가? 송무제의 딸 수양공주의 이마에 새겨진 매화 흔적을 흉내 내어 여인네들이 이마에 꽃잎 모양을 그려 넣는 걸 보았어. 멍이 풀려 사라질 때까지는 꽃잎이 시들지 않았으면 좋겠네.」

순간 미실은 설명할 수 없는 갈증과 허기를 느꼈다. 그것은 지금
껏 느껴 본 어떤 것보다 간절했다.

*

어머니는 욕심쟁이였다. 한순간도 자신이 가진 것에 만족하지 못
했다. 그녀는 자신의 능력으로 가질 수 있는 것보다 훨씬 더 많은 것
을 원했고, 그것을 갖지 못하면 발광하며 괴로워했다. 그녀는 알고
있는 모든 상대와 자기를 비교했다. 우선은 가장 가까이에 있는 언
니 옥진이 그 대상이었다. 황제를 모셔 왕자를 낳고, 딸을 제의 빈으
로 들이고, 여자로서 누릴 수 있는 모든 부귀와 영화를 향유하는 모
습이 못 견디게 부럽고 샘이 났다. 하지만 금진은 옥진보다 아름다
움이 못하였고 우아하고 고귀한 정취가 부족했다. 옥진이 법흥제의
사랑을 받아 마치 여신처럼 받들어질 때 금진은 지소태후를 도와 입
종갈문왕을 모셔 숙흘종을 낳았다.

어머니는 남자들에게 사랑이 아니라 자신이 원하는 바를 채워 주
길 기대했다. 입종갈문왕이 죽은 이후 궁을 나와 혼자 살게 되었을
때, 구리지가 처음 금진에게 접근한 명분도 공석으로 남은 원화의 자
리에 오르도록 돕겠다는 약속이었다.

구리지는 비량공이 정(情)과 정(精)의 발동을 이기지 못해 남의 눈
을 피해 벽화의 뒷간을 출입하면서 사통하여 낳은 자식이었다. 지독
한 배설물의 냄새 속에서 허겁지겁 치러진 정사의 결과로 남은 뚱간
의 자식이었다. 비처왕의 간택으로 입궁했고 법흥제를 모셔 삼엽공
주를 낳은 벽화후는 제의 공공연한 묵인 속에 구리지를 낳았다. 법
흥제는 뚱보다 구린 소문을 듣고도 벽화후만큼이나 비량공을 사랑

했기에 그들의 관계를 허락하였다. 이미 제가 비처왕의 마복자(摩腹子)*로 북두칠성에 견주어 불린 마복칠성의 우두머리가 되어 그들을 이끌 때, 비량공은 그중의 한 명으로 법흥제와 오랜 우정과 애정을 나눈 바 있었다. 경중과 선후, 득실과 상하의 분별에 꺼둘리지 않는 것이야말로 신인(神人)들의 사랑이었다.

구리지는 금진을 사모했기에 다섯 해 동안 천주사에서 발원을 하였다. 그리하여 마침내 구리지의 소원대로 금진이 궁을 나와 홀로 살게 되었다. 구리지는 어떻게 해야 금진의 환심을 살 수 있는지 잘 알고 있었다. 구리지는 낭도를 모아 금진을 원화로 받들고자 꾀했다. 하지만 금진이나 옥진을 탐탁지 않게 생각했던 지소태후는 이를 허락하지 아니하고 그대로 원화를 폐했다. 이 와중에 날마다 금진을 찾아가 원화가 될 계책을 바치던 구리지와 어린 마음에 명리를 탐하던 금진이 몰래 정을 통하기에 이르렀다. 욕심 많은 여자와 여자의 욕심을 이용할 줄 아는 남자는 음험한 공범에서 부부 관계로 발전하여 마침내 토함과 사다함, 새달을 낳았다.

「나는 무엇이 진정으로 아름다운 것인지 모르겠다. 나의 형 토함의 모습이 극히 섬세하고 아름답지 않았다면 지소태후께서 과연우리 집안을 용서하고 받아들였을까? 직접 궁중으로 불러 보고 감탄하여 축복하며 마음을 풀지 않았다면, 사도황후께서 왕자를 출산하였을 때 어머니를 여스승으로 입궐하도록 허락하였을까?」

미실과 함께 남산에 오른 사다함은 오래도록 그를 짓눌렀던 고뇌를 고백했다. 미실은 고아한 군자의 모습을 한 사다함이 앓고 있는

---

*마복자 : 배를 맞춘 아들이란 뜻으로 지위가 낮은 자가 지위가 높은 자에게 임신한 처를 바쳐 태어난 아들에게 일종의 정치·사회적 아버지를 정해 주는 풍습.

번민의 정체를 알고 매우 놀랐다. 그는 고작 열여섯 살이었지만 이미 세상의 추악한 비밀을 엿본 조숙한 소년이었다.

「아름다움이 다만 아름다움이지 다른 무엇이겠어요? 흐르는 저 샘에 비춰 보아요. 종형의 모습 그대로가 아름다움이에요. 아름다움 앞에 시비를 분별하는 것이 무슨 소용이겠어요? 자신을 더러운 음행의 소산이라 생각하는 것은 아름다움을 사랑하시는 신명에게 죄를 짓는 일일 거예요.」

「그래도 나는 어머니의 음란함을 차마 견디기 힘들구나. 모든 것을 다 용서한대도 도무지 잊을 수 없는 일은…… 아버지의 죽음이도다. 아버지가 주령장군을 따라 경졸 삼천을 거느리고 독산성 전투에 참전했을 때, 어머니는 아버지의 출정을 틈타 아버지의 용양신(龍陽臣)*이었던 설성과 통해 설원을 임신했지. 그래, 모든 것이 신령의 의지라 하자. 설원은 나에게 새달과 다를 바 없는 사랑스러운 동생이야. 하지만 어머니가 아버지와 함께 머물던 침실에서 설성의 교태에 빠져 뒹굴 때, 고구려와 예인들에 맞서 싸우던 아버지는 마침내 그 전투에서 목숨을 잃었다. 전쟁의 승리가 무슨 소용이냐? 포로를 이끌고 개선하는 대오 속에서 나는 아비를 찾을 수 없어 목 놓아 울었다. 고작 두어 살의 어린애가 어떻게 아비가 죽었는지, 슬픈지를 알았느냐고? 믿지 못하겠지만, 나는 분명히 알았다. 아비를 잃은 슬픔 속에서 어머니를 증오하며 저주했다. 어머니가 아버지를 죽인 거라고, 적어도 절반 정도는 책임이 있다고…….」

어머니는 젖이 넘쳤다. 그녀의 욕심과 욕정처럼 넘쳐흘렀다. 설원

*용양신 : 남색으로 주인 혹은 상관을 받드는 인물의 대명사.

이 빨다가 넘치는 젖을 차마 넘기지 못하고 헉헉거리며 토할 만큼, 어미를 탐하는 갓난애마저 질식시킬 만큼 풍성했다. 마침 사도황후는 동륜왕자를 낳은 후 젖이 잘 돌지 않아 염려가 컸다. 왕자의 젖 감질에 금진은 유모로 발탁되어 꿈에 그리던 월성으로 입궁하게 되었다.

「나는 고작 네 살이었다. 그때 처음 뵌 제는 꼭 지금의 내 나이였지. 한번 사랑에 빠지면 다른 사랑을 모르고 오로지 눈앞의 그것을 향해 돌진하는 청맹과니의 시기.」

어머니의 타오르는 욕망과 열망은 수유 중에도 멈추지 않았다. 자신 역시 빈첩의 의무를 지닌 대원신통의 일원임을 내세워 진흥제를 모실 수 있기를 지소태후에게 청했다. 하지만 제의 나이가 아직 한창때인지라 지소태후는 빈공(嬪供)을 허락하지 않았다. 그런 데다 제는 사도황후와의 정이 각별하여 다른 사람을 총애할 생각이 없었다. 그러나 주어진 상황이 그렇다 하여 포기할 금진이 아니었다.

사도황후는 동륜왕자를 출산한 후 석 달 동안 부부 관계를 갖지 않았다. 여의서에서 가르치는 바도 그러했으려니와 출산할 때 난산으로 고생한 터라 사도황후가 스스로 꺼리는 면도 없지 않았다. 진흥제도 황후의 상태를 고려하여 금욕하며 지냈다.

하지만 금진은 시시때때로 제의 안전에서 알랑거리며 교태를 지어 보이고 유혹하였다. 마침내 제가 아슬라주를 순시할 때 황후궁의 궁인(宮人)으로 동행했던 금진은 해풍이 불어오는 벌판의 만전에서 자기가 품었던 바를 기어이 성사시켰다. 열여섯 나이의 어린 황제는 한번 통하자 멈추지 못하고 황후의 눈을 속이며 금진의 거처를 드나들었다. 그리고 얼마 지나지 않아 금진은 임신하였다.

사도황후의 충격은 이루 말할 수가 없었다. 신성의 어머니인 황후라는 이름을 얻어 영광의 삶을 살고 있지만 기실 그녀는 열두 살의 소녀에 불과했다. 일곱 살에 혼례를 치른 후 다섯 해를 남매처럼 지내다 나이보다 일찍 숙성하여 비로소 여자로 제를 모시고 자식을 낳은 것이 그녀의 생애 전부였다. 쉼 없이 가파른 행보였다. 자기 나이에 누릴 수 있는 모든 평범한 재미와 추억을 포기한 삶이었다.

황후는 진흥제에게서 받은 모든 선물을 부수고 불살랐다. 그도 모자라 광기 어린 눈을 번득이며 자신의 자식에게마저 적개심을 드러내었다. 품을 파고드는 왕자의 뺨을 때렸고 정신이 들면 자신을 자책하며 피가 흐르도록 머리를 벽에 짓찧었다.

당황한 제는 황후에게 용서를 비는 뜻으로 금진에게 나가 살도록 명하였다. 욕심껏 소유와 파괴의 희열을 누린 금진은 궁을 나와서도 반성이나 자숙이 없었다. 금진은 설성을 비롯한 다섯 명의 남자를 공공연히 거느리며 방탕하게 살았다. 그리고 마침내 진흥제의 딸인 난성공주를 낳으니, 금진은 다시 조하방(朝霞房)부인이 되어 월성으로 들어갔다. 과연 자기가 원하는 바 앞에서는 대담하고도 냉혹한 여인이었다.

「그래서 이렇게 황제께서 내린 사택에도 본장에도 들어가지 않고 홀로 거친 산궁에 사는 건가요? 어머니에게 복수하는 의미로?」

「차라리 마음껏 어머니를 미워하고 싶다. 방탕하고 음란하다고 욕하고 싶다. 하지만 꿈속에서나 가능한 일…… 나는 진심으로 어머니를 미워할 수 없어. 세상 모두가 욕하고 손가락질한대도 차마 거역하고 외면할 수 없어. 정말 나는, 사다함은 어떤 인간일까? 밖으로 굳세고, 안으로 어질고, 독실한 우애에 효성이 극진하다는 뭇사람들이 말하는 그가 바로 나란 말인가? 정녕 그러한가?」

미실은 도리질 치는 사다함의 머리를 가만히 끌어 가슴에 안았다.

「어려울 것 없어요. 마음이 가는 대로만 받아들이고, 받아들이지 못하는 만큼은 덮어 두세요. 성애의 희열과 열락(悅樂)에는 모든 가능성이 숨어 있기 마련이에요. 착하고 악함, 아름다움과 추함, 좋고 나쁨, 귀하고 천함…… 그리고 그 모든 법을 벗어나고자 하는 위험한 의지가 있지요. 어머니를 용서하지 않아도 좋아요. 하지만 종형이 나와 더불어 진정한 남녀의 사랑을 안다면 그 모순마저도 이해할 수 있을 거예요.」

「간음과 통정, 음란까지도 이해할 수 있다는 말이냐?」

「군주와 민인의 이상인 주나라 문왕과 무왕 때에는 간음이나 음란 같은 말들이 아예 없었다지요. 자연과 인간을 옥죄는 어떠한 금기도 존재하지 않았죠. 그때 사람들이 타락하여 불행했던가요? 하늘의 뜻을 거슬러 불벼락을 맞았나요? 노래가 넘치고 시가 쏟아지는 세상이었죠. 아무도 할 수는 있되 말할 수는 없는 고통으로 구속받지 않았지요. 종형을 고통 속에 가둔 건 도덕과 계율이 아닐 거예요. 자물쇠도 열쇠도 없는 마음의 감옥이겠죠.」

사다함은 천진하게 빛나는 미실의 검은 눈동자를 가만히 들여다보았다.

「불경에서 그리 읽었네. 착한 벗이 병을 낫게 한다고. 오오, 아름답고 현명한 나의 착한 벗!」

사다함의 입술이 미실을 향해 다가갔다. 미실은 주저 없이 그를 맞았다. 따뜻하고 부드러운 입술이었다. 꿈에서 느꼈던 바로 그 감촉이었다. 미실의 혀는 목구멍 언저리까지 깊숙이 미끄러져 들어가 사다함이 생애에서 느끼는 모든 공포, 값없이 내뱉은 거짓말, 속절없는 회의, 쓰라린 비탄까지 낱낱이 더듬었다. 사다함은 그녀에게 포박당한 채로 아주 잠깐 아이처럼 울었다.

*

　동굴 안은 습하고도 따뜻했다. 누가 먼저라고 할 것도 없이 미실과 사다함은 손을 맞잡은 채 동굴 속으로 깊숙이 빨려 들어갔다. 동굴의 공명 때문인지 요동치는 심장의 박동 소리가 귀에까지 들릴 듯 격렬하였다.

　어린 날 풀숲을 뒤지다 새집을 발견했다. 덜 깬 알 몇 개, 그리고 막 껍질을 깨고 나온 새끼 새 한 마리가 있었다. 미실은 눈도 못 뜬 어린 것을 소중히 품어 데려왔다. 어미를 모르는 어린 새는 미실의 부드러운 손바닥이 세상의 전부인 줄 알았다. 여물지 않은 연한 부리로 손바닥 위의 좁쌀을 콕콕 찍어 먹었다. 그때 코끝에서 번지던 찡한 따끔거림, 여리고 순하고 가벼운 간질임.

　미실은 사다함의 품 안에서 마치 어린 새가 된 듯하였다. 느끼며 생각하며 열망하는 데 아무런 의문도 품지 않았던 최초의 그때로 돌아간 기분이었다. 미실은 사다함의 굳센 팔에 갇힌 채 시간을 거슬러 돌아가려는 듯 더욱 깊숙이 가슴을 파고들었다.

　음과 양은 오목하고 볼록하니 들어맞는 이치가 교묘하여, 남과 여는 존경으로도, 믿음으로도, 감사의 표시로도, 미안함의 토로로도, 용서로도, 사과로도, 심지어 미움이나 증오, 복수로도 교합할 수 있다. 하지만 육신과 마음의 높이가 층이 지지 않게 마주할 수 있는 것은 오직 사랑으로 함께할 때 가능하다. 사랑만이 가장 지극한 환희로 성애를 완성할 수 있다. 불완전에 익숙하고서야 쉽게 상상할 수 없는, 인간이 지어 낼 수 있는 유일무이한 완전함의 경지.

「왜 사람이 미후(獼猴)의 족속들과 달리 서로를 마주 보는 형태로 사랑을 나누는지 알았어요.」

　미실은 가쁜 숨을 헐떡거리며 말했다. 사다함의 손과 입술이 닿는 곳마다 불쑥불쑥 붉은 꽃이 피고 있었다. 꽃은 뜨거웠다. 불에 타 델 듯 아슬아슬했다.

「당신의 얼굴을 보고 싶어요. 당신이 내 몸에 꽃을 피울 때 당신은 어떤 표정을 짓고 있는지 궁금해요. 궁금해 미치겠어요. 정말 다행이에요. 마주 보기에 내 손은 자유롭게 당신의 얼굴을 끌어당겨 입 맞출 수 있지요. 댓돌같이 단단한 당신의 가슴을 더듬어 확인할 수 있지요. 당신, 정말 거기 있는 거죠?」

미실은 작은 새가 지저귀듯 사다함의 귓가에 미어(美語)를 속삭이었다. 그렇게 말하지 않으면, 표현하여 드러내지 않으면 가슴이 벅차 터질 것만 같았다. 하늘과 땅, 추위와 더위, 낮과 밤, 짝을 지어 대립하고 융화하는 모든 것처럼 미실은 사다함을 갈구하고 있었다.

사다함 역시 엉겨드는 미실의 팔다리에 옥죄인 채 미지의 세계로 치닫고 있었다. 여체는 죄악을 낳는 불길하고 불온한 것이라 믿었다. 하지만 어둠 속에 껍질을 벗어 던진 여인은 결이 고운 비단처럼 부드럽고 섬세하였다. 미실의 혀에서 솟아오르는 천지수(天地水)는 마실수록 달콤했다. 수밀도(水蜜桃)같이 탄력 있고 풍만한 젖가슴에 코를 비비노라니 수레바퀴만큼이나 크다는 극락의 연꽃을 완상하며 노니는 듯 미묘하고도 향기로웠다. 그는 솟구쳐 오르는 탈주와 탈옥의 충동을 느꼈다.

벗어나고 싶다! 육신을 통해 육신을 벗어나 도저한 쾌감의 영지에 뛰어들고 싶다!

미실은 뒷걸음쳐 동굴의 벽에 등을 기댔다. 서늘하고 축축한 바위의 기운이 느껴졌다. 사다함이 그녀의 다리를 올려 어깨에 걸었다. 어둠 속에서 매끄러운 허벅지가 희게 번쩍거렸다. 굳건한 양경이 망설임 없이 밀고 들어왔다. 미실은 고개를 젖히고 입을 벌려 뜨거운 숨을 토해 내었다. 숨결은 점차 거칠어지면서 탄식이 되었다. 사다함의 코끝에서 타는 냄새 혹은 야릇한 비린내가 스쳤다. 미실의 깊은 곳은 끈끈하고도 따뜻했다. 사다함은 어둠 속에서도 저만치 보이는 한 점 불빛을 향해 숨을 몰아쉬며 달려갔다. 마침내 그곳에 상쾌하고 시원한 경지가 있었다. 더운 김을 내뿜던 미실이 무언가 깨무는 듯 우두둑 소리를 내며 손발을 떨었다. 사다함은 더 이상 오를 데 없는 정상에 이르러 힘차게 파정했다. 동굴 밖으로 운무가 흩어지고 있었다.

「사랑은 바닷물을 들이켜는 일과 같구나. 마실수록 갈증이 더하는 일이구나.」

사다함은 비단 수건으로 미실의 허벅지를 타고 무릎으로 흐르는 곡정을 닦아 주며 말했다. 미실은 달아올라 채 식지 않은 몸을 뒤척이며 비단 수건의 애무를 만끽하였다. 이미 몸이 수다한 곡절과 비밀을 이야기했지만 그래도 건네고픈 말이 남아 있었다.

「사랑해요……..」

미실은 나뭇잎처럼 노루처럼 말하였다.

「사랑해요!」

미실은 늪으로 끌려드는 푸른 눈의 짐승처럼 말하였다. 사랑은 불안과 기쁨 사이, 그 황홀한 지옥 한가운데 있었다. 그런 미실을 사다함은 따뜻이 품어 안아 주었다.

「더 이상 아무것도 말하지 않아도 좋아. 우리는 이제 매화와 휘파람새처럼 서로 떨어지지 않을 것이다.」

사다함이 미실의 이마에 입을 맞췄다. 땀에 젖은 채 붙어 있던 매화 꽃잎이 파르르 날려 떨어졌다. 사다함은 미실의 새카만 멍에 입을 맞췄다. 미실과 사다함의 몸이 다시 뜨거워졌다.

미실은 분명히 알게 되었다. 사다함은 미실을 죽였다. 진정한 사랑은 지나온 과거와 기억을 죽였다. 슬픈 것에서부터 기쁜 것까지, 나쁜 것뿐만 아니라 좋은 것마저도 마땅히 죽어 묻혔다.

미련이나 회한 따위는 없었다. 한없이 어리석고 유치하고 치졸해져도 좋았다. 태어나 처음 느낀 사랑 앞에서 미실은 순진무구한 어린 소녀이면서 세상의 풍파를 모두 겪은 노파 같았다. 난제의 수수께끼를 받아 든 것 같으면서도 세상의 모든 비밀을 다 엿보아 깨달은 듯하였다.

사다함과 함께한 계절은 빠르게 지났다. 그들은 한시도 떨어지지 않고 붙어 다녔다. 이월 초여드렛날에는 흥륜사의 탑을 도는 복회(福會)에 참석했다. 탑을 돌며 눈 맞춤으로 희롱하고 탑을 돌며 서로 영원하기를 빌었다. 사월에는 크고 높은 등간 위에 연등을 달았다. 꿩의 꼬리털을 꽂아 물들인 비단으로 기를 만들어 줄을 매고 불을 밝힌 연꽃이 빛을 뿌리며 흔들리는 모양을 즐겁게 바라보았다. 칠월에는 보름달이 뜬 밤 우란분(盂蘭盆)에 참석하였다. 연잎에 뜨거운 찰밥을 싸서 삼보에게 공양하며 죽은 사람의 고통을 구원하길 빌었다.

우란분은 목련 존자가 죄를 지어 지옥에 떨어진 어머니를 구원하기 위해 굶은 귀신에게 공양을 베풀고 영혼을 위안해 준 사실에서 비롯된 행사였다. 미실은 사다함이 어머니 금진을 생각하는 마음을 알고 있었기에 새벽부터 찰밥을 쪄 난야(蘭若), 절로 이끌었다.

만남을 거듭하여도 지루함이란 없었고 즐거움이 새로웠다. 미실은 시간이 갈수록 엽연(曄然)한 사다함의 기상에 감복하였고 사다함 또한 미실의 아름다움에 흠뻑 취하였다. 세종 역시 미실을 아끼며 사랑했고 미실도 그 사랑을 기꺼이 받아들였지만, 그때 미실은 스스로 누군가에게 매료되었다기보다 누군가가 자신에게 빠져들었다는 사실에 사로잡혔을 뿐이었다. 미실은 더 이상 스스로를 속이고 싶지 않았다.

옥진은 그런 미실이 걱정스럽고 불안했다. 행복에 겨워 화사하게 피어난 손녀의 모습을 보면서 옥진은 본능과 예감이 외치는 소리를 들었다. 숙명은 거역할 수 없다고, 타고난 운명을 거부하다가는 더 큰 상처를 입을 뿐이라고.

「네가 입궁하기 전에 나에게 했던 말을 기억하느냐?」

옥진은 구태여 묵은 상처를 일깨웠다. 일없이 생글생글 웃던 미실의 얼굴에 그늘이 지며 뾰로통해졌다.

「그걸 왜 지금 물으십니까?」

「네가 태후의 명으로 세종의 궁에 들어갈 때, 내가 근심하여 무어라 물었던가?」

미실은 고개를 떨어뜨리며 힘없이 대답하였다.

「할머님이 저를 가르친 뜻은 장차 숙모의 잉첩(媵妾)*이 되게 하려는 것이지 전군을 섬기라고 한 것은 아니었다고 하셨습니다.」

「그래서 너는 무어라 대답했는고?」

「'빈첩의 도는 색공에 있는데 사사로운 사랑이 있다 하여 어찌 제를 받들지 못하겠습니까'라고 대답했습니다.」

「그렇다. 역시 총명한 아이로구나. 나는 그때 네 대답이 기특하여 등을 어루만지며 기뻐하였다. 이 아이는 족히 도를 말하니 나는 근심이 없다고⋯⋯. 그런데 지금 네가 사다함과 사통하여 부부가 되기로 약속하였다 하니 어찌 내 근심이 크지 않을 수 있겠는가?」

---

*잉첩 : 황후를 도와 왕을 모시는 첩.

92

옥진의 나지막한 꾸짖음에 미실은 눈물이 핑그르르 돌았다. 하지만 미실은 곧 고개를 반짝 쳐들고 당돌하게 대답하였다.

「무릇 부부란 겁의 인연에서 비롯되는 것이라 알고 있습니다. 겁이란 둘레 사십 리 되는 성안에 개자(芥子)*를 가득 채워 넣고, 죽지 않는 천인이 삼 년마다 한 알씩 가져가서 마침내 모두 없어지는 시간을 가리킵니다. 둘레 사십 리 되는 돌을 천인이 무게 삼 수(銖) 되는 천의로 삼 년마다 한 번씩 스쳐 돌이 다 닳아 없어지는 세월을 가리킵니다. 사람의 시간으로 사억 삼천이백만 년이나 되는 겁이 다시 쌓여 이루어지는 인연이 부부이니, 저에게 사다함은 이생에서 스치다 만난 연인이 아니라 오랜 겁의 인연입니다. 사다함은 누구의 지시나 부름도 없이 오직 스스로의 의지로 저를 사랑합니다. 지아비란 마땅히 사다함과 같이 지어미를 지키고 목숨으로 사랑할 수 있어야 합니다.」

미실의 맹랑한 반격에 옥진은 그만 할 말을 잃었다. 사랑에 눈이 먼 사람에게는 발밑의 벼랑을 보라고 말하는 것마저 어리석었다. 옥진은 당차고 분명한 사랑의 선언 앞에 불길한 예감이 더욱 짙어지는 것을 느끼며 말하였다.

「네가 빈첩의 의무를 다한다면 이생에서 누릴 수 있는 모든 부귀와 공명이 너와 함께하리라. 그래도 그 모든 것을 포기하겠다는 말이냐?」

옥진의 말에 미실은 조금도 망설임 없이 대답했다.

「무릇 부귀란 한때입니다. 저는 태후의 명으로 신성한 족속을 섬겨 한때 왕자와 전군 모두를 앞에서 배견(拜見)하였으나, 지금 억

---

* 개자 : 겨자씨와 갓 씨.

울한 누명을 쓰고 궁에서 쫓겨나니 쓸쓸함이 이와 같습니다. 있고
도 없는 부귀영화를 좇느니 영원을 맹세하는 사랑을 믿겠습니다.」

미실의 의지가 이와 같으니 옥진도 더 이상 그녀를 설득할 수 없
었다.

할머니 앞에서는 과감히 사랑을 주장하였으나 돌아선 미실의 마음
도 마냥 편편할 수는 없었다. 무엇을 염려하시는지, 무슨 연유로 가
로막으시려는지 잘 알고 있었다. 태어나기 이전부터 정해졌던 것들,
세상에 나고 자라면서 한 번도 의심해 보지 않았던 가치를 부정하고
거부하는 것은 미실에게도 두렵고 낯선 일이었다. 가문의 내력을 배
반하고 할머니의 가르침을 거스르는 일도 힘들고 고통스러웠다.

다만 생각할 수 없을 따름이었다. 상상하고 믿을 수 없기 때문이
었다. 사다함이 없는 세상을, 사다함을 잃은 자신을, 사다함 없이 살
아가는 시간을 아무리 떠올려 보려 해도 할 수 없었다.

*

「무슨 생각을 그리 골똘히 하느냐?」

복잡한 심경으로 우두커니 앉은 미실의 등을 사다함이 다가와 가
만히 안았다. 무슨 비밀이든 고백하여 바치고픈 맑은 눈, 이젠 도무
지 남의 것이라 할 수 없는 다정한 몸의 온기를 접하자 미실은 잠시
자신을 흔들었던 불안과 혼돈을 까맣게 잊었다. 그녀는 환하게 웃으
며 거침없이 거짓말을 지껄였다.

「제 머릿속에 무슨 다른 생각이 들어올 수 있겠어요? 우리의 금란
지교를 생각했지요. 《역경》에서는 금란을 일컬어 이렇게 말했지
요. 두 사람이 마음을 같이하면 그 이로움은 금도 끊을 만하며 마

음이 같은 사람의 말은 그 향기가 난초와 같다고. 그리웠어요. 내 향기로운 금빛 난초!」

미실이 사다함의 허리를 감으며 매달렸다. 사다함은 그런 미실이 못내 사랑스럽다는 듯 고개를 숙여 뺨에 입을 맞추었다.

「곧 어머니께 아뢸 작정이야. 혼례를 올리겠다고.」

「정말이에요? 언제쯤요? 가배절(한가위)은 지나야 하겠지요?」

「가배절이 지나고……. 내가 출정에서 돌아오는 대로 말이다.」

아이처럼 손뼉을 치며 좋아하던 미실은 사다함의 말을 듣고 돌처럼 굳어 버렸다.

「출정이라니요? 전쟁터에 나간단 말인가요?」

「대가야의 도설지가 내밀히 통하던 야인들을 거느리고 침공하였다. 법흥제 때에 본가야 금관국왕 김구해는 식솔들을 끌고 항복했지만, 대가야는 칠 년 전에 백제의 명농과 함께 쳐들어왔다가 오히려 정복당해 부용국(附庸國)으로 통치를 받던 중이었지. 인화와 덕으로 다스릴 수 없는 야만인들이 왕토를 거듭 침범하니 난리 통에 자식과 남편을 부르는 아낙네들의 목청만 드높아 커지는구나. 그도 모자라 이번엔 오랑캐들과 협잡하여 민인을 도륙하고 재화를 약탈하니 어찌 화랑으로서 두고 볼 수 있겠느냐?」

「하지만 종형의 나이 이제 겨우 열여섯, 화랑도 중에서도 열세 살부터 열여덟 살까지의 동도(童徒)는 전쟁터에 나갈 수 없는 것 아닌가요?」

미실은 새파랗게 질린 채 눈물이 그렁그렁하여 사다함을 바라보았다. 사다함은 미실을 안심시키려 씩씩하게 웃으며 대답했다.

「제께서도 그렇게 말씀하시더구나. 너는 아직 어리니 화랑의 본분대로 우주 청원(淸元)의 기(氣)를 터득하는 일에 진력을 다하라고.

아마도 제는 어린 시절 궁원에서 뛰놀며 화랑 놀이를 하던 철없는 어린아이로 나를 기억하시는 것일 테지. 하지만 나이가 어린 탓에 뒤로 물러나 내가 거느리는 낭도들이 출병하는 모습을 지켜보고만 있을 수 있겠느냐? 가야 정벌의 종지부를 찍는 전투에 선봉이 되어 싸우는 것만이 내가 신국에서 넘치게 받은 은혜와 영광에 보답하는 일이리라.」

「하지만, 하지만 전쟁터에서는 죽을 수도 있잖아요? 영영 돌아오지 못할 수도 있잖아요?」

미실의 눈물이 마침내 넘쳐흘렀다. 발갛게 달아오른 뺨에 어지러운 물 얼룩이 졌다. 사다함은 조심스레 미실의 뺨을 어루만져 눈물을 닦았다.

「나는 죽지 않아. 내가 왜 죽느냐? 나의 약속을 믿어라. 두려워할 것 없다. 날 기다리는 네가 있는 한 화살도 나를 비껴갈 것이다.」

사다함은 한 마디 한 마디를 새기듯 힘주어 말하였다.

진흥제의 꿈은 이전의 어느 왕도 꿈꾸지 못한 크고 높은 것이었다. 야심 찬 대제는 사슬처럼 끊이지 않는 피의 항쟁을 멈추기 위해 더욱 도저한 피의 항쟁을 감수코자 했다. 수면 위로는 과감한 전투가, 수면 아래로는 그에 못지않게 치열한 첩보전과 외교전이 진행되었다. 왕경을 수호하는 성을 개축하고 늪지를 메워 황룡사를 세우는 공사에 들어가는 한편, 연합 작전을 통해 백제가 고구려로부터 빼앗았던 한수 이남을 기습으로 점령하여 영토에 복속시켰다. 눌지왕과 비유왕 대부터 맺어 온 동맹 관계는 깨어지고 배신감과 울화가 머리끝까지 치밀어 오른 백제의 성왕이 친히 관산성으로 쳐들어왔으나, 신주(경기 광주)의 군주 김무력의 비장(裨將)인 고간 도도에 의해 살해되는 사건마저 있었다. 이제는 아무도 이립(而立)의 나이에 막 접어든 젊고 혈기 왕성한 황제의 거침없는 행보를 막아 세울 수 없었다.

　하늘의 하명을 받은 양 승승장구하는 젊은 진흥제의 기세에 고무받은 화랑도 역시 참전의 의지로 충천하였다. 새로운 영웅들이 속속 그 모습을 드러냈으며 제는 그들의 공로에 걸맞게 논공행상(論功行賞)을 게을리 하지 않았다. 하지만 실로 사다함은 어떠한 보상에도 관심이 없었다.

　사다함은 얼굴도 기억나지 않는 아버지를 생각했다. 아버지의 최후는 남자가 스스로 선택할 수 있는 가장 아름다운 죽음의 방식이었다. 치욕의 삶과 단절하는 가장 정결한 방식. 사다함도 그렇게 죽기를 꿈꾸었다. 가장 짧고, 가장 날카롭고, 가장 단순하게. 그토록 아름다운 최후를 자신의 안녕이 아니라 나라를 위해 바칠 수 있다면 그보다 깨끗하고 귀한 것이 다시없을 듯하였다. 그것이 남아로 태어나 이때까지 사다함이 꿈속에서도 잊은 적이 없는 각오였다.

　하지만 지금은 살아 돌아올 명분이 있었다. 꼭 살아 돌아와야 할 이유가 있었다. 미실의 소망과 기다림을 저버릴 수는 없었다. 그동안 사다함은 단 한 번도 경계를 침범당한 적 없는 완고하고 단단한 세계에 갇혀 있었다. 무엇으로도 그것을 깰 수 없으리라 자만했고 고독으로 기꺼웠다. 하지만 빨갛고 여린 부리를 가진 작은 새 한 마리가 간단히 그것을 깨고 날아 들어왔다. 그 팔랑거리는 새를 잡아 손아귀에 품어야 비로소 만족할 수 있을 것 같았다. 한번도 소망해 본 적 없는 행복을 감히 말할 수 있을 것 같았다. 사다함은 반드시 살아 돌아와야 했다.

　풀벌레가 목청껏 울어 젖히고 메뚜기가 사방에서 뛰노는 술월(음력 구월), 노신(老臣) 상상 태종을 대장군으로 앞세워 일만의 병사가 깃발을 휘날리고 북을 울리며 정벌의 길에 나섰다. 수많은 사람들이 출정을 배웅하기 위해 나와 저마다 정인의 이름을 목 놓아 부르며 버들가지를 꺾어 던졌다. 사악한 기운을 막아 안전하고 무사하게, 버드나무가 탄력으로 튕겨지듯 빨리 돌아오라는 소박한 염원의 주술이었다.

미실은 양산 서쪽 들판에 열립해 있는 화랑도의 깃발 아래 행여나 사다함의 모습을 찾을 수 있을까 목을 빼고 두리번거렸다. 하지만 매캐한 흙먼지와 말 울음소리, 기세를 드높이는 병사들의 함성 소리에 사다함을 부르는 미실의 목소리는 흔적 없이 묻혔다. 이별의 순간에는 눈물을 보이고 싶지 않았다. 방긋 웃으며 내일 다시 만날 사람처럼 순순히 손을 흔들고 싶었다.

하지만 결국 사다함을 만나지 못하고 돌아서면서, 미실은 밤새 뜬 눈으로 지새우며 지었던 시나위 한 자락을 바람결에 실어 날렸다.

바람이 분다고 하되 임 앞에 불지 말고
물결이 친다고 하되 임 앞에 치지 말고
빨리빨리 돌아오라 다시 만나 안고 보고
아아, 임이여 잡은 손을 차마 물리라뇨…….

넋을 잃은 꼭두각시처럼 간신히 껍데기 같은 육신을 끌어 집에 돌아온 미실에게 청천벽력 같은 소식이 기다리고 있었다. 당장 입궐하라는 지소태후의 명이었다. 미실은 밑둥치를 베인 짚단처럼 풀썩 주저앉고 말았다.

파랑새의 노래

그녀를 잃은 가을이 돌아오고 있었다. 산정을 향해 바윗돌을 굴려 올리는 듯 무겁고 힘겹게 지나던 하루하루가 어느새 태산처럼 쌓여 우뚝하였다. 그토록 느리게만 느껴지던 시간이 이만큼 흘렀다는 게 거짓말 같았다. 믿을 수 없다고 도리질을 쳐도 시간은 갔다. 뻔뻔스러운 목숨이 이어져 사계절을 지났다.

세종은 자기혐오에 몸서리를 쳤다. 어떻게 먹고 어떻게 입고 어떻게 잤는지 알 수 없지만 먹고 입고 잤기에 육신은 보존되어 새롭고 낯선 계절 앞에 서 있었다. 깔깔한 입속에서 모래처럼 구르던 밥으로도 살이 붙고 피가 돌았다. 뒤척이며 잠 못 이루던 밤에도 가증스러운 휴식이 있었기에 명천(明天)이 유지되었다.

세종은 자주 흉몽을 꾸었다. 고통스러운 꿈속에서 귀교(鬼交)에 시달리기도 했다. 하느작하느작 손짓하는 여인에게 이끌려 보름달처럼 넓고 펀펀한 빛의 원반 위에서 짐승처럼 울부짖으며 정사를 벌였다. 그러다 꿈에서 깨어나 보면 몽정을 하여 젖은 속옷이 너절한 소망인 양 축축하였다. 내의는 사기(邪氣)로 말미암아 헛것과 교합하는 증상이라 진단하였다. 약 달이는 냄새가 궁 안에 진동했다. 지소태후는 한창 신혼의 단꿈에 젖어 있어야 할 새신랑에게 귀교가 무슨 가당치 않은 변괴냐며 죄 없는 융명을 닦달하였다.

혼인을 했다. 꽃을 뿌리고 술을 나누며 혼례의 의식을 치렀다. 남의 일인 양하였다. 구경을 나온 듯 안일하고 무심했다. 그러다 정신을 차려 보니 성장을 한 낯선 여인이 그의 옷고름을 당기고 있었다. 미실인가? 순간 솟구치는 양기를 이기지 못해 그녀를 쓰러뜨렸다. 허겁지겁 애무도 없이 곧바로 그녀의 옥문에 진입했다. 여자의 미간이 고통으로 찌푸려지며 신음 소리가 새어 나왔다. 미실이 아니었다. 그녀의 입에서 노래하듯 흘러나오던 감미로운 열음(悅音)이 아니었다. 세종의 몸은 급격히 위축되어 맥없이 파정하였다. 교합의 희열은 온데간데없고 지독한 불쾌감과 자책감만이 몸을 뒤흔들었다.

융명은 나쁘지 않은 여인이었다. 진종전군의 여아로 곱게 자라 가히 의빈(儀賓)*이 되기에 부족함이 없었다. 하지만 이미 미실에게 영(靈)과 육(肉)을 사로잡힌 세종에게는 아무런 감흥도 불러일으키지 못하는 향기 없는 꽃에 불과했다. 하지만 신령과 조상 앞에서 혼인의 예를 치렀다는 사실 또한 무시할 수 없는 일이었다. 대의를 거슬러 반항하고 거역할 줄 모르는 세종은 융명을 아내로 받아들이지 않을 수도, 그렇다고 아내로 받아들여 정의를 쌓을 수도 없었다. 몇 달이 흘러도 낯설고 서먹한 관계는 나아지지 않았다. 세종의 고통이었고 융명의 불행이었다.

하루도 미실을 떠올리며 그리워하지 않은 날이 없었다. 태후에게

---

*의빈 : 예의가 바른 사람으로 국왕의 빈이 될 만한 사람.

내쳐져 궁문을 나설 때 세종을 바라보던 미실의 눈길을 잊을 수가 없었다. 차라리 성난 눈길로 파랗게 원망의 빛을 돋우며 쏘아보았더라면 나았을는지 모른다. 악다구니 치며 왜 그렇게 머저리처럼 구느냐고 욕을 하였더라면 차라리 후련하였을 것이다. 하지만 미실의 공허한 눈은 세종의 모습을 비껴가 힘없이 미끄러졌다. 그를 몰라보는 듯 그와의 모든 기억을 놓아 버린 듯하였다. 격정으로 팽팽하게 조여진 세종의 가슴이 철렁 무너져 내렸다.

세종은 허깨비처럼 부려진 채 자닝한 시간을 살아 냈다. 가끔은 그럭저럭 지낼 만도 하다고 느낄 때도 있었다. 잠자리의 융명은 여전히 목석과 같았지만 눈을 감고 오로지 행위에만 집중하면 아주 나쁘지는 않았다. 나쁘지 않다는 것이 좋은 것과 얼마만큼이나 차이가 지는 일인지, 모르면 모르는 대로 견뎌 낼 수 있었다.

무덥던 여름이 지나고 조석으로 찬바람이 마음을 스산하게 저며 오던 즈음, 세종은 호되게 환절기를 앓아야 했다. 양기못에 핀 연꽃이 하도 좋다 늦봄부터 노래를 부르던 융명과 함께 나선 길이었다. 아이처럼 들떠 나들이 채비를 차리는 융명의 곁을 내키지 않는 걸음이었지만 이렇게라도 아내를 위로함이 옳지 않겠느냐며 따라나선 세종에게 뜻밖의 사건이 기다리고 있었다.

*

남산 기슭 울연한 골짝에 자리한 이요당이 때 아닌 웃음과 노랫소리로 왁자했다. 유오(遊娛)*를 나온 화랑들이 지껄여 빚어내는 아름

———————————
* 유오 : 산천을 노닐며 즐기는 화랑도의 풍류.

다운 소음이었다. 그들은 누마루에 앉아 악기를 뜯고 시를 주고받으며 즐거이 여름을 배웅하고 가을을 마중하고 있었다. 시의 소재는 서출지에 만개한 연꽃과 이요당을 둘러싸고 흐드러진 배롱나무의 만화(滿花). 주거니 받거니 하는 것이 모두 향기롭고 흔연했다. 화살처럼 내리꽂히는 햇빛도, 습하고 치밀한 땅의 열기도 그들만은 서늘히 비껴가는 듯하였다. 서출지를 터 잡아 사는 수다스러운 까마귀도 그 눈부신 경처에 숨을 죽이니, 고요하고 평화롭기가 무릉도원이 따로 없었다.

세종은 전군의 행차를 알리려는 사자를 조용히 가로막았다. 예정에 없던 짧은 외출 때문에 화랑의 유오를 망치고 싶지 않았다. 평복을 걸치고 나오길 잘했다는 생각이 들었다. 융명은 누각을 차지한 화랑들을 물리치지 않는 것이 조금 불만스러운 듯하였으나 모처럼 함께하는 부부의 나들이를 망칠까 봐 애써 참는 기색이었다. 그들은 천천히 못가를 거닐며 화려한 여름 청장(靑壯)에서 소담한 가을 청상(靑孀)으로 깊어지는 부거(芙蕖)를 말없이 감상하였다.

그때 불현듯 화랑들이 주고받는 이야기 속에 '미실'이란 이름이 세종의 귓가를 스쳤다. 세종은 화들짝 놀라 귀를 세웠다. 잘못 들을 리는 없었다. 잘못 들을 수 없는 이름이었다.

「그 청담한 사다함공이 여인과 사랑에 빠졌다는 소문이 정말인가?」

「그저 스치는 사랑이 아니라네. 아주 푹 빠져서 헤어 나올 기색이 없다는군!」

「놀라운 일이야. 도대체 숱한 유화(柳花)*들이 연모하며 추파를

---

* 유화 : 서민의 딸로서 화랑도에 소속된 여인들.

던져도 아랑곳 않던 귀골을 그토록 단번에 사로잡은 여인이 누구란 말인가?」

「사랑받을 자격을 갖추었으니 사랑하겠지. 공경에서 최고의 미색이라는 미실이 공의 마음을 송두리째 가져갔다네.」

「미실이라고? 세 미녀의 아름다움을 한 몸에 다 가졌다는 바로 그 미실 말인가?」

「그렇다네. 놀라운 소식은 그뿐이 아니지. 사다함공이 이번 가야 출정에서 돌아오는 대로 혼례를 치를 작정이라네. 곧 경사로운 일이 있을 모양이야!」

희고 붉은 꽃들이 삽시간에 빛을 잃었다. 우아한 향기도 더 이상 코를 파고들지 못했다. 세종은 돌부처처럼 그 자리에 굳어 버렸다. 낯빛은 새하얗게 질리고 다리가 풀려 허청거렸다.

「어디 몸이 편찮으십니까? 얼굴빛이 마치 가을 달빛 같습니다!」

걱정스러운 융명의 목소리도 들리지 않았다. 누군가 귓가에 바투 대고 박과 큰북을 울려 대는 것만 같았다. 머리가 대쪽처럼 쪼개질 것만 같았다. 세종은 그만 항복하듯 무릎을 꿇고 주저앉았다. 질척한 땅의 기운이 뼛속으로 시리게 파고들었다.

열병이었다. 양기못에서 돌아오자마자 세종은 둥치를 베인 나무처럼 쓰러져 앓았다. 내성(內省)의 의학과 어룡성(御龍省)의 약전을 발칵 뒤집어 갖은 처방에다 침술을 동원해도 열은 내리지 않고 온몸이 펄펄 끓었다. 보침을 흥건히 적시도록 땀을 흘리며 잠들었다가 문득 깨어나면 눈앞에 헛것이 아른거렸다. 요조한 흰빛 수련과 농염한 붉은 배롱나무 꽃 한가운데 그가 있었다. 관옥(冠玉)과 같은 숱한 미소년들 중에서도 그의 미모는 숨기거나 가릴 수 없었다. 짙은 눈썹 아래 깊이를 헤아릴 수 없는 흑요석 같은 눈, 날카로운 콧날과 선명한 입술. 그의 웅숭깊은 자태는 불적의 산 유오지에 딱 들어맞아, 더하거나 뺄 필요가 하등 없을 듯하였다. 수련과 배롱나무 꽃을 동시에 닮았다 하나 그 모두를 합하여도 소년의 우아미와 생기를 다 표현할 수 없었다.

사다함……. 세종은 그의 이름을 고통스럽게 중얼거렸다. 동륜왕자의 유모로 들어온 금진낭주의 아들, 어린 날 함께 뛰놀던 그를 세종은 기억하고 있었다. 유별난 미모에 기상이 수려하여 제를 비롯한 어른들의 사랑을 담뿍 받았다. 그의 곁에 가만히 미실을 세워 본다. 미실이 부끄러운 듯 웃으며 사다함의 품에 얼굴을 묻는 것을 상상해 본다. 가슴에서 열이 치받아 오른다. 바싹 마른 갈비를 긁어 부싯돌을 댕기듯 질투가 검은 연기를 뿜으며 무섭게 지펴 오른다. 열기가 세종의 전신을 태울 듯 솟구친다. 세종은 그만 가혹한 상상과 들끓는 열을 이기지 못하고 혼절하였다.

지소태후는 세종의 열병에 차도가 없자 안절부절못하고 어쩔 줄을 몰랐다. 내의들을 다그쳐 갖은 비방을 써보아도, 융명과 함께 하늘에 기도를 올리고 제물을 바쳐도 소용없었다. 날로 검게 타들어 가는 세종의 얼굴을 보노라니 이대로 아들을 잃을지도 모른다는 무서운 예감마저 들었다. 바칠 수 있는 모든 처방을 다 바친 내의가 마지막으로 목숨을 내놓고 간언하였다.

「전군의 병은 몸에서 비롯되지 않은 것으로 보입니다. 심장에서부터 열이 끓어 넘치니 아무리 약과 침으로 몸을 달래도 소용이 없나이다. 마음을 식히고 가라앉힐 방도를 내지 않고서야 원인 모를 열병은 이겨 내기 어려울 것이라 사려되옵나이다.」

지소태후는 내의의 말을 곱씹고 또 곱씹었다. 마음의 병이 어디로부터 비롯되었는가는 예상하기 어려운 일이 아니었다. 너무나 그 원인이 극명하여 차마 인정할 수 없을 뿐이었다.

지소태후는 세종의 침전을 찾았다. 역한 취기가 감도는 침전에 병색이 완연한 세종이 장차 다가올 죽음을 순연히 기다리는 양 그 장대하던 몸을 옹송그린 채 누워 있었다. 지소태후가 세종을 측은하게 내려다보며 말하였다.

「미실을 데려오면 낫겠느냐?」

순간 시체처럼 누워 있던 세종의 눈이 번쩍 떠졌다. 지소태후는 재차 다그쳐 물었다.

「미실을 다시 데려오면 네 병이 낫겠느냐?」

세종은 차마 입 밖으로 말을 내뱉지 못하고 고개를 세차게 끄덕였다. 그렁그렁 고인 눈물이 야위어 팬 뺨을 타고 주륵 흘러내렸다. 지소태후는 쓰린 마음을 애써 진정시키며 냉정하게 말했다.

「색사를 색사 이상으로 생각하면 너는 반드시 다치게 된다. 미실의 운명을 알지 않느냐? 네가 정녕 그 아이를 취하고자 하는 순간 너는 그 아이를 잃고야 만다. 영원히 빼앗기며 살아가게 된다. 그 아이의 운명까지도 떠맡아 네 운명이 바뀌고 혼란스러워진다. 그래도 고집을 꺾지 못하겠느냐?」

세종이 바싹 말라 바스락거리는 입술을 간신히 떼어 대답하였다.

「그것은 이미 정(精)의 문제를 떠난 것입니다. 영(靈)의 문제입니다. 이미 그러하고 그러지 못하는 것은 의지가 아니라 숙명입니다. 소자의 운명이 미실의 운명 때문에 바뀌는 것이 아니라 이미 소자의 운명이 그리 정해져 있던 것입니다.」

지소태후는 한참 동안 입술을 물고 지그시 아들을 바라보았다.

「나는 영의 문제는 알지 못한다. 내가 만약 그에 대해 알았더라면 어떻게라도 너를 말렸을 것이다. 하지만 나 역시 그에 닿아 본 적이 없으니, 내 힘으로는 널 꺾지 못하겠구나.」

지소태후는 지금까지 십수 년간 봐온 중 가장 나약하고도 가장 강건한 아들의 모습에 진저리를 치며 의자를 걷어차고 일어났다. 미실에게 준 모욕을 그녀가 돌려받아야 할 차례였다. 지소태후는 비루하게 늙은 어미의 몰골로 미실을 다시 입궁시키라는 명을 내렸다. 늙은 어미는 패배할 수밖에 없었다.

*

미실이 입궁했다는 소식에 세종은 기뻐 미친 듯이 달려갔다. 한쪽 다리를 세우고 팔을 그 위에 얹어 윤왕좌(輪王坐)로 오만하게 걸터앉은 지소태후의 발아래 고개를 숙인 미실이 오도카니 서 있었다. 지소태후는 춤을 추듯 달려온 세종을 못마땅하게 바라보더니 다짜고짜 미실에게 명하였다.

「성심성의를 다해 전군을 모시도록 하라! 한 치도 부족함이 있어서는 안 될 것이다!」

사과나 변명은커녕 상황에 대한 최소한의 설명조차 없었다. 물러가라면 물러가고 다시 섬기라면 섬기는 것이다. 날카로운 장검이 가슴을 쓱 베는 듯하였다. 미실은 치솟아 오르는 분한 눈물을 참기 위해 이를 악물었다.

사다함과 이별한 지 고작 며칠이 지났을 뿐이다. 부부의 이름으로 같은 굴에 묻히기를 맹세한 것이 어제의 일 같았다. 그런데도 미실은 다시 세종전군의 침전 곁에 처소를 마련하고 그를 색공으로 섬겨야 하는 것이다. 이 혼란을 쉽사리 받아들일 수가 없었다. 마땅히 발광하여 머리를 풀고 악다구니라도 쳐야 하리라. 하지만 미실은 지소태후의 명을 전하던 할머니와 어머니의 슬픈 얼굴을 생각했다. 그들은 이미 예정되었던 일들이 바야흐로 찾아왔다는 듯, 웃을 수도 울 수도 없는 기묘한 얼굴로 마냥 미실의 슬픈 운명을 바라보았다.

그녀가 가지 않으면 그들 모두가 끝이다. 신령이 명한 색공지신으로서의 의무를 다하지 못한 책임으로 멸족시킨대도 어쩔 수 없는 일이다. 미실은 미실이 아니다. 미실은 옥진과 묘도, 그리고 동생인 미생까지를 포함한 전부이다. 자기의 사랑을 지키겠다고 집안의 공멸을 자청할 수는 없었다. 그리하여 미실은 피눈물을 흘리며 화장을 하고 옷을 갖추어 입고 가마에 올랐다.

그리운 이는 지금 어디에 머무르나. 어느 거친 벌판에서 죽음에 맞서 싸우고 있는가. 미실은 이미 매화꽃이 졌는데도 부질없이 창공을 선회하는 휘파람새에게 자기의 마음을 전했다.

'나는 당신을 만나 세상에서 가장 빛나는 환희와 꿈같은 희열을 누렸어요. 그러나 단 한 번에 모든 것을 앗아 가려고 그랬나 보죠. 당신을 잊고, 나를 잃는.'

세종은 그런 미실의 심정에는 아랑곳없이 재회의 기쁨에 들떠 선물을 마련한다, 연회를 준비한다, 갖은 법석을 떨었다. 남의 눈치를 살피고 비위를 맞추며 살아 본 적 없는 이는 순수하고도 이기적이다. 세종은 자기의 기쁨에 도취한 채 미실이 곧 마음을 풀고 예전처럼 다정한 여인이 될 거라고 안일하게 생각하였다.

「내가 그대를 위해 준비한 선물이오.」

세종은 반짝이는 것에 마음을 빼앗기는 여자들의 속성을 떠올리고 미실에게 진귀한 패옥과 구슬을 안겨 주었다. 하지만 미실은 오채영롱한 그 값진 것들을 바라보며 남산을 오를 때 사다함이 손에 가만히 쥐여 주었던 보랏빛 돌을 떠올렸다.

「수정은 같은 수정이되 자수정이 아니라 연수정이란다. 보석은 아
니지만 지금 당장 무엇이라도 주고픈 내 마음으로 받아 줄래?」

그때 미실은 세상에서 가장 값진 보물을 받아 든 양 기뻐하며 말했다.

「이보다 더 귀한 선물은 세상에 없을 거예요. 빛나는 종형의 마음
을 내가 받았으니까요.」

하지만 모든 것이 끝났다. 마음을 간질이며 희롱하던 모든 짜릿한
순간들은 돌이킬 수 없는 추억이 되어 버렸다.

「왜, 선물이 마음에 들지 않소? 하지만 실망하지 마시오. 내가 그
대를 위해 준비한 것이 또 있다오.」

세종은 미실의 손을 끌어 궁원을 향했다. 순간 미실의 눈이 휘둥
그레졌다.

「그대가 말 타기를 유독 즐긴다고 들었소. 그래서 내가 특별히 황
제께 하사받은 총마를 당신 몫으로 마련해 두었소. 이만큼 좋은
말은 대장군들이나 거느릴 수 있을 것이오.」

세종의 말이 허언이 아닌 것이, 사자가 끌고 선 말은 한무제가 천
마라고 이름 붙였던 명마 중의 명마였다. 빠르고 날쌔며 핏빛으로
보이는 땀을 흘린다 하여 한혈마라고도 불리는 그것은 보통의 말이
아니라 차라리 살아 있는 보물이라 할 만했다. 뿐만 아니라 발걸이
와 말방울, 재갈과 꼬리의 안장 장식 따위도 더할 나위 없이 호화롭
고 사치스러웠다. 하지만 분에 넘치는 환대와 호사에도 불구하고 미
실은 뛰어난 혈통을 자랑하는 명마보다 보배롭게 느껴졌던 그 망아
지를 생각했다. 미실이 다가서자 겁먹은 듯 소년의 곁으로 바짝 다
가붙던 크고 순한 망아지의 눈망울.

잊지 않고서야 견딜 수 없었다. 잊기 위해서라면 무엇이든 붙들고
가혹하게 자신을 몰아쳐야 했다. 미실은 몸이 달아오른 세종이 동침

을 요구할 때마다 같은 이유를 들어 이를 피했다.

「전군은 이미 혼인하시지 않았습니까? 비록 전군과 내가 첫 남자 이며 첫 여자라고는 하나 지금 저는 원비(元妃)를 돕는 첩에 불과합니다. 그러니 어찌 아니 부끄러워할 수 있겠습니까?」

미실은 실로 융명과의 관계 때문에 불편하고 자존심이 상했다. 융명은 창졸간에 당한 일로 마음을 다쳤으면서도 대장부에게는 세 명의 아내와 네 명의 첩이 있다는 민간의 말을 위로 삼으며 짐짓 대범한 척 태연한 척하고 있었다. 맹광(孟光)*이 따로 없구나! 미실은 점잖은 얼굴을 하고 법도로써 소실을 다스리겠노라는 융명의 위선이 가소롭고 증오스러웠다.

「그럼 어찌해야 하오? 예법을 통해 혼약한 바를 파기하고 뒤집어야 옳단 말이오?」

「그렇게 하지 못할 이유는 또 무엇입니까? 색도로 이끌라 했다가 색사로 심기를 어지럽힌다며 쫓아내기도 하지 않습니까?」

미실의 날카로운 대답에 세종은 그만 사랑을 지켜 내지 못한 자괴감으로 할 말을 잃고 말았다. 눈앞에 두고도 만지고 품을 수 없는 괴로움에 세종은 몸부림을 쳤다. 미실은 떠나기 전보다 훨씬 아름답고 성숙해졌다. 때때로 이루지 못한 사랑을 그리워하는지 먼 산을 바라보며 한숨을 내쉬는 모습마저도 숨 막히게 슬프고 아름다워, 세종은 더욱 조바심이 났다. 하지만 강제로 범하여 가질 수는 없는 일이었다. 그렇게 하여 소유할 수 있는 여자였다면 열병을 앓으며 어머니를 거역하면서까지 가당찮은 고집을 피울 필요가 없었을 것이다.

세종은 지소태후를 찾아가 엎드려 울며 청했다.

---

*맹광 : 동한 사람 양홍의 아내. 얼굴은 못생겼으나 좋은 아내.

「제발, 제발 미실과 혼인할 수 있도록 허락해 주십시오. 저는 미실 없이는 단 하루도 목숨을 부지할 자신이 없습니다!」

아이 때도 울지 않던 세종이 울음을 터뜨리며 괴로워하는 모습 앞에 지소태후는 무력했다. 말린다고 들을 리 없으며 꾸짖는다고 무서워할 리 없었다. 무엇이 순하고 착한 아들을 못 말리는 고집쟁이로 만든 것인지, 정녕 미실이라는 악희의 마력이 그토록 대단한 것인지, 지소태후는 그만 더 이상 어르고 달랠 힘을 잃어버렸다.

「마음대로 하라! 혼례를 치르고 음양의 이치를 알면 예닐곱 살 어린애도 어른 대접을 하지 않더냐? 네가 원하는 대로, 네가 가고픈 길로 가버려라!」

지소태후의 허락 아닌 허락이 떨어지자 세종은 일사천리로 미실과의 혼례를 추진했다. 졸지에 미실이 전군 부인이 되고 융명은 차비(次妃)로 전락할 처지에 놓였다. 융명의 심정은 어이없고 기가 막히다는 말로도 모자랐다. 유순하고 올곧게만 보이던 세종전군이 정념에 휩싸여 도리와 이치를 분간하지 못하는 모양이 놀라웠고, 천상의 여인인 양 아름답고 가녀린 미실에게 잔인한 요기가 숨어 있다는 사실이 무서웠다.

융명은 사랑을 빼앗기고 나락에 떨어져 자긍심도 생기도 잃고 살아갈 자신이 없었다. 어서 이 무섭고 잔인한 곳에서 벗어나고만 싶었다. 융명은 세종을 찾아가 이대로 물러나 살 뜻을 비쳤다. 세종은 융명에게 얼마간 미안해하였지만 미실을 갖고 싶다는 일념에 불타 당장 미실의 의견부터 구했다.

「융명이 물러나 살기를 청하오. 이대로 보내 주는 것이 옳은 일이겠소?」

미실은 세종과 부부의 연을 맺는 일에 욕심을 내는 것이 아니었다. 한 남자와 한 여자로 이루어지는 부부는 실상 남자가 주인이고 여자가 노예가 되는 의미 이상일 수 없었다. 기꺼이 노예가 되고 싶은 대상이 아니고서야 차라리 주인의 자리를 쟁탈하는 편이 나았다. 미실은 막다른 길 끝에 다다라 세종에게 마지막 다짐을 받았다.

「융명이 떠나면 전군의 남은 소원은 무엇입니까?」

「그야 오로지 그대와 부부의 연으로 묶이는 일이오. 죽을 때까지 풀지 못하고 죽어서도 풀리지 않는 붉은 매듭으로 얽히는 일이오.」

「우리가 부부가 된다면, 전군은 저와 더불어 정을 배반하지 않을 것을 약속하십니까?」

세종은 미실의 빛나는 눈동자를 바라보며 홀린 듯 대답하였다.

「물론이오. 나는 당신이 나를 내치고 버린다 하여도, 벌레처럼 짓밟고 모욕하여도 결코 당신을 배반하지 않을 것이오. 천지신명 앞에 맹세하리다!」

미실은 그 말을 듣고서야 비로소 맥이 풀린 듯 세종의 품에 스르르 무너져 안겼다. 그날 밤 융명은 배웅하는 사람도 없이 밤의 어둠을 틈타 울며 궁을 떠났다.

*

사다함의 나이 열여섯. 인생의 내밀한 원리를 다 안다고 할 수는 없으나, 얻기 위해 먼저 버려야 하고 살기 위해 기어이 죽여야 함을 이미 깨달아 느끼고 있었다. 그것은 비장하고도 슬픈 이치였다. 전투에서도, 사랑에서도, 삶에서도 통용되는 진실이었다. 다만 얼마나 버려야 마침내 얻을 수 있는가, 어떻게 살생을 작죄하고도 스스로의 목숨을 정당히 인정받는가가 순결한 그의 정신을 괴롭히는 숙제였다.

'그 자체가 이미 모순이다! 인생은 모순이며 당착이다!'

사다함은 마상에서 흔들리는 채로 자신을 압도해 오는 삶의 비의에 몸을 떨었다. 그의 가슴속에는 첫 전투에 대한 미미한 흥분과 기대, 충의의 다짐과 결의가 있었다. 그런 것들이 스스로를 몰아애(沒我愛)의 긴박하고 쾌락적인 경지에 빠뜨리기도 했다. 하지만 한편으로는 부질없다는 생각, 여기서 적의 화살에 등을 관통당해 죽거나 검에 목이 베인다 할지라도 삶과 죽음을 경계한 오늘과 내일이 무슨 의미가 있을까 하는 허무한 생각이 어지러이 교차했다.

그래도 살아야 하리라. 미실과의 약속을 지키려면 살기 위해 죽음과 맞서야 하리라. 미실을 떠올리자 우수와 고뇌로 일그러졌던 사다함의 얼굴이 조금 펴졌다. 그때 사다함의 기색을 살피던 부관 무관랑이 살며시 말을 걸어왔다.

「혹시 아십니까? 전쟁터에서는 과연 어떤 자가 살아남는가를?」

생각에 잠겨 있던 사다함이 꿈에서 막 깨어난 듯한 눈빛으로 무관랑을 바라보았다. 철갑 속에 갇힌 무관랑의 가슴을 사납게 옥죄는 아름다운 눈빛이었다. 하지만 무관랑은 짐짓 그런 기색을 숨기고 미소를 지으며 사다함의 대답을 기다렸다.

「글쎄…… 공격 명령에 발을 늦추고 살기를 꾀하는 자? 아니, 그런 자는 더 쉽게 죽을 것이 분명하다. 그렇다면 아무래도 전쟁터에서는 활이나 검에 능한 자가 더 살기에 유리하지 않을까?」

사다함은 무관랑의 묻는 의도를 헤아릴 수 없어 고개를 갸웃거리며 말했다.

「아닙니다. 전쟁터에서는 살고자 발버둥 치는 자도, 활과 검에 능한 용자도 죽음 앞에 공평합니다. 다만 운이 좋은 자가 살아남기 마련이지요.」

무관랑은 고작 십수 년을 살아 낸 어린 그들이 맞닥뜨린 죽음의 긴장을 잠시나마 풀어 보려는 듯 실없이 웃으며 답하였다. 사다함도 그만 피식 웃어 버렸다.

「그럴 수도 있겠군. 죽는 운과 사는 운은 사람의 소관이 아닐 것이니, 죽고자 싸우는 것 외에 무슨 도리가 따로 있을까. 일리 있는 말이다.」

사다함의 선선한 대답에 무관랑은 입속에 갇혀 있던 말을 내뱉지 않고 꿀꺽 삼켜 버렸다.

'하지만 공은 결코 죽지 않으실 겁니다. 공의 죽음은 이토록 거칠고 황량한 곳에 놓여서는 안 됩니다. 사마(死魔)도 공의 삶이 뿜어내는 그윽한 향기를 맡는다면 결코 공을 낭사(浪死)하도록 수작을 부릴 수 없을 겁니다. 설령 공의 운이 죽음 쪽으로 기울어 있다면 신(臣)이 기꺼이 제 운과 그것을 바꾸오리다.'

무관랑은 절박하게 기도하는 심정으로 침묵 속에 아우성치는 말들을 되뇌었다. 그는 사다함의 고뇌가 벼랑 끝에서 홀연 몸을 던지고픈 허무의 충동과 맞닿아 있다는 것을 알고 있었다. 세속의 번잡 속에서 자기를 버리고 몸의 중심을 잡기 위해 안간힘을 쓰는 그때에, 독처럼 강하고 짙은 죽음의 그림자가 번득이는 것도 보았다. 무관랑은 오로지 사다함의 생을 위해 기도한다. 고통스럽더라도 더 오래 살기를, 오래오래 살아 주기를 바란다.

그들의 대열이 마침내 가야군과 대치하고 있는 전선에 이르렀다. 사다함은 곧장 태종에게 나아갔다.

「허락해 주십시오. 제가 앞장서 달려가 싸움의 문을 열겠습니다!」

태종은 일찍이 많은 전투에 참전하여 큰 공을 세운 바 있는 지장이자 용장이었다. 피를 흘려 땅을 적시는 일을 줄이는 것이 싸움의 가장 큰 전과임을 아는 장부였다. 태종은 이미 황제의 명으로도 막을 수 없는 사다함의 기개를 알고 있었으므로 그리하라 허락하였다. 이제 백발이 성성한 늙은 장군의 눈에 어린 화랑 사다함의 모습은 참으로 마음 저린 꽃봉오리 같았다. 하지만 피고자 하는 꽃을 어찌 막으랴!

사다함은 달렸다. 바람이 그의 붉은 뺨을 스쳤다. 그를 태우고 달리는 애마는 바람의 저항을 즐기는 듯하였다. 그래서 자신을 기다리는 위험 따위는 까맣게 잊은 듯하였다. 사다함도 그와 함께 점점 가벼워졌다. 허공을 나는 양, 두려움의 갑옷을 벗어 던지고 홀연한 맨몸으로 자유로워졌다. 무관랑이 채찍질하여 사다함의 기세를 쫓았다. 그의 얼굴 역시 황홀한 몰아애로 빛나고 있었다. 그래서 먼눈으로 보자면 두 소년은 흡사 말달리기 시합을 하는 양, 제수를 마련하기 위해 선한 짐승들을 따라 쫓는 듯하였다.

가야 사람들은 정작 이런 식의 공격은 전혀 염두에 두지 않았던 모양이다. 그들은 놀이에 겨운 듯 춤을 추듯 말을 달려와 전단문에 흰 기를 세운 소년의 존재에 경악하였다. 치열한 육박전에 대한 두려움으로 긴장하고 있던 그들은 일순 무경(武經)에서 읽지 못한 병법에 급소를 찔리고 말았다. 사다함과 그의 오천 정병들이 꽂은 흰 기가 조롱하듯 바람에 나부끼니, 성안의 사람들은 충격과 공포에 휩싸여 어찌할 바를 모르고 우왕좌왕하였다. 이때 노장 태종이 틈을 놓치지 않고 병사들을 이끌고 물밀듯 들이닥치기에, 가야인들은 맥을 잃고 일시에 항복하였다. 태종이 도설지와 야녀를 사로잡고 잔병들을 쓸어 치우니, 그들은 사라진 가야의 마지막 흔적이었다.

왕경은 승전의 소식으로 흥분의 도가니가 되었다. 물론 승리의 일등 공신으로 받들어진 이는 불패의 대장군 태종이었지만, 전투가 끝나고 입을 타는 후일담의 주인공은 단연 젊고 아름다운 화랑 사다함이었다. 진흥제는 크게 기뻐하며 앙양(昂揚)하였다. 즉시 연회를 준비하도록 명하고 사다함에게 포상을 내리기에 골몰하였다.

사다함이 출정하기 전, 화랑도의 4세 풍월주 이화랑은 이미 이 샛별의 등장을 지소태후에게 아뢴 바 있었다.

「토함의 아우 사다함은 나이가 아직 장년에 이르지 않았는데도 스스로 낭도를 거느렸으니, 자못 국선(國仙)이라고 이를 만합니다.」

지소태후는 크게 관심을 보이며 사다함을 궁중에 불러 음식을 내리고 물었다.

「랑(郎)이 사람을 거느리는 방법은 어떠한가? 따로 어떤 비책을 가지고 있는가?」

그러자 소년 사다함은 낯빛의 변화 하나 없이 침착하게 대답하였다.

「사람을 사랑하기를 내 몸같이 할 따름이옵니다. 그 사람의 좋은 점을 좋다고 하는 것뿐입니다.」

지소태후는 어린 나이이지만 탁월하게 뛰어난 그 모습에 감동하여 제에게 사다함을 귀당비장(貴幢裨將)으로 삼아 궁문을 관장케 하도록 청하였다. 그때 이미 사다함을 따르는 낭도가 천여 명에 이르렀고, 그 모두가 기꺼이 충성을 다할 것을 맹세하니 능히 중책을 맡아 수행하기에 부족함이 없었다.

진흥제는 귀당비장으로 미쁜 이름을 만방에 떨치던 사다함이 큰 전공까지 세우자 포상으로 전(田)을 내려 치하하였다. 그런데도 사다함은 동요함이 전혀 없었다. 열여섯 살의 어린 나이에 첫 출정으로 거둔 혁혁한 전과를 생각하면 짐짓 오만 방자한 태도를 지어 보인대도 큰 흉이 아닐진대, 달리 기쁜 빛도 없었고 우쭐하여 가드락가드락하지도 않았다.

사다함은 황제가 내린 밭을 모두 부하에게 나누어 주었다. 또한 전투가 끝난 후 잡은 포로는 자신의 사사로운 노예로 삼아 치부하는 것이 관례였는데, 사다함은 그들을 모두 양인으로 만들어 자유롭게 살게 하였다. 세인들이 놀라고 스스로 부끄러워함 직한 일이었다.

제는 이러한 사다함의 무욕함에 더욱 감동받아 옥토로 알려진 알천(경주의 북천)의 땅을 기꺼이 내주었다. 하지만 사다함은 굳이 사양하며 받으려 들지 않았다. 제가 짐짓 노한 음색으로 말하였다.

「겸손이 지나치면 가히 오만인지라, 짐이 사랑으로 내리고자 하는 마음을 기어코 뿌리치는 일 또한 신하의 도리에 어긋나는 것이 아니더냐?」

그러자 사다함은 고개를 숙여 가만히 생각하더니 조심스럽게 입을 열었다.

「제의 명을 감히 어기고자 함이 아니옵니다. 불충한 소신에게는 정녕 땅에 대한 탐심이 없으니, 알천의 옥토 대신 버려진 땅을 내리신다면 그보다 더 기쁜 일이 없겠사옵니다.」

사다함의 의지가 이토록 완강한지라, 제는 사다함에게 불모지 수백 경(頃)을 내리도록 명하였다. 흙이 말라 먼지가 풀풀 날리고 자갈로 가득 찬 땅이었다. 마른 잡초의 흔적만 남아 있을 뿐 어떤 독한 곡종도 쉬이 싹을 틔워 내기 어려울 듯한 거칠고 메마른 땅이었다. 하지만 사다함은 그제야 만족한 듯 미소 지으며 곁에서 망연한 표정으로 서 있는 무관랑에게 말하였다.

「이 정도면 능히 만족할 만하지 않겠느냐? 옥토는 사람의 노력을 굳이 요구하지 않지만 이러한 불모지야말로 사람으로 하여금 족히 근면하게 할 수 있다. 지금은 나라의 명운이 우리에게 농구 대신 무구를 거머쥐도록 요구하지만, 곧 태평한 날이 와 일이 없어지면 마땅히 농사에 임하여 땀을 흘리는 것이 나의 무리들이 살아낼 길이다.」

사다함의 묘품(妙稟)이 이토록 덕망, 인격, 용의 등, 꽃처럼 변화무쌍한 화랑을 진정으로 화랑답게 하는 덕목을 고루 갖춘지라, 모두들 그에게로 향하는 마음을 막아 세울 길이 없었다. 그즈음 이화랑은 황제와 태후의 총애를 받아 화랑도의 낭정(郎政)을 돌보고 낭도들을 거느리는 일에 싫증이 났으므로, 모두의 예상대로 사다함을 5세 풍월주로 임명하고 떠났다. 사다함은 풍월주가 되자 금진낭주의 소원에 따라 포제(胞弟)* 설원랑을 부제(副弟)*로 삼았는데, 그의 나이는 열세 살이었다.

모든 논공행상이 끝나고 출정했던 전 장병이 해산한 후, 사다함은 비로소 미실이 입궁하여 전군 부인이 되었다는 소식을 전해 들었다. 그는 큰 충격을 받고 한동안 깊은 침묵 속에 빠졌다. 하지만 과연 사다함은 달랐다. 그는 울지 않았다. 절규하며 원망하지 않았다. 미실은 반드시 그리할 수밖에 없었으리라. 사다함은 끝까지 사랑으로 사랑을 믿었다.

다만 한 수의 시나위를 지어 다시는 만날 수 없는 미실에게 띄워 보냈다. 사랑은 연기처럼 곧 사라지고, 처음의 붉은 마음 한 조각만이 흉터처럼 그에게 남을 것이었다.

> 파랑새야, 파랑새야! 저 구름 위의 파랑새야!
> 어찌하여 나의 콩밭에 머무는가!
> 파랑새야, 파랑새야! 너, 나의 콩밭에 날아온 파랑새야!

---

* 포제 : 어머니는 같고 아버지가 다른 동생.
* 부제 : 풍월주의 지위를 계승할 2인자.

어찌하여 다시 날아 구름 위로 가는가?

이미 왔으면 가지나 말지 또 갈 것을 어찌하여 왔는가?

부질없이 눈물짓게 하며 마음 아프고 여위어 죽게 하는가?

나는 죽어 무슨 귀신 될까, 나는 죽어 신병(神兵) 되리!

전주에게 날아들어 보호하는 호신 되어

매일 아침 매일 저녁 전군부처 수호하여

만 년 천 년 오래 죽지 않게 하리!

*

모두가 가야 할 길로 갔다. 사다함은 다만 자신을 보위하며 누구보다 용맹하게 싸운 무관랑이 신분이 미천하다는 이유로 적절한 보상을 받지 못했다는 사실을 마음에 걸려 했다. 그러나 무관랑은 펄쩍 뛰며 그런 걱정 따위는 마음에 담지 않기를 청했다. 사다함이 마땅히 이르고자 하는 곳이 불모지라면 불모지에 머물러 행복할 따름이며, 행여 그가 지옥에 이른다 해도 기꺼이 따를 것이었다. 정백(淨白)한 소년들의 마음은 서로에 대한 흠모와 신뢰로 깊어졌다.

무덕(武德)을 숭상하는 화랑이 사랑하는 데 성의 분별은 의미가 없었다. 무관랑은 아주 오래전부터 사다함을 흠모하여 그의 곁에 머물렀다. 미실을 잃은 사다함에게 무관랑의 굳건한 사랑은 큰 의지와 위로가 되었다.

사다함을 바라보는 무관랑의 깊은 시선은 남들의 눈이 미치지 못하는 곳까지 이르렀다. 일찍이 여읜 아버지에 대한 그리움으로 검(劍)의 스승인 문노와 국선들을 바라볼 때 흔들리는 사다함의 눈빛, 금진의 침신(枕臣)으로 거침없이 그녀의 방을 드나드는 설성을 증오하면서도 어머니를 효로 극진히 섬기기 위해 진력을 다하는 모습, 그리고 미실과의 깨어진 사랑을 염려하는 낭도들 앞에서 더욱 활짝 웃는 계심(戒心), 그 눈부시도록 슬픈 웃음.

무관랑은 사다함에게 자신의 마음을 고백하지 않았다. 그러나 사다함은 말로 들어 알기 이전에 그의 마음을 느꼈고, 그 소중함을 깊이 깨달아 존경하며 의지했다. 얼룩소를 잡아 피를 나눠 마시거나 얼굴에 바르는 맹세의 의식을 치르지는 않았지만, 그들은 성의 경계와 상하의 구분을 떠나 이미 서로 깊이 사랑하고 있었다.

언젠가 무관랑과 사다함은 수련을 위한 검술 시합을 벌였다. 몇 합을 겨루어도 쉽사리 승부가 나지 않는 용호의 결투였다. 그러다 사다함이 눈을 찌르는 땀을 닦기 위해 얼굴을 훔치는 사이, 명치를 향해 검을 겨누었던 무관랑은 승리를 포기하고 스스로 공중에 검을 던져 버렸다. 아무려나, 승부는 의미가 없었다. 두 소년은 턱까지 차오른 숨을 헐떡거리며 흙바닥에 누워 버렸다. 흙은 가벼운 역기(逆氣)를 불러일으킬 만큼 비리고도 구수했다. 무관랑은 자신의 눈초리를 타고 흐르는 것이 땀이 아니라 눈물일지도 모른다고 생각했다. 사다함이 가쁜 숨을 고르며 말했다.

「랑의 꿈은 무엇인가? 랑은 어떤 꿈을 꾸는가? 선도를 닦아 장생불사의 신선이 되는 것인가? 아니면 그 무엇이 되고자 하는가?」

무관랑은 돌연한 질문에도 동요하지 않고 대답했다.

「화랑으로 속세의 집착에서 초탈하여 자유로운 생활을 즐기며 자연을 유오하고 있으니, 이미 신선으로 살고 있다 하지 못할 까닭이 있겠습니까? 소신은 다만 공의 곁에서 신하로 복무하는 데 행복을 느낍니다. 더 바라는 것은 없습니다.」

그러자 사다함의 흰 얼굴이 문득 누워 있는 무관랑의 얼굴 위로 떠올랐다. 그는 재차 물었다.

「신하란 무엇인가? 그것이 랑이 생애 전부를 걸어 만족할 만한 것인가?」

무관랑은 부신 듯 질끈 눈을 감아 버렸다. 눈을 감아도 빛은 그의 눈꺼풀을 파고들어 빠르게 전신을 헤집고 있었다.

「저는 다만 공의 코끼리가 되고플 뿐입니다. 《예기》에서는 신(臣)에 대해 말하기를, 끌림을 받아 섬기는 자이니 그 모습이 곧 코끼리가 꿇어앉은 것과 같다 하지 않았습니까? 저는 저를 여기까지 끌어 마땅히 섬기게 하는 공(公)에게 기꺼이 한 마리 코끼리가 되고자 합니다.」

무관랑의 대답에 사다함은 하하, 가벼운 웃음을 터뜨리며 말했다.

「코끼리라니, 랑에게는 별로 어울리지 않는 동물이군!」

무관랑도 사다함을 따라 이를 드러내고 활짝 웃었다. 사다함을 위해서라면 코끼리가 아니라 땅 위를 기는 한 마리 뱀이라도 좋았다. 기꺼이 어두운 흙 속에 살며 평생토록 배를 밀어 차가운 땅 위를 기어 다녀도 족하였다.

그러나 항시 사다함의 곁을 그림자처럼 따르던 무관랑의 낯빛이 어느 때인가부터 점차 어두워지기 시작했다. 눈이 멀기를 두려워하지 않고 태양을 바라보는 선인처럼 사다함의 모습을 좇다가도, 일순 고개를 돌리며 외면하는 그의 얼굴엔 무서우리만큼 무거운 고뇌와 번민이 가득했다. 그는 문득 숨이 막힌 듯 가슴을 움켜쥐기도 하였다. 몸이 꺼져 내릴 듯한 깊은 한숨을 삼키며 눈물을 글썽이기도 하였다. 하지만 풍월주의 새 임무를 완수하기 위해 전력을 다하던 사다함은 그러한 변화를 눈치 채지 못했다.

금진은 진흥제의 딸인 난성공주를 낳은 후에도 공공연히 색을 탐하여 설성뿐만 아니라 한 번에 다섯 사내를 몰래 거느렸다. 이에 진흥제가 차라리 설성과 혼인하는 것이 어떠한가 권고하니, 행운의 사나이인 설성은 졸지에 찬(湌)의 위를 받고 금진의 남편이 되었다. 하지만 금진도 어머니인지라, 다른 자식들과 유별나게 다른 사다함의 기개가 못내 불길하여 설성을 다그쳐 전장에 나간 사다함을 보필하게 하였다.

전쟁이 끝나고 사다함은 영웅이 되어 돌아왔지만 설성은 끝내 돌아오지 못했다. 금진은 구리지에 이어 또다시 남편을 전쟁으로 잃고 만 것이었다. 하지만 금진은 상복을 입는 일 년간조차 참아 내지 못했다. 스스로 황제 앞에서 불행히도 타락하여 색을 즐기고 쉽사리 만족하지 못하는 것은 사실이라 고백하였던 이 여인이 거친 상복 속에 자신을 가두어 둘 리 없었다.

금진은 사다함이 풍월주가 된 것을 축하하는 연회에서 아들 곁을 지켜 선 젊은 낭도를 처음 보았다. 모두의 시선을 한 몸에 받고 있는 사다함에 미치지는 못할지라도, 인물이 출중했고 몸이 좋았다. 눈빛이 형형하게 살아 있었고 부끄러운 듯 머금은 미소가 매력적이었다. 노래가 퍼지고 춤이 날리고 향기로운 술잔이 넘치는 가운데 점차로 금진의 시선은 아들이 아니라 아들 곁에 서 있는 젊은 낭도를 따라 좇았다. 한순간 금진의 뺨이 흰 가슴에 걸린 홍시 같은 상감옥 목걸이보다 더 붉어졌다.

「사다함, 네 부관의 이름은 무엇이더냐?」

금진은 어미의 위엄을 가장하여 아들에게 다가가 물었다.

「무관랑이라 하옵니다. 비록 골품이 없다 하나 그 용맹과 기개가 소자에게 미치지 못할 바 없는 낭도입니다.」

금진의 내부에서 어떤 동요가 일어났는지 알 길 없는 사다함은 짐짓 자랑하는 마음에 무관랑을 불러 소개했다.

「아름다운 낭도로구나…….」

무관랑은 자신을 바라보는 금진의 눈빛을 마주한 순간 불길한 포획의 예감에 사로잡혔다. 그 눈빛은 늪보다 더 질퍽하고 오래 고아진 엿처럼 들큼하고 끈적였다. 목소리는 마치 뜨거운 혀를 들이밀어 귓속을 핥는 것처럼 축축했다. 무관랑은 저도 모르게 진저리 치며 몸을 떨었다. 그러나 금진은 그 모습까지도 사랑스럽다는 듯 거침없는 눈빛과 미소를 거두지 않았다. 그로부터 새로운 불행이 시작되었다.

무관랑은 밤마다 금진낭주가 보낸 사자의 부름을 받았다. 너무도 노골적이고 당당했기에 거부할 요량이 더욱 없었다. 다른 핑곗거리를 대는 것도 아니었다. 사자 역시 그런 일에 익숙한 터인지, 대뜸 금진낭주가 필요로 하니 입궁하라는 말만 전했다.

무관랑은 뛰어내릴 수도 없는 벼랑 끝에 서 있었다. 자신의 힘으로는 어쩔 수 없는 무력한 상태에 처해 있었다. 엄연한 신분의 구별이 있는바, 죽으라면 죽는 시늉이라도 할 수밖에 없는 것이 미천한 자의 숙명이었다. 하지만 이것은 전쟁터에서 먼저 달려 나가 적의 화살을 맞고 고슴도치가 되어 죽는 것과는 다른 일이다. 또 다른 배반이다. 죄를 짓지 않기 위해 가장 치명적인 죄를 짓는 일이다.

하지만 무엇이 어찌 되었든 상관없었다. 금진낭주는 그를 필요로 하고, 무관랑은 그 필요를 충족시키기 위해 그녀가 기다리는 곳으로 갈 수밖에 없었다. 만개하여 붉은 입을 쩍 벌린, 그 욕망은 사납고 거칠었다. 두려운 채로, 비참한 채로, 스스로를 놓아 버리는 일밖에 아무것도 할 수 없었다. 아직 나이 어린 무관랑은 달구어진 쇠붙이를 스룰 요량이 없었다. 그런 자포자기의 자세가 도리어 욕망에 풀무질을 한 셈인지, 무관랑을 다루는 금진의 몸짓은 자못 포악하기까지 하였다. 녹이고, 무너뜨리고, 낱낱이 파헤쳐 버리지 않으면 물러서지 않을 듯하였다. 무관랑은 어느 순간 아프도록 앙다물었던 어금니를 열고 신음하기 시작했다.

'마음은 정녕 몸을 막아 세울 수 없단 말인가. 그토록 정히 벼려 온 마음일랑 아무것도 아니란 말인가. 아아, 나는 누군가를 배반하기 이전에 스스로에게 배반당했도다. 내가 나를 배반했도다!'

그의 얼굴에서 눈물인지 땀인지 침인지 모를 물기가 배어 나와 흘렀다. 금진은 녹설(鹿舌)처럼 조붓한 혀를 내밀어 그 모두를 꼼꼼히 핥아 먹었다.

소문은 담장의 높이 따위야 개의치 않는 요물이었다. 그 이치가 제가 사는 월성의 궁장이라고 하여 예외일 리 없었다. 입에서 입으로 옮겨진 그것은 마침내 낭도들 사이에까지 널리 퍼졌다. 낮은 수군거림이었지만 무관랑의 귀에 닿기엔 충분한 소리였다. 반은 농담을 가장하여 지나친 방사는 몸에 해롭다느니, 새로 난 설성이라느니 하는 말을 지껄이기도 하였다.

본디 소문의 생리는 그 소문의 내막을 가장 먼저 알아야 할 이에게 가장 늦게 가 닿는 법, 사다함은 자신을 대하는 무관랑의 태도가 어쩐지 어색함을 느끼면서도 평시와 사뭇 다르게 턱없이 둔감했다. 전투의 후유증이거나 무품의 설움 때문에 그러한가 하여 조회에 늦게 모습을 나타내는 일도 모른 척 눈감아 주었다.

결국 무관랑은 스스로 걸머진 비밀과 죄업의 무게를 이기지 못했다. 무관랑은 사다함과 함께 밤놀이를 떠난 천주사 앞뜰에서 사다함 앞에 무릎을 꿇고 그간의 사정을 자복하기에 이르렀다.

그때 사다함의 낯빛은 하얗게 질렸다가 빨갛게 달떠 올랐다가 곧

이어 파랗게 얼어붙었다. 꽁꽁 싸매 놓았던 보(褓)가 일시에 터지는 듯하였다. 가까스로 물을 막아 세운 방죽이 무너지는 듯하였다. 사다함의 가느다란 손가락 끝이 파르르 떨렸다. 그는 차마 입을 열어 무언가를 말하지 못했다. 한참 동안 아득한 정적이 흘렀다.

「신을 벌하여 주십시오. 용서하지 마십시오. 차라리 신을 죽여 주십시오!」

무관랑은 부들부들 몸을 떨며 흙바닥에 얼굴을 비볐다. 그는 자신에게 사다함이, 사다함에게 자신이 어떤 존재였는가를 새삼 확연히 깨달았다. 무릇 모든 사랑이 그러하다. 깨어지고 부서져 사라지는 순간 그 정체가 가장 선명해진다.

비님이 오시려는지, 대기를 모아 잡아 비틀어 짜면 물이 뚝뚝 떨어질 듯 습한 밤이었다. 미륵불의 도래를 염원하며 낭도들이 연주하는 피리와 거문고의 화음이 마법처럼 느리게 들려왔다. 멀리 있는 능소화 향내가 독하게 코를 찔렀다. 사다함은 가벼운 욕지기를 느끼며 어지러운 머리를 짚었다.

「떨어진 꽃은 줍지 말라 하였다. 봄에 피지 못하고 계절이 지나 홀연히 만개하는 능소화는 독이 있어 더욱 아름다우니, 행여 떨어진 꽃을 주워 들었다 놓쳐도 그 손으로 눈을 비비지는 말라 했다. 눈이 멀어 버린다고 했던가, 눈이 멀어…….」

사다함의 목소리가 떨렸다. 무관랑은 천 근처럼 무거운 고개를 들어 눈물이 그렁거리는 눈으로 그를 바라보았다. 사다함은 웃고 있었다. 한없이 천진한, 지독하게 밝은 웃음을 머금고 있었다.

「네 탓이 아니라 내 탓이다. 너와 나는 이미 죽어서도 헤어지지 않는 벗이 되기로 약속한 터, 너에게 허물이 있다면 곧 나의 것이리라. 나는 너로 인해 《유마경》에서 일컫는 법(法)의 즐거움을 마음껏 누렸다. 좋은 벗을 사귀는 즐거움, 나쁜 친구의 악행을 고쳐 주는 즐거움, 법을 흠모하여 큰 기쁨을 얻는 즐거움…… . 모든 보살이 누리기를 원하는 바로 그 즐거움을 너와 함께 맛보았으니, 내가 어찌 작은 혐의를 문제 삼을 수 있겠는가?」

사다함은 웃었다. 배를 잡고 웃었다. 춤을 추며 웃었다. 바로 이곳 천주사는 사다함의 아버지 구리지가 다섯 해 동안 치성으로 미륵보살로 오실 아들의 잉태를 발원했던 곳이었다. 그러나 정성으로 얻은 그 아들이 또한 이곳에서 친당(親黨)*을 통해 맺어진 구업을 이기지 못해 발광하고 있었다. 사다함은 멈추기를 두려워하는 듯 쉼 없이 웃었다. 하지만 무관랑은 끝내 그를 따라 웃지 못하였다.

며칠 후 금진이 다시 무관랑을 불렀다. 금진은 무관랑이 자신과의 관계를 사다함에게 토설했다는 사실을 알고 있었다. 그럼에도 금진을 대하는 사다함의 낯빛에 변화가 없으니, 그녀는 아들이 자신에게 너그러운 것이 진정한 효심이라고 손쉽게 믿어 버렸다. 지독한 이기심은 끝내 그녀를 성숙하지 못하게 했다.

무관랑은 또다시 스스로를 저버리는 비루한 육신을 보았다. 티끌만 한 애정도 가질 수 없는 너절한 몸뚱이를 벗어나고자 발버둥 치는 왜소한 영혼을 보았다. 그 육신에도 영혼에도 아무런 애착을 느끼지 못하는 무심한 자신을 보았다. 그러다 문득 보아 버렸다. 그의 알몸 위로 다가드는, 그 단순호치(丹脣皓齒)*의 나찰녀(羅刹女)*에게 겹치는 또 하나의 얼굴.

---

*친당: 부계 계승이 이루어진 신라에서는 친가와 처가, 외가에 대한 구별이 있었는데 친가, 처가, 외가를 모두 포함하여 친당이라고 부름.
*단순호치: 붉은 입술과 하얀 치아라는 뜻으로 아름다운 여자를 이르는 말.
*나찰녀: 악귀의 하나.

그가 다가왔다. 피의 고리에 엮여 순간 한 덩어리로 그를 향해 달려들었다. 선과 악이, 순결과 음란이, 고통과 쾌감이 일시에 뒤엉켰다. 무관랑은 소리 질렀다. 때리고, 울부짖고, 깨물고, 삼키고, 터져 버렸다. 그리고 마침내 한 번도 경험해 보지 못했던 끔찍한 쾌락의 극치에 다다랐다.

금진은 기진하여 잠들었다. 가늘게 코를 골며 잠든 모습이 아이처럼 무구했다. 그러하기에 더욱 달래거나 막아 세울 수 없는 욕망을 증거하는 듯했다. 무관랑은 뒷걸음치기 시작했다. 그가 처음 맛본 쾌감이 두려웠다. 그녀의 얼굴에 겹쳐 그가 허겁지겁 받아들인 누군가가 사무치게 그립고도 미웠다. 도망쳐야 했다. 어떻게든 벗어나야 했다. 달도 없는 밤이었다. 그의 마음속과 눈앞이 모두 캄캄했다. 무관랑은 발이 움직여 끄는 대로 달렸다. 넘어지고 부딪히면서도 멈추지 않았다.

월성의 궁장은 높고 길었다. 무관랑은 평소 월성의 둘레에 적이 침범하지 못하도록 파놓은 구지(溝池)가 자리하고 있음을 알고 있었다. 그곳을 뛰어 건너기가 만만치 않다는 사실도, 더욱이 이런 밤에 그곳에 몸을 던짐은 목숨을 걸 만큼 위험한 일이라는 것도 모르지 않았다.

하지만 그는 망설임 없이 궁장에 올라선 채 뛰어내렸다. 낙하하는 시간이 꽤 길게 느껴졌다. 아주 많은 생각을 한 듯, 꿈의 편린을 주워 가만히 들여다본 듯싶었다.

구지에 떨어져 신음하는 무관랑을 발견한 것은 궁문을 지키던 병사들이었다. 그들은 담장 안에서 밖으로 마치 짐 꾸러미가 던져지는 것과 같은, 땅을 딛고자 하는 의지가 없어 사람이라고 생각하기 어려운 둔탁한 소리를 들었다고 했다. 병사들에게 발견된 무관랑은 이미 뼈가 산산조각이 난 채 죽어 가고 있었다. 그리고 오래지 않아 죽었다. 누군가 그리운 이를 불러 작별을 고하기에는 너무 부족한 시간이었다.

사다함은 정신이 나가 버렸다. 자신의 뺨을 때리고 머리를 쥘며 스스로 책망하기를 여러 날, 물 한 모금 넘기지 못하게 된 사다함은 빠르게 여위어 병들었다.

「나는 이 생에서 무엇을 원했던가? 다만 짧은 평화, 오직 작은 마음의 교류……. 마장(馬場)도 금입택(金入宅)*도 노비와 군사도, 끊이지 않고 번식하는 소와 말과 돼지도 원하지 않았다. 그럼에도 욕심이었구나. 부질없는 큰 욕심으로 내 벗을 죽였구나. 놓아주지 말았어야 했음을, 큰 욕심을 포기하기 위해 때론 작은 욕심에 기꺼이 매달려야 함을 몰랐구나. 미워하고, 싫어하고, 질투하고, 빼앗으려 덤벼야 옳았음을 몰랐구나. 내 어리석음으로 미실을 잃고, 무관랑, 너를 죽였다.」

사다함은 일체의 곡기를 끊고 누운 지 일곱 날이 지나, 곧 숨이 끊어지기 직전에 이르렀다. 그제야 소식을 듣고 놀란 금진이 달려와 사다함을 품에 안고 발을 구르며 울부짖었다.

「나 때문에 너의 마음이 상해서 이 지경에 이르렀구나! 네가 이리 죽으면 내가 어찌 살겠는가?」

그러자 사다함은 무거운 눈꺼풀을 간신히 밀어 올려 여전히 아름답고 농염한 어머니를 바라보며 말했다.

「어머니, 울지 마셔요. 죽고 사는 것은 운명입니다. 소자 어찌 어머니 때문에 마음을 상하였겠습니까? 누구도 아닌 저 때문입니다.

---

*금입택 : 호화로운 신라의 개인 주택.

제가 스스로 저를 저버렸기 때문입니다. 부디 나쁜 아들을 잊고 행복하셔요. 언제나 어머니를 위해 빌겠습니다. 살아서 어머니의 큰 은혜를 갚지 못했으니, 죽어서 저세상에서 갚겠습니다.」

사다함은 금진의 품에서 숨을 거두었다. 언젠가 태어난 때는 다르지만 죽는 날은 같이하자고 손가락을 걸며 했던 약속을 지킨 셈이었다. 비록 이레 늦기는 했으나, 무관랑은 잠시 저승의 문전에서 그를 기다려 발걸음을 늦출 것이 분명했다.

갈망과 재앙

　몸속에 거대한 바다가 출렁인다. 바다가 보내는 수신호처럼 아픔은 들썩이는 커다란 파도로 혹은 찰싹이는 잔물결로 다가왔다 사라진다. 미열에 들뜬 몸은 하릴없이 부침을 거듭하며 파고를 따라 떠돈다. 날카로운 격통과 함께 천 근으로 무거워진 몸이 심해를 향해 추락한다. 스쳐 가는 검은 그림자들, 밤의 장막과 같은 치렁한 어둠이 눈앞을 가린다.

「아아악!」

　미실은 오열했다. 절규로 뻥 뚫린 입 안에 소태껍질처럼 거칠고 쓴 공포가 고였다.

「숨을 깊게 들이마셨다 내쉬옵소서. 천천히, 힘을 조절해야 하옵니다!」

　출산을 돕기 위해 불려 온 나이 먹은 여인은 시종일관 침착했다. 그것이 늘어진 배 아래 나이테처럼 층층이 잉태와 출산의 기억을 새긴 여인의 여유일는지, 미실은 산고를 거듭 겪고서야 무성(無性)의

선인처럼 의뭉해진 그녀를 경이로운 듯 바라보았다. 한없이 어리석어져야 하리라. 포복하듯 납작 엎드려 스스로를 비천하게 열어 벌려야 바다가 그를 딛고 일순에 분출할 것이다. 미실은 다시 한 번 마음을 다잡고 진통에 몰두했다.

「이제 머리가 보이오. 다 왔소, 세상에 거의 다 다다랐소. 힘내시오. 조금만 더!」

그것이 미실에게 건네는 격려인지 검붉은 머리통의 이물에게 보내는 응원인지 알 수 없다. 미실은 온몸이 빠르게 아래로 끌려 내려가는 느낌에 아찔해진다. 늪에 발목을 잡힌 말이 이러했을까. 눈으로는 청정한 하늘과 바람과 시린 햇살의 환시를 더듬으면서도 몸뚱이는 춥고 어둡고 한없이 깊은 바닥을 향해 침잠한다. 죽을 것만 같다. 죽음의 냄새와 흡사한 생명의 비릿한 취기가 몰칵 풍겨 와 욕지기를 일으킨다.

누군가 주먹을 옥쥔 채 쾅쾅 문을 두드리고 있다. 비죽이 열린 문틈을 엿보며 어서 열어 달라 채근하고 있다. 검도록 푸르고 검도록 붉은 선명한 적록의 고통이 몸 안 깊숙한 곳에서부터 들썩이며 울린다. 변의가 느껴진다. 구리고 퀴퀴한 통증이 코끝까지 밀려왔다 물러나곤 한다. 몸속에 아주 작고 단단하게 웅크린 통점을 간직한 채 거죽만 부풀어 올라 치수가 맞지 않는 가죽 옷을 들쓴 듯하다. 한순간 지나치게 크고 무거운 외피의 실밥이 부드득 뜯기는 느낌과 함께 온몸의 마디마디와 오래전 닫힌 숨구멍까지도 활짝 열리는 기분에 휩싸인다.

이젠 더 보여 줄 것이 없다. 더 노출하여 뻔뻔스레 드러낼 것이 없다. 마지막 힘을 쓰고 기진하여 맥을 놓는 순간 달음질쳐 간 바다가 수평선의 끝에서 하늘과 닿았다. 뜨뜻하고도 미지근한 해수가 새어 나와 가랑이를 적셨다. 바다를 막아 놓은 둑이 터져 숲을 덮치고 대지를 쓸었다. 문득 먼 곳으로부터 외로운 짐승이 우짖는 소리를 들은 듯했다. 아득하고도 처연했다.

「아드님입니다. 신령의 축복을 받은 귀골이 탄생하셨습니다!」

미실은 이명처럼 떨리는 여인의 목소리를 들었다. 한 마리의 이지러진 암컷으로 널브러진 채 축복을 받는다. 한편으로 허탈하고 한편으로 흡족한 기묘한 기분이었다.

가장 은밀하고 신비로운 그곳을 이토록 처절히 드러내어 훼손시키며, 미실은 비로소 어미가 되었다. 새벽 우물에서 떠온 물로 깨끗이 씻은 아이의 알몸이 땀으로 범벅이 된 미실의 가슴에 닿았다. 서늘한 이물감이 서러웠다.

「고생 많았소. 정말, 정말 수고했소!」

아이의 첫울음을 듣고 뛰어 들어온 세종이 감격에 겨운 듯 말을 더듬었다. 묘도와 옥진은 말없이 미실의 끈끈하고 축축한 손을 잡아 주었다. 그녀들도 한때 이렇게 서럽고 서늘했으리라. 미실은 피와 살의 인연으로 얽히고설킨 그녀들에게서 버드나무의 향훈을 맡는다. 저자 사람들이 말하기를 여자의 팔자는 버드나무 팔자라 했던가. 버드나무와 여자는 던져 놓아도 산다고, 어디서나 왕성한 번식의 힘과 강인한 생명의 의지로 흙에 거꾸로 꽂아 놓아도 뿌리를 내리고 잎을 틔운다던가.

미실은 한순간 모든 것을 잊었고 모든 것을 새로이 깨달았다. 사랑을 얻고 잃고 붙잡고 놓치는 일에 앙알대던 계집애는 어느덧 사라지고 없었다. 산이 거꾸로 처박히고 바다가 솟구쳐 산정이 호수를 이루는 개벽의 고통 속에서 철없던 계집애는 죽어 잊혔다. 이제부터 진정한 여인이 된 그녀 앞에 새로운 세계가 펼쳐질 터였다. 낯설지만 두렵지는 않았다.

미실은 코를 비벼 허기를 호소하는 갓난것에게 가슴을 풀어 헤쳐 젖을 물렸다. 젖꼭지를 문 새빨간 핏덩이가 오로지 살아남고자 하는 본능으로 가열히 어미를 탐했다. 난생처음 느끼는 짜릿하고 뭉클한 쾌감이 흔쾌했다. 그녀는 비로소 말라 바스락거리는 입술을 열고 소리 없이 웃었다.

*

사랑은 가고 노래만 남았다. 슬픈 가락을 즐기는 사람들이 다투어 암송하고 전하는 사다함의 노래는 바람을 따라 미실의 귀에까지 닿았다. 죽어서도 그는 사라질 수 없다고 했나, 죽어서도 신병이 되고 호신이 되어 사랑을 수호하리라고.

어리석은 사람이었다. 계산할 줄도 물러설 줄도 모르는 사내였다. 짧은 생애를 송백처럼 푸르게 살다 간 소년이었다. 세월이 흐르고 흘러도 주름 지고 굽을 수 없는 영원한 열일곱이었다. 어떤 사람들은 아깝다고 했다. 어떤 사람들은 꼭 그렇게 할 수밖에 없었나 의심하기도 했다. 그들 모두 사다함의 죽음을 안타까워하지만 그를 제대로 알고 있는 것은 아니었다.

미실은 무관랑이 죽음으로 던진 질문 앞에 죽음으로밖에 대답할 수 없었던 사다함을 누구보다 잘 이해할 수 있었다. 정녕 그다운 방식이었다. 그러하기에 더욱 솟구치는 분노와 슬픔을 참을 수가 없었다. 누추하고 초라하게라도 살아남아 주길 기대하는 것 역시 사랑이거늘, 그의 결벽은 징그럽도록 무참했다.

세종은 미실의 원망과 울분을 기꺼이 받아 낼 작심이었다. 사랑을 잃었을 때의 잔인한 고통을 몸소 체험한 바 있기에 미실이 어떤 식으로 억지와 타박을 부린대도 순순히 받아들일 생각이었다.

하지만 미실은 눈물 한 방울 흘리지 않았다. 사다함의 죽음을 부정하려는 듯, 언제라도 그에게 다시 돌아갈 것처럼 말끔하고 시치름한 낯빛을 하고 있었다. 세종은 그것이 더욱 두려웠다. 원비의 자리를 얻고 전군 부인으로 행세를 하지만 미실의 마음은 그 자리에 머물러 있지 않다는 것을, 세종은 누구보다 잘 알고 있었다. 그럼에도 세종은 껍데기일망정 그녀를 갖고 있다는 사실을 위로로 삼았다. 그녀의 사랑이 없다 해도 자신의 사랑은 있다. 흔들릴 수 없는 바윗돌처럼 분명코 한결같은 자리에 머무르고 있다. 세종은 미실을 믿는 대신 자기 자신을 믿고자 했다.

사다함이 죽자 화랑도는 풍월주를 잃은 충격과 혼란에 휩싸였다. 이에 이화랑이 세종을 찾아와 말했다.

「사다함공이 숨을 거둘 때 그를 찾아가 화랑도의 진로를 물었습니다. 부제인 설원랑은 아직 어린데 공이 만약 일어나지 못한다면 누가 풍월주를 계승할 것이냐고.」

세종은 이화랑이 사다함의 유명을 자기에게 들려주는 까닭을 알지 못해 멀뚱하였다. 이화랑은 근엄한 상선(上仙)*의 모습으로 사다함의 마지막 전언을 세종에게 고했다. 사다함은 죽어 가며 이렇게 말했다 하였다.

「신(臣)의 누이인 미실의 남편이 공백으로 남을 풍월주의 자리를 이어 주길 희망합니다. 이화랑공이 3세 풍월주 모랑공의 급사로 위를 이어받았던 선례가 있으니, 이 또한 가능하지 않겠습니까?」

---

*상선: 화랑도에서 물러난 풍월주.

하지만 세종은 금지옥엽의 귀한 왕족으로 나고 자라 무리를 이끌고 거두는 일에 익숙지 않았다. 세종이 손사래를 치며 마다하고 나섰다.

「가당치 않은 말입니다. 화랑도는 마땅히 일찍부터 화랑의 기풍을 익힌 자에게 맡기는 것이 옳습니다.」

그러나 이야기를 전해 들은 미실은 세종과 전혀 다른 반응을 보였다. 미실은 섬뜩하고도 극진한 사다함의 사랑을 기꺼이 받아들이겠노라 했다. 미실은 죽음으로도 사다함과 영원히 이별할 수 없었다. 사다함은 피안으로 사라지는 대신 정오의 그림자처럼 그녀의 발밑에 숨었다. 미실은 작열하는 햇빛 아래 꼿꼿이 서고자 했다. 쓰러지거나 휘청거리지 않을 것이었다.

「기꺼이 풍월주의 위를 받아들이십시오. 전군께서 마땅히 감당하실 만한 일입니다.」

「하, 하지만 당신이 알다시피 나는…….」

「하지 못할 만 가지 사유도 지켜야 할 한 가지 뜻을 넘어설 수 없을 것입니다. 사다함 종형은 나를 사모하다가 죽었습니다. 홀로 외로운 죽음의 길을 떠남에 마지막으로 남긴 말조차 들어주지 않는다면 어찌 장부라 할 수 있겠습니까? 그의 유명을 헛되이 하지 않는 것만이 나를 위하고 그를 추모하는 길입니다.」

미실은 세종에게 풍월주의 위를 이어받을 것을 적극 권했다. 세종은 미실의 청을 거역할 수 없었다. 세종은 지소태후에게 이 사실을 고하고 허락을 구했다. 지소태후는 얼굴을 찌푸리며 말했다.

「너는 아직 어리고 약하다. 어찌 능히 무리를 이끌 수 있겠는가?」

하지만 이미 지소태후는 세종을 움직이거나 막아 세울 힘을 모두 잃어버린 터였다. 세종은 미실의 권고대로 사다함의 유음(遺音)에 따라 풍월주에 오르고 사다함의 포제인 설원을 부제로 삼았다.

세종은 사다함이 그러했던 것처럼 어루만짐의 도를 이어 화랑도를 통솔했다. 낭도를 많이 뽑아 당(幢)*을 이루었고, 도의에 힘써 상하에 두루 미치고자 하였다. 기실 그 모든 것이 세종의 능란함에서 비롯된 것은 아니었다. 화주가 된 미실이 수시로 조언하고 의견을 내어 이끄니, 세종은 다만 미실의 마음을 흡족하게 하고자 진력을 다할 뿐이었다.

그러나 아무리 바쁘게 일을 꾸미고 힘을 쏟아도 미실의 공허함은 채워지지 않았다. 백 명, 천 명의 사람들을 속일 수는 있어도 자신의 마음을 속일 재주는 없었다. 미실은 영롱한 파랑새이기보다 연인의 넋을 그리워하여 따라다닌다는 휘파람새가 되고 싶었다. 매화와 휘파람새는 헤어질 수 없는 한 쌍이리니, 그녀는 버릇처럼 자주 이마를 만졌다. 새카맣게 돋아났던 멍은 사라졌지만 그 찬란하던 봄의 기억은 지워지지 않고 아팠다.

나무가 되고 싶었다. 세상에 없는 상사수(相思樹)처럼 무덤에서라도 자라나 못다 한 사랑을 이루고 싶었다. 무녀가 되고 싶었다. 흉노의 비술이라도 빌려 죽은 그를 살려 내고 싶었다. 흉노들에게는 땅을 파고 그 속에 숯불을 넣은 다음 죽은 사람을 위에 엎어 놓고 등을 밟아 소생시키는 비방이 있다 하니, 그 방책이 대략 신통하여 죽었던 사람이 체내에 있는 모든 울혈을 토해 내고 소생한다 하였다. 그것이 정녕 헛소문이 아니라면 맨발로 숯불 위에서 누린내가 물씬 풍기는 춤이라도 동동거리며 추고 싶었다. 하지만 그 모두가 부질없는 망집에 불과했다. 사다함의 죽음은 미실을 재난 속으로 밀어 넣었

---

* 당 : 흔히 군기(軍旗)의 뜻으로 독립된 단위 부대.

다. 사랑하는 사람과 함께 머물 수 없다는 사실은 커다란 재앙일 것이다. 그러나 그보다 더 큰 재앙은 사랑의 끝이 무엇인지 알 수 없다는 것이었다.

미실은 풍월주의 위를 계승한 세종과 함께 천주사에서 사다함의 명복을 비는 제를 올렸다. 죽음을 끝내 인정하지 못한 채로 망자의 영혼을 위로하는 의식을 거행하면서 미실은 쉽고 빠르게 지쳐 갔다.

불가에서는 나와 네가 엄연히 다름을 인식하는 일의 출발을 슬픔으로 본다 하던가. 살아서 슬프고 죽어서 슬프다. 삶과 죽음이 차안(此岸)*과 피안(彼岸)*으로 영원히 갈라짐이 너무도 아득하여 슬프다. 눈물도 나지 않을 만큼, 맥을 놓고 쓰러지지도 못할 만큼, 허허대며 웃고 짓까불 수밖에 없을 만큼 슬프다.

그 밤에 미실은 진땀을 흘리며 깊이 잠들었다. 눅눅한 잠자리가 낯설고 편편찮아 오한을 느끼며 깨어났을 때, 그녀의 눈앞에 사다함이 있었다.

「어찌 된 일인가요? 그대가 어떻게 내 곁에 머무른단 말인가요? 아직 떠나지 않았나요? 정녕 나의 부질없는 믿음처럼 그대는 죽지 않고 살아 있는 것인가요?」

사다함은 당황하여 허둥거리는 미실을 바라보며 마냥 웃고 있었다. 봄처럼, 봄의 기억처럼 화사하게 미소 지으며 그녀를 주시하고 있었다. 그 웃음이 너무 환해 속계의 것 같지 않았다. 꿈이리라, 꿈이리라 했다. 미실은 스스로에게 훈계하듯 다짐하듯 중얼거리기까지 했다. 하지만 깨어나고 싶지 않았다. 손을 뻗어 확인하려는 순간 사지를 추악하게 버둥대며 잠에서 깰까 두려워, 미실은 복중의 태아처

---

*차안 : 나고 죽고 하는 고통의 이 세상.
*피안 : 이승의 번뇌를 해탈한 열반의 세계.

럼 몸을 옹송그렸다.

사다함이 말없이 다가와 미실의 좁은 품을 파고들었다. 연기처럼 가만히 스며들어 긴장으로 굳은 몸을 헤쳐 풀어냈다. 그의 손길과 체취를 기억하는 몸이 봄잠에서 깨어난 양순한 짐승처럼 날짝지근한 기지개를 켰다. 거친 숨과 함께 입술이 열리고 자리옷 아래 국소가 절로 축축해졌다.

「너와 나는 그토록 부부가 되기를 염원하였으니, 우리의 하나된 소망이 너의 배를 빌려 태어날 것이다.」

한없이 부드럽고도 거부할 수 없이 완강한 그가 일순 미실의 몸 안으로 들이닥쳤다. 아랫배에 뜨겁고 묵직한 기운이 닿아 머물렀다. 안타까운 통증, 뿌리칠 수 없는 예감으로 미실의 몸이 활처럼 팽팽하게 휘었다. 그녀는 사내처럼 침석을 흠뻑 적시며 몽설하였다.

그로부터 얼마 지나지 않아, 미실은 몸때가 훨씬 지났는데도 몸엣것을 보지 못했음을 깨달았다. 시시때때로 입 안에 거위침이 돋고 깨어 있어도 꿈속을 헤매는 듯 나른하기만 했다.

「감축드리옵니다. 전군 부인은 회임하신 것이 분명합니다.」

진맥을 마친 내의가 머리를 조아리며 고했다.

「진정이오? 당신이 정녕 복중에 내 아이를 가졌소? 내 소원이 마침내 이루어졌구려. 고맙소, 정말 고맙소!」

세종은 기쁨으로 길길이 뛰며 미실에게 감사의 인사를 바쳤다. 미실은 자신의 배 속에서 세종의 씨앗이 자라고 있다는 사실이 오히려 꿈인 양 멍멍하기만 했다.

「천주사에서 제사를 바치고 잠들었던 밤, 꿈을 꾸었습니다. 꿈에서 그이를 만났습니다. 그이가 나에게 일러 주었지요. 우리의 소망이 곧 결실을 맺으리라고.」

미실의 고백은 잔인하고도 명징했다. 포고하듯 힘주어 꿈을 이야기하는 미실 앞에서 세종은 그만 할 말을 잃었다. 꿈의 계시는 다만 축원이고 예고일 뿐, 미실의 배 속에서 자라는 아이는 명백히 세종의 자식이었다. 설령 미실이 꿈으로 사다함의 소망을 잉태했다 하더라도, 세종은 미실의 남편이고 미실의 자식은 세종의 소생이 분명하였다. 사랑을 신봉하며 충성을 바치는 사내에게는 의심과 수치가 자리할 곳이 없었다. 그는 순정한 만큼 외곬이길 자청했다.

미실이 낳은 아이는 하종이라 이름 지었다. 신기하게도 하종의 모습을 본 사람들은 한결같이 세종이 아닌 누군가를 떠올리곤 했다. 어린 하종은 뼈가 굵고 덩치가 크기보다는 호리호리하고 나긋한 몸매에 눈웃음이 여염한 아이였다. 그래서 은밀히 떠도는 말로는 미실이 입궁하기 전에 사다함과 정을 통하여 임신한 것이 아니었느냐는 추측마저 있었다. 미실은 사실보다 소문을 믿고자 했다. 번연한 진실보다는 경박한 저자의 말질을 믿고 싶었다. 사랑하는 사람의 아이를 낳고픈 여자들의 슬픈 본능이, 미실을 그토록 소용없이 어리석게 했다.

*

밤에 젖었다 낮에 마르길 몇 날 며칠, 어느덧 보침에 덧씌운 비단이 들떠 비꾸러져 있었다. 눈물의 염기에 절어 본래의 오색찬란하던 색깔마저도 낡아 바랬다. 숙명은 자신의 마음처럼 너덜너덜해진 그것을 한참 동안 물끄러미 바라보았다.

「나는 그대 없이는 살 수가 없습니다. 단 하루도 견딜 수가 없습니다. 아무리 참아야 한다고, 더 이상 그대를 찾으면 안 된다고 마음을 비끄러매도 소용이 없습니다. 어찌하겠습니까? 어찌하면 좋습니까?」

꼬리가 길면 밟히고 마는 법, 야심한 밤을 틈타 황후전을 찾은 이화랑과 함께 있는 모습을 제에게 들키고야 말았다. 제는 이미 사자와 시녀들의 눈과 입을 통해 일의 내막을 짐작하고 있었던 듯 크게 놀라는 빛은 아니었다. 하지만 장막 너머로 그들을 한동안 쏘아보고 사라진 차갑고 건조한 눈빛과 둔중한 침묵이 더욱 두려웠다. 그것은 냉정하고도 엄숙했다. 도전하는 인간을 가차 없이 벌하는 신성의 분노가 그러하리라 싶었다.

「더 이상은 오시면 안 돼요. 황제께 발각된 바에야 무사할 도리가 없어요. 당신이 죽든 내가 죽든 무슨 일인가 벌어지고 말 거예요. 아니, 나에게는 바람막이가 있어 폭풍이 몰아치더라도 견딜 수가 있겠지요. 하지만 당신이 다치고 피 흘린다면 내가 어찌 살아갈 수 있겠어요? 제발 나를 찾아오지 마셔요. 제발…….」

격렬하게 몸을 떨며 오열하는 숙명을 이화랑이 억세게 끌어안았다. 그의 몸 역시 부들부들 떨리기는 매한가지였다. 공포와 격정이 뒤엉켜 정신마저 아뜩하였다. 무섭고 끔찍하고 괴이하면서도 거부할 방도가 없었던 사랑은 그들을 움켜쥔 손아귀를 쉽게 풀지 않았다. 처한 현실이 절벽처럼 위태롭고 위험하기에 그들은 더욱 뜨거웠다. 죄가 크고 중한 만큼 죄를 지어서라도 얻고 싶었던 사랑의 갈망은 열렬하고 횃횃했다.

미실이 색사로 전군의 심사를 어지럽혔다는 오명을 쓰고 궁에서 쫓겨난 후, 숙명공주는 지소태후의 바람대로 진흥제의 아들을 낳았다. 제가 힘써 방어하고자 하였으나 고립된 섬처럼 홀로 지탱하기 어려웠던 사도황후는 그만 황후 자리를 숙명공주에게 빼앗기고 말았다. 지소태후의 막강한 후원이 작용한 탓도 있었으나, 삼한의 통일이라는 웅대한 꿈이 싹트기 시작한 진흥제의 의중에 나라의 중신인 태종의 딸 숙명을 소홀히 할 수 없다는 계산이 뒷받침됐던 것이었다.

진흥제는 평소에 사도의 아들인 동륜을 태자로 봉하고자 마음먹고 있었으나, 황후의 자리가 바뀌는 와중에 숙명공주가 낳은 정숙이 나자마자 태자의 위를 얻었다. 숙명은 황제의 정실이며 태자의 어머니라는 거룩한 지위를 얻었음에도 불구하고 행복하지 않았다. 이미 그녀의 마음에는 다른 사람이 깊숙이 자리하고 있었기 때문이었다.

소년의 피부는 옥과 같이 매끈하고 부드러웠다. 눈매는 미소 짓는 꽃과 같이 환하였고 부러 꾸며 짓지 않은 체취가 향기로웠다. 귀가 난 복두를 쓰고 큰 소매가 달린 자색 난삼을 입으면 그대로 한 송이 만개한 훈화초(薰華草)인 양하였다. 그 고운 모습에 취하여 넋을 놓고 보노라면 몸속에서 불씨를 담은 방울이 요동치는 것만 같았다. 방울 소리가 그녀의 등을 떠밀었다. 그를 향해 한 걸음 한 걸음 다가가도록 부추겼다. 붉은 가죽의 황금 띠를 두른 미끈한 허리를 팔로 감고 쓰러지고만 싶었다. 검정 가죽 장화로 한 걸음 한 걸음 내딛는 발자국마다 팬 감미로운 함정에 고꾸라지고 싶었다. 그의 춤사위는 숨 막히게 아름다웠다. 스승이 말하는 바람과 물의 경지가 무엇인가를, 소년은 온몸으로 보여 주었다.

그를 처음 만난 곳은 가야인 우륵에게 음악을 배운 만덕이 공주들에게 춤을 수업하는 자리였다. 아버지는 각자 다르지만 한배에서 태어난 황화, 송화, 숙명공주는 어머니 지소태후의 명으로 악기와 노래와 춤을 배워 익히고 있었다. 만덕은 꽤나 깐깐한 스승이었다.

「손과 발을 음악에 실으십시오. 육신의 무게에 집착하면 안 됩니다. 그렇다고 가볍게 들까불어서도 음악의 정령과 접신할 수 없습니다. 자신을 잊은 채 자신에게만 몰두하십시오. 바람처럼 흐르도록, 물처럼 스미도록!」

수업 중에도 만덕은 공주에 대한 예를 갖추어 정중했지만 실수와 태만을 지적하는 데는 가차 없었다. 영실의 딸인 황화공주와 입종갈문왕의 딸로서 황제의 친누이인 송화공주는 엄격한 수업에 불만을 품고 불평을 속삭이기도 하였다.

「우리가 무희라도 될 것인가? 즐겨 소일하면 그만이지, 무엇에 쓰겠다고 이토록 혹독하게 기예를 익혀야 한단 말인가?」

공주들의 불만과 불평을 만덕도 모르는 바 아니었다. 그는 다만 망국의 악사인 우륵에게 배운 대로 음률과 가무의 절대적인 힘과 가치를 믿을 뿐이었다.

음악에 조예가 깊은 진흥제의 배려와 명으로 만덕에게 춤을, 계고에게 가야금을, 법지에게 노래를 가르친 우륵은 일신의 광영을 위해 모국을 배신한 비겁자였다. 정벌당해 사라진 나라에서 누가 노래를 부르고 춤을 추겠는가. 하지만 늙은 악사는 악기를 끌고 귀순해 적국에나마 음악을 남겼다. 음악이 우륵의 진정한 모국이었기 때문이었다. 잠시 잠깐 세상에 났다 사라지는 모든 이슬 같은 것들 속에서 유일하게 믿었던 불멸이기 때문이었다. 만덕은 비록 비굴한 투항자의 몰골로나마 음악을 지키고자 하는 우륵을 스승으로 마음속 깊이 존경하고 있었다. 사라질 수 없는 것들은, 분명히 있다.

진흥제는 단순한 정복 군주가 아니었다. 경계를 없애고 영토를 넓히는 현세의 목표에 몰두하여 영원을 잊는 어리석은 권력자가 아니었다. 제가 금(琴)의 정조에 심취해 음악을 즐길 때, 흩진 충성심을 자랑으로 삼는 간관(諫官)들은 황제가 몰두한 바로 그것이 가야를 망친 원인이라고 비판했다. 하지만 제는 그들에게 쉽게 꺼들리지 않았다.

「음악에 무슨 죄가 있으랴? 대체로 성인이 음악을 제정함에 있어 사람들의 정서에 따라 그를 조절하도록 한 것인바, 나라가 태평하고 어지러운 것은 음률이나 곡조와 관계가 없다. 사람은 기뻐서도 울고 슬퍼서도 운다. 마찬가지로 기뻐서 춤추고 노래할 수 있다면 슬퍼서도 춤추며 노래 부를 수 있다. 하늘로부터 부여받은 성정을 어찌 심판하여 억제하랴?」

발흥을 기억하고 성장을 지켜봐 주는 후견인이야말로, 현세의 필요대로 배를 채우고 적을 벨 수는 없을지언정 사라질 수 없는 것들을 유지하는 도저한 힘이었다. 우륵과 그의 제자들은 진흥제의 신뢰와 지지로 말미암아 더욱 음악에 몰두할 수 있었다. 만덕의 자존심은 바로 그러한 현실과 영원의 싸움 속에서 벼려 온 것이었다.

하지만 숙명공주는 음률과 가무의 광대무변한 경지에 감동하는 것과 상관없이, 그저 만덕의 수업이 즐거웠다. 춤을 배우러 가면 만날 수 있는 사람, 손짓과 발짓으로 사람의 몸이 얼마나 아름다운가를 깨쳐 주는 그 사람 때문이었다.

위화랑의 아들로 3세 풍월주 모랑공의 부제가 되어 열두 살의 나이로 처음 궁에 들어왔을 때부터, 숙명은 그를 지켜보았다. 춤을 추며, 노래를 부르며, 서책을 읽고 시를 지으며, 이화랑은 공주들의 친구로 함께 자랐다. 어깨가 넓어지고 악골이 강건해지고 턱에 수염이 돋는 것도 고스란히 지켜보았다. 미소년의 성장은 감미로웠다. 지켜보며 탐미하는 사랑은 감당해야 할 비밀 때문에 그만큼 고통스럽기도 했다. 그에 대한 특별한 배려는 다름 아닌 어머니 지소태후의 총애 때문이었다. 신라를 통틀어 최고의 미남자였던 이화랑은 사랑을 권력의 징표로 삼는 지소태후의 어린 애인이었다.

딸은 어머니의 연인을 사랑했다. 어머니의 명으로 이부형제와 부부의 연을 맺은 채로, 사랑할 수 없는 것을 사랑했다. 지소태후는 이화랑의 아이인 만호를 낳기까지 했다. 어머니가 아이를 낳기 위해 상처 입은 짐승처럼 오래 앓을 때, 숙명은 살아 있는 채로 지옥을 보았다. 하지만 지옥을 견뎌서라도 살아 있어 다행이다. 밑바닥이 없는 지옥의 절벽 아래로 한없이 추락하며 허우적대던 그녀에게 이화랑이 구원의 손길을 내밀었다. 그녀는 허겁지겁 그것을 맞잡았다. 사랑은 삶의 본능이었다.

「어찌하랴? 내가 살자고 그를 죽일 수는 없다. 나에게 미련으로 아까운 것이 무언가? 골품인가? 황후의 지위인가? 차라리 내가 스스로 목숨을 끊어 없어진다면, 이 지옥까지도 사라지리라. 나 하나만 죽어 버리면…….」

황후전에서 근신하던 숙명은 황제가 황후를 폐하기 위한 절차를 준비한다는 소식을 들었다. 흉보임이 분명했지만 놀라운 일은 아니었다. 오히려 그보다 더 나쁜 이야기가 남아 있었다. 뒤늦게 사실을 알게 된 지소태후가 제를 찾아가 울며 간하여 황후 폐위를 막고야 말았다는 것이었다.

지소태후의 눈물은 모정 때문일까, 사랑 때문일까. 그도 아니면 어미의 본능과 연정마저 넘어서는 권력과 지위에 대한 의지의 작용인가. 숙명은 이 모든 혼돈과 고욕(苦辱)을 자살로써 마감하고자 결심했다. 숙명의 예상대로 그녀가 바람막이 뒤에 숨어 몸을 피하는 순간 이화랑이 맨몸으로 역풍을 맞받을 수밖에 없을 터였다.

가진 옷들 중에서 가장 좋아하는 자색 치마를 끊어 끈으로 엮었다. 언젠가 이화랑이 붉은 주름 사이로 파고들며 토해 낸 뜨겁고 무거운 숨결의 기억이 남아 있는 옷이었다. 한 개씩 매듭이 지어질 때마다 숙명의 굵은 눈물이 검붉은 자국으로 남았다. 잠시간이면 끝날 일이다. 몸의 고통을 참으면 마음의 고통이 지워지리라. 마침내 거연히 저승에서 보낸 쪽배를 타고 허위허위 망각의 강을 따라 흘러가리라. 참 아름답고 흔연하리라.

숙명이 충동의 사슬 속으로 막 머리를 들이밀려는 찰나, 불현듯 그녀의 혼미한 눈앞이 환해지며 냉량한 기운이 뼛속을 파고들었다.

「멈추시오! 어서 그 부질없는 짓을 그만두시오!」

가득 고인 눈물 속에서 흔들리는 것은 다름 아닌 후광이 찬란한 금불이었다. 손을 모아 비비고 머리를 조아리며 비밀과 소원을 한없이 고백했던 영흥사의 바로 그 부처였다.

「놀라지 마시오. 나는 중생을 질병과 재난에서 구하는 약사불로서 공주의 배를 빌려 차안에 머물고자 하오.」

시무외(施無畏), 시무외인(施無畏印)*! 숙명은 뜻밖의 성령 앞에 두려움을 잊고 합장하며 배례하였다. 부처는 곧 공주를 안고 엎드려 마치 하나가 된 듯 고요히 스몄다.

때마침 이화랑은 숙명을 사모하는 마음을 억제하지 못하여 또다시 궁중으로 침범하였다. 사지가 찢기고 불 속에 던져져도 어쩔 수 없으리라. 어쩔 수 없음으로 그는 허깨비처럼 넋을 잃은 채 담을 넘어 황후전을 기웃거렸다. 너울대는 장막 너머 그리운 이의 아리따운 자용(姿容)이 어리비쳤다. 가슴이 뛰고 손이 저렸다.

숙명은 침상에 똑바로 누운 채 마치 알을 품은 어미 새처럼 자신의 배를 소중히 쓸고 있었다. 눈물로 번들거리는 얼굴에는 환희가 깃들어 태양을 마주한 양 찬연하였다. 이화랑은 화들짝 놀라 바닥에

*시무외인 : 부처가 중생의 두려움을 없애 주고 구원하기 위해 팔을 들고 손바닥을 펴 밖으로 향하고 있는 형상.

어지러이 흩어진 자색 노끈과 숙명을 번갈아 바라보았다.

「무슨 일입니까? 그대에게 무슨 일이 일어났던 것입니까?」

숙명은 놀라지도 않고 슬픈 듯 기쁜 듯 기묘한 표정으로 이화랑을 쳐다보았다. 사랑으로 모든 공포를 잊은 미욱하고도 오달진 여인의 얼굴은 어느 때보다도 요염하고 애절했다.

「약사여래님을 만났어요. 그가 내 배를 빌려 세상을 구하겠노라 하였어요. 그리고 지금 그대가 꿈처럼 나에게 왔지요. 이 모두가 부처님의 원력일 것입니다.」

이화랑의 입술이 향기로운 말을 지껄이는 숙명의 입술을 덮쳤다. 숙명은 어느 때보다도 대담하게 몸이 연주하는 음악에 혼마저 내맡겼다. 이화랑과 숙명은 마음껏 서로 탐하며 열락을 나누었다. 무엇으로도 무장하지 않은 알몸뚱이일망정 연인은 두렵지 않았다. 하늘과 땅과 물과 바람이, 천신과 지신과 용신과 풍신이, 그리고 대자대비한 부처가 본래 생겨난 바대로 정직할 뿐인 그들을 보호하고 있었다.

그 밤에 임신을 한 숙명황후는 이화랑과 도망쳐 궁문을 빠져나갔다. 궐 안팎이 발칵 뒤집혔다. 불똥은 제일 먼저 정숙태자에게 튀었다. 군신들은 목청을 높여 정숙태자가 제의 아들이 아니라 이화랑의 씨앗임이 분명하다며 폐할 것을 강력히 주창하였다. 진노한 제는 정숙태자를 폐하고 사도의 아들인 동륜을 새로운 태자로 봉했다.

도망친 남녀는 곧 발각되어 끌려왔다. 세상이 밝으니 숨을 곳이 없었고 사람의 눈이 무서우니 두남받을 데가 없었다. 그럼에도 이화랑과 숙명은 서로 얼싸안은 채 세상의 비난과 성토에도 아랑곳없이 오로지 마주 보며 의연했다. 뻔뻔스러울 만큼 당당한 그 행태가 도리어 격분하여 시근거리던 제의 마음을 가라앉혔다.

누구보다 그들이 더 잘 알았을 것이다. 용서받지 못할 죄를, 세간의 빈축을, 죄의 대가로 돌아올 가혹한 형벌을. 그럼에도 기꺼이 모두를 감당하고자 위와 어미 됨과 목숨마저 걸었던 거다. 마침내 사랑으로 미쳐 버린 거다.

「숙명은 황후의 신성한 위를 더럽혔으니 더 이상 지위를 보존할 수 없다. 짐은 숙명을 폐하고 사도를 다시 황후의 위에 복원시킴을 선포하노라! 그리고 죄인 이화랑은…….」

제의 지엄한 일갈이 이화랑에게 내려질 벌에 이르려는 순간, 지켜 섰던 사도가 제의 발밑에 몸을 던지며 읍소하였다.

「숙명을 꾄 이화랑은 능지하여 육방에 뿌림이 마땅하겠으나, 그는 엄연히 만호공주의 아비이며 태후를 지극히 모신 색신(色臣)이옵니다. 부디 성은으로 그의 죄를 용서하여 주시옵소서! 또한 숙명의 몸에 성스러운 약사불이 도래했으니 그의 목숨을 살려 보존하는 것이 곧 제의 공덕이 아니오리까?」

길지 않은 시간 동안 황후에서 후궁으로, 그리고 다시 황후로, 천상에서부터 나락에 이르기까지 샅샅이 몸소 겪은 사도는 어느덧 삼나무 숲처럼 웅숭깊어져 있었다. 제가 황후의 간언을 받아들여 이화랑을 용서하고 마침내 부부의 연을 허락하니, 일곱 날을 마흔 번 거듭하여 숙명이 세상에 낸 자식이 바로 신라의 대성여래인 원광이었다.

*

세종으로부터 원비와 차비를 바꿔 치우는 난리를 겪고, 숙명에게서 총애하던 연인을 빼앗기는 망신을 당한 지소태후는 단번에 나이를 백 년은 더 먹어 버린 듯한 모습이었다. 자글자글 욕망이 들끓던 얼굴은 살이 내려 주름이 접히고, 꼿꼿하던 목과 허리는 얼마쯤 휘어 구부러졌다. 하지만 이 복마전(伏魔殿)에서 불가역의 변화를 겪은 것은 지소태후만이 아니었다.

미실이 하종에게 젖을 물리고 있을 때, 사도황후가 미실의 침전을 찾았다.

「하종의 볼에 살이 뽀얗게 오른 것을 보니 수유는 순조로운 모양이구나. 네 몸은 어떠하냐? 산후별증은 따로 없겠지?」

회임 중에 오른 몸이 빠지지 않아 살거리가 투실한 미실은 만월처럼 거늑해 보였다. 그 모습이 답답하고 미욱해 보이기는커녕 풍미하여 더욱 요염하였다. 사랑이 담긴 눈길로 하종을 바라보던 미실의 미간이 건듯 찌푸려졌다. 양껏 배를 채우고 포만감에 겨운 하종이 입 안으로 젖꼭지를 굴리다 장난질로 깨문 모양이다. 미실은 하종의 볼을 살짝 때려 젖꼭지를 빼내었다. 가무스름한 젖꽃판과 도발하듯 빳빳한 젖꼭지가 무람없이 아름다웠다. 미실은 하종을 유모에게 건네주고 다과상 앞에 사도와 마주 앉았다.

「젊은 몸이니 뒤탈이 있을 리 있겠습니까? 질병을 앓은 것도 아니고 세상에 여인으로 난 이들이 다 같이 겪는 생산인걸요.」

아이를 낳았다고는 하나 아직 나이 어린 미실이었다. 하지만 사도는 연소한 조카일망정 미실을 믿고 의지했다. 일찍 어미에게서 떨어져 법도와 규율이 엄격한 궁중에서 자란 사도에게 미실은 동경하던 자유와 활기의 상징과도 같았다. 남의 눈치를 살피고 이익에 따라 시시비비를 가리기보다는 철저히 자기를 중심으로 판단하고 행동하는 거침없는 생명력! 황제를 모시며 황후의 위에 기대어 외줄을 타듯 위태로이 살아온 사도와 핏줄은 같되 근본은 다른 아이였다. 사도는 미실이야말로 비밀스러운 모의를 함께 도모할 수 있는 유일한 벗이리라 생각하였다.

「미실! 정녕코 네 꿈은 무엇이냐? 전군 부인으로 안락하고 평탄하
게 사는 것만이 네가 바라는 바의 전부냐?」

미실은 사도의 말뜻을 금방 헤아리기 어려운 듯 살이 올라 약간은
둔해 보이는 고개를 갸웃거렸다. 그러나 사도와 마주할 때 불꽃이
튀는 듯 형형한 눈빛만은 여전하였다.

「황후께서 무슨 말씀을 하시는지 잘 모르겠습니다. 지아비의 아이
를 낳아 기르는 적실에게 무슨 다른 꿈이 있어야 옳단 말인가요?」

미실은 의뭉스레 고개를 모로 꼬며 쓸쓸한 낯빛을 지어 보였다.
하지만 전날 사도황후의 폐위 음모에 트집 잡혀 지소태후에게 내쳐
졌던 일이야말로 미실과 사도를 강력히 하나로 엮은 사건임이 분명
했다. 미실은 그 일로 말미암아 사다함을 만났고, 헤어졌고, 참람한
실연의 쓴잔을 들이켰다. 자신의 의지만으로는 몸도 마음도 지킬 수
없는 무자비한 숙명을 다시금 깨달았다. 사도는 출산으로 마음마저
풀어헤친 듯 나른해 보이는 미실에게도 그때의 분노와 치욕이 사라
지지 않았음을 알고 있었다.

「너의 월총은 어미에게 두고두고 들었다. 한 번 펼쳐 본 서책의 시
구마저 척척 외는 네가 꿈에서라도 치욕을 잊을 리 없겠지. 궁중은
그런 곳이다. 세상을 다스리는 힘이 나오는 곳이기에 힘으로 살기
도 하고 죽기도 하는 곳이다. 황후의 자리란 무릇 그러하다. 힘을
가진 채 외롭거나, 힘을 갖지 못한 채 더욱 외롭거나.」

미실의 눈이 반짝 빛났다. 사도황후와 미실은 서로 지그시 응시하
였다. 그들은 같은 것을 생각하고 있었다.

「어찌하려 하십니까? 소녀에게 무엇을 바라십니까?」

미실은 어미인 묘도와 점잖은 형상이 꼭 닮았으나 피로와 긴장으
로 강파른 이모를 안쓰럽게 바라보며 말하였다.

「그 이야기를 하기에 앞서 우선은 나와 더불어 전생과 금생과 후생의 삼생을 벗으로서 더불어 함께하길 약속하라. 그리할 수 있겠느냐?」

사도는 평소와 달리 냉정하고도 엄숙했다. 지소태후의 전권에 휘둘리며 가랑잎처럼 바람 부는 대로 쓸려 나부끼던 어리고 어리석은 소녀의 모습은 찾아볼 수 없었다. 미실은 결연한 사도의 모습을 바라보며 가늠할 수는 없지만 자신의 운명이 결정적인 한때를 맞이했음을 느꼈다. 그조차 자신의 몫이라면 피할 수 없으리라. 피하려 물러설 수는 없으리라.

「맹세합니다. 지금 당장 얼룩소의 생피를 뿌리는 의식을 치를 수는 없겠지만, 여인들의 결의라 하여 어찌 사내보다 굳세지 못하다 하겠습니까? 외람되오나 이미 황후는 저에게 피의 인연으로 얽힌 어미나 다름없습니다. 우리가 서로 의지하고 믿지 못한다면 외조모의 슬픔과 실망낙담을 어찌 감당하겠습니까?」

미실의 말에 사도는 안심한 듯 낮고 긴 한숨을 내쉬었다.

「내 너를 믿지 못한 바 아니었으나, 나는 믿음보다 의심에 의지하며 지금껏 살아왔다. 용기보다는 비겁이, 정직보다는 거짓이 오히려 나에게 미더웠다. 이제 이십여 해를 견디고서야 궁 안에서 마음을 나누고 뜻을 함께할 벗을 찾으니, 비로소 진정으로 강락(康樂)해졌다고 한다면 누가 믿겠느냐? 믿기야 하겠느냐?」

사도는 소맷부리에서 비단 수건을 꺼내 눈시울을 찍어 눌렀다. 사도는 오랫동안 삭여 품어 온 원한으로 놀랄 만큼 냉혹해져 있었다. 곧이어 사도의 입에서는 미실도 깜짝 놀랄 만한 음모가 새어 나왔다.

「태후는 꺾이지 않았다. 죽는 날까지도 꺾일 여인이 아니다. 이미 예상은 하고 있었지만, 지소태후는 나의 아들 동륜태자를 만호공주와 짝 짓게 하여 진골정통을 잇고자 계획하고 있다. 하지만 그렇게 할 수는 없다. 안 된다. 더 이상은 태후 마음대로 좌지우지하게 두지 않을 것이다.」

남편으로도 모자라 아들까지 빼앗길 처지에 놓인 사도황후의 눈에서는 불길 같은 노여움이 이글거리고 있었다. 그녀는 어느새 세상에서 가장 미워하는 누군가를 닮아 버린 터였다.

「그래서는 안 되겠지요. 이대로 진골정통의 전횡을 두고만 보아서는 대원신통의 앞날 또한 바람에 쏠리는 촛불의 꼴이 될 것이 명약관화합니다.」

미실이 사도와 마찬가지로 위기감을 느끼며 동의의 뜻을 표했다. 사도는 미실이 흔쾌히 찬동을 하자 더욱 대담하게 자신의 계략을 드러냈다.

「그러하기에 나는 대원신통으로 제통을 잇고자 하는 것이다. 미실, 나에게는 네가 필요하다! 나를 도와 다오!」

사도황후는 미실의 손을 덥석 마주 잡았다. 신국의 황후로 만인의 추앙을 받는 여인의 손은 싸늘히 메말라 있었다.

「소녀가, 소녀가 어찌 황후를 돕는단 말입니까?」

미실의 목소리가 떨렸다. 사도는 들숨과 날숨의 가파른 변화가 느껴질 만큼 미실에게 바싹 다가와, 낮고 빠르게 속살거렸다.

「나의 아이 동륜은 좋은 아이다. 네가 태자와 더불어 서로 정을 나누어 아들을 갖게 된다면, 나는 힘을 다하여 너를 후(后)로 삼으리라. 대원신통으로 제통을 잇는 쾌거를 이루게 되리라.」

사도의 숨결은 차가운 손과 달리 뜨겁고 거칠었다. 시어미의 호령 앞에 눈물이나 찔끔거리고 지위를 빼앗겼다 돌려받았다, 무엇 하나 자기 뜻대로 살아 볼 수 없었던 여인이 마침내 음험한 모의로 본래의 제 것들을 되찾으려 하고 있었다. 그 몸부림은 처량하고도 모질었다.

「어찌할 것이냐? 네가 충심을 다하여 내 뜻이 펼쳐지도록 돕겠느냐?」

사도의 채근이 거세었다. 미실은 잠시 가슴을 관통하는 아찔한 통증을 느꼈다. 정녕 돌아서 갈 곳이 없다면, 허방 아래로 뛰어내려야 마땅하리라. 돌아설 곳이, 돌아갈 곳이 없다면.

미실은 정신없이 고개를 주억거렸다. 언젠가 이미 그녀는 이 위태로운 다짐을 맞닥뜨린 적이 있었나 보다. 황후의 위에 대한 욕심이 아니더라도, 삼생의 맹서를 한 사도와의 인연이 아니더라도, 그녀는 반드시 그리하고야 말았으리라는 기묘한 기시감이 느껴졌다. 미실의 몸이 어느덧 위험한 기대로 근덕근덕 달떠 오르고 있었다.

*

무릇 동정남을 유혹하여 이끌기는 어렵지 않은 일이었다. 이미 장성하여 욕망으로 충천한 사내는 눈에 보이고 살에 닿는 모든 것에 신경초만큼이나 예민하게 반응하기 마련이었다. 하지만 그를 다루는 일은 얼마간의 조심성과 주밀함이 필요했다. 미리 계획됨을 눈치채지 못하도록, 자연스럽게 스스로 다가오도록 이끌어야 할 터였다.

사도황후는 의도적으로 자주 동륜태자와 함께 미실의 궁을 찾았다. 그때마다 미실은 속살이 훤히 들여다뵈는 얇은 옷차림을 한 채로 그들 모자를 맞았다.

「어쩐지 요즘은 무시로 열이 돋습니다. 여자가 아이를 낳으면 몸바탕이 바뀌는 경우가 있다더니, 소녀가 바로 그러한 모양입니다.」

미실은 덧옷을 걸쳐 입을 요량도 없이 활활 부채질을 하며 더욱 담대하게 노출한 몸을 드러냈다. 사도의 등 뒤에 지켜 선 동륜의 얼굴이 시뻘겋게 달아올랐다. 그는 부끄러이 시선을 피하면서도 어쩔 수 없는 본능으로 흘금흘금 농염한 미실의 모습을 훔쳐보았다.

「젖어미를 구했다고 하니 곧 젖을 떼겠구나. 젖몸살 때문에 괴롭지 아니한가?」

사도는 짐짓 심상하게 미실의 저고리를 들추며 말했다.

「조금씩 젖을 줄이고 기저귀로 싸매기도 하는데, 하종이 하도 보채어 젖이 질 틈이 없습니다. 오늘은 유모더러 배를 불려 재우라고 했는데, 내의의 처방으로 지어 온 인삼을 섭취하노라니 몸의 열이 더 심해지는 것 같습니다.」

「저런! 내가 동륜태자를 낳았을 때에는 유량이 적어 금진의 도움을 받았는데, 너는 외려 너무 풍부하여 걱정이구나. 찬 것은 기능을 억제시키고 더운 것은 기운을 촉진시키니, 젖몸살에는 무엇보다 찬물 찜질이 그만이다. 시녀에게 찬물과 수건을 준비케 하라!」

「황후께서 몸소 미천한 소녀를 성심으로 돌보아 주시니 어찌 망극하다 아니하오리까?」

사도와 미실의 수작이 얄망궂게 이어졌다. 동륜은 아예 귓불까지 달아올라 어쩔 줄을 모르고 몸을 꼬았다. 그 모습을 지켜보는 미실의 입아귀가 야릇한 쾌감으로 비틀어졌다. 이미 자신이 가진 욕정을 주체하지 못하는 사내를 꾀어내는 일은 길들여진 말을 달리게 하는 일보다 더 쉬웠다. 가볍게 박차를 가하는 것만으로 말은 거침없이 질주해 갈 것이었다. 본래의 수성(獸性)대로 옆도 뒤도 돌아보지 못하고 제 무게와 속력에 겨워 앞만 보고 달음질칠 것이었다.

생목으로 친친 감았던 미실의 쌍봉이 툭 튀어나왔다. 동륜은 그만

오줌이라도 지릴 듯 찔끔하였다. 하지만 사도황후는 아예 아들의 존재는 무시하는 양 슬렁슬렁 능놀아 가며 미실의 젖가슴을 어루만졌다. 그녀의 손은 속내를 감춘 눈빛만큼이나 창백하고도 차가웠다.

동궁에 돌아온 동륜이 화풍(花風)에 들떠 앓아누운 것은 당연지사였다. 궁 안에서 가장 아름다운 여인, 아니, 신라 제일의 미색인 미실의 속살을 엿본 사내가 상사병에 걸리지 않는다는 것이 도리어 이상한 일이었다. 몽유 중에도 음염한 그녀의 모습이 깃들어 있었다. 오직 그녀를 꿈꾸며 수음을 하고 지쳐 쓰러졌다. 하지만 사련(邪戀)*에 대한 두려움으로 어린 태자는 몸서리쳤다. 제를 시측하는 근엄한 세종전군이 미실의 풍염한 모습에 얼비칠 때마다 동륜은 저자의 파계주라도 된 양 조마조마 켕기기까지 했다.

대저 애욕과 정사의 즐거움에는 법도를 이탈하려는 충동과 기대가 함께 들어 있기 마련이었다. 성공의 가능성이 적고 위험이 클수록 호기심과 사욕도 커졌다. 미실은 그 기묘한 욕망과 의지의 줄다리기를 즐겼다. 그녀의 몸과 마음이 완벽히 준비되기 전까지는 아무것도 이루어질 수 없었다. 그녀를 열기 위해 상대는 한없이 간절해지고 간곡해져야 한다. 거짓으로 비롯되었던 것마저 진실이 될 때까지. 미실은 그러한 기묘한 변화가 일어나는 찰나를 정확히 간파하는 능력을 가지고 있었다.

사도황후의 심부름으로 미실전에 보제(補劑)를 받잡아 들고 찾아갔던 동륜은, 마침내 복받치는 색정을 이기지 못하고 미실과 얼크러지고 말았다. 단단하게 솟구쳐 오른 미실의 젖가슴에 얼굴을 묻고 비비며 동륜은 선잠에서 깨어난 어린아이처럼 칭얼거렸다.

---

*사련 : 도덕이나 도리에 어긋나는 연애.

「나를 야단쳐도 좋소. 패륜아라 꾸짖어도 할 수 없소. 잠깐만 이대로, 잠깐만이라도 나를 허락해 주오. 그대를 그리워하다 쑥대밭이 되어 버린 내 마음을 받아 주오.」

가슴팍으로 동륜의 뜨겁고 거친 숨결을 느끼며 미실은 소리 죽여 웃었다. 그를 비웃고자 하는 것은 아니었다. 사내들을 하나같이 무력하게 굴복시키는 자신의 육신에 대한 새퉁스러운 깨달음이 그녀를 악마적인 쾌감에 젖게 했다. 자기가 가진 무기의 위력을 제대로 알고 있는 사람처럼 그 무기를 잘 다룰 수 있는 이는 없었다.

미실은 욕정으로 눈이 뒤집히기는 했으나 한편으로 떨치지 못한 죄책감에 괴로워하는 동륜의 귓전에 주남의 시를 나직이 읊조려 주었다.

기린의 발이여!.
미덥고 훌륭한 공자님이여!
오오, 기린이여!

여체를 경험해 본 적 없는 태자는 제 욕망에 겨워 허둥댈 뿐 제대로 옥문의 입구조차 찾지 못했다. 미실은 친절한 스승처럼 그가 알지 못하는 것을 세심히 일깨우고 스스로 몸과 마음을 조절하도록 이끌었다. 처음이었으나 부드럽고 조용한 정사였다. 통(統)을 이어 황제에 오를 존재를 성심으로 받드는 일인 동시에 한 소년을 사내로 만드는 거룩한 의식이었다.

상상의 동물 기린의 발은 크고 투박하지만 길섶에 돋은 풀과 미미한 벌레 한 마리도 밟지 않는다 하였다. 미실은 가만가만 부드러운 애무로 동륜의 왕자다운 어짊을 북돋았다.

기린의 이마여!
미덥고 훌륭한 자손이여!
오오, 기린이여!

몸의 중심으로부터 삶을 주장하는 열기가 뿜어져 나와 동륜과 미실의 몸이 점차 뜨겁고 축축하게 젖어들었다. 희고 평평한 기린의 이마는 상대를 치받아 해할 수도 있지만 어떠한 공격에도 순하고 착하게 응대한다. 여리고 부드레한 여인의 몸을 수풀처럼 헤쳐 가며 동륜은 환희의 신음을 토해 냈다. 온몸으로 젖내를 풍기는 미실의 은밀한 그곳은 아련하게 잊었던 유년의 뜰 같았다. 동륜은 장난스럽게, 흐뭇하게, 자유롭게 마음껏 그곳을 탐하며 거닐었다.

기린의 뿔이여!
미덥고 훌륭한 집안이여!
오오, 기린이여!

동륜은 자신을 강건히 세우는 뼈대이면서 뿌리인 뿔을 힘차게 휘둘렀다. 잡아먹고 잡아먹히는 자연의 전장에서 무기로 쓰이는 다른 동물의 그것과 달리, 상대를 위협하지 않고 왕자의 체통과 풍모를 자랑하는 기린의 뿔! 동륜은 힘차게 성근을 곧추세워 돌진했다. 가도 가도 끝이 보이지 않는 크고 넓은 경지에 다다라, 그는 한없이 환하고 다사로운 빛을 보았다. 빛을 향해 온몸을 늘여 발돋움했다. 손끝에 잡힐 듯 말 듯 안타까웠던 빛이 눈부시게 작열하는 순간, 동륜은 몸을 떨며 파정하였다.
미실은 헐떡이며 넘내리는 동륜의 가슴을 자기 가슴에 꼭 붙여 안아 주며 그의 처음을 위로하였다. 동시에 다리를 모아 오므리며 곡도를 죄어, 포궁에 뿌려진 태자의 씨앗이 새어 나가지 않도록 단단히 단속하였다. 그 모습이 마치 지렁이가 비단을 감은 듯하고 검은 매미가 나무에 달라붙은 듯하였으니, 곡절을 알 리 없는 동륜태자는 오직 신비로운 단꿈에 취해 새근덕댈 뿐이었다.

붉은 연못

여러 날 내리던 한비가 긋자마자 찌는 듯한 무더위가 찾아왔다. 논김 밭김 매기에 고단한 농부들이 문득 하늘의 해가 두 개 뜨지 않았나 고개를 쳐들어 헤아릴 만큼, 땅을 끓이고 하늘을 익히는 폭염이었다. 왕경의 여름 더위는 대단하기 그지없어, 서증으로 쓰러지는 자가 속출하였고 노인과 병자들은 이내 급사하는 일마저 하고많았다.

혹서를 견디기에 지친 백성들은 왕경을 감싸고 흐르는 서천이나 북천을 피서지로 삼았다. 왕성을 감아 돌아 월정교 밑을 흐르는 남천도 꽤나 인기 있는 목욕소였다. 남자고 여자고 아이고 노인이고 가릴 바 없이 열기가 식지 않아 뜨끈뜨끈한 모래를 맨발로 밟으며 활활 옷을 벗어 던지고 강물에 몸을 담갔다. 이따금 구름 속으로 숨었다 돋아났다 감질나게 내리비치는 달빛 아래에서 그들은 은백색 갈치처럼 멱을 감고 헤엄을 쳤다.

타고난 신분과 지위는 천차만별 차등 진다 하나 땅을 딛고 하늘을 인 모두에게 더위는 한결같이 공평하였다. 궁중의 부엌에서는 궐 안의 석빙고에 묻어 둔 얼음을 꺼내 화채를 만들어 내기에 바빴고, 한밤까지 식지 않는 열기에 부채질을 멈출 수 없어 궁녀들의 팔뚝이 점차 굵어졌다. 그도 저도 마땅찮으면 번거롭고 성가시나마 계곡으로 행차하여 느리게 흐르는 여름 하루를 잊는 수밖에 없었다.

미실은 유독 이번 여름이 견디기 힘들었다. 하종을 낳고 난 다음 체질이 변한 탓인지, 사도황후와의 은밀한 공모로 동륜태자의 씨앗을 배고 만 탓인지 알 수 없지만, 아침저녁 목물을 하고 냉차를 대어 마셔도 소용없었다. 임신 초기의 오조증 때문에 제대로 식사를 하지 못하여 체력이 떨어진 것도 원인인 듯하였다. 그렇다고 입덧을 다스리는 약을 지어 먹을 수도 없고 구역질을 내색할 수도 없어 미실은 그저 더위 먹은 닭처럼 비실비실 앓듯 졸곤 했다.

「아무래도 당신이 해산의 후유증을 앓는 모양이오. 건강하던 당신이 부쩍 더위를 이겨 내지 못하니 내 심려도 이만저만이 아니라오.」

내막을 알지 못하고 속내를 건너짚을 재간도 없는 세종은 쇠약해진 미실이 안쓰러워 전전긍긍하였다.

「그저 입맛이 없어 음식을 줄인 것뿐입니다. 산후에 오른 살집이 부담스럽던 터에 차라리 잘되지 않았습니까?」

「그런 말씀 마시오! 설령 무살이 올라 비대해진다 해도 본래의 색덕이야 어련하겠소. 무엇을 드시고 싶소? 내 당장 사냥 채비를 서둘러야겠소. 꿩고기가 좋으시오, 노루 고기가 더 당기시오? 당신이 원하는 것을 잡아다 바치리니, 당신은 그동안 황후를 모시고 서석골에나 다녀오오. 황후께서 부쩍 무료해하시는 듯하여 피서 행차를 꾸며 보시라 권했더니 곧 그리하마 하시었소.」

세종은 가만히 앉아 있어도 땀이 줄줄 흐르는 복중 더위에 미실의 구미를 돋울 짐승을 잡아 오겠노라며 갖옷을 들춰 입은 채 설치고 나섰다. 그 모양이 가련하고도 딱했다. 그럼에도 미실은 자신의 마음에 죄책감이나 미안쩍음이 깃들지 않는 것이 놀라웠다. 지소태후의 말대로 그녀는 사내를 망치고 나라를 위태롭게 할 요희란 말인가. 미실은 불현듯 코끝으로 꿩과 노루의 털이 타는 듯한 누린내가 혹 끼쳐 오는 것을 느끼며 헛구역을 하였다.

서석골은 왕실의 오래된 피서지였다. 남산의 삼릉을 지나 조금 더 거슬러 올라가면 길 왼편으로 천변이 펼쳐지는데, 그 산골짝으로 흐르는 물가에 깎아지른 듯 매끈한 자색 혈암의 넓은 바위가 병풍처럼 벽을 이루고 있었다.

성스러운 황제가 왕토를 다스리기 전, 우뚝한 말뚝을 잡은 마립간과 모든 뼈의 정기가 모여 드러난 잇바디가 왕성한 이사금과 영검한 무당 차차웅과 귀한 자제 거서간이 나라를 일구기 훨씬 전부터, 바위는 이미 아득한 시간을 견디며 꿋꿋이 그곳에 자리하고 있었다. 헤아릴 수 없는 세월, 알 수 없는 사람과 자연의 내력을 그려 내려 애쓰다 보면 절로 수굿한 공경과 사모의 마음이 싹트기 마련이었다. 그 마음의 현현인 양 물러서듯 안으로 기울어져 있는 바위 밑 무른 석질 위에 음각한 문양들은 몰아치는 바람과 비에도 부서지지 않아 그 신묘한 모습을 고스란히 간직하고 있었다.

미실은 벌옻처럼 홀로 여흥이 벌어지는 자리에서 떨어져 나와 작은 웅덩이에 터를 잡았다. 미리 준비해 온 홍화 다발을 바위틈에 꽂아 두고 땀받이 바람으로 물에 몸을 담그니, 짧은 꽁지를 꿋꿋이 세운 물까마귀가 꽃가지인 양 착각하여 미실의 주변을 스스럼없이 맴돌았다.

누가 새겼을까. 안개처럼 뭉게뭉게 피어오르는 정감 어린 선의 흐름, 잔잔한 수면 위에 똑 떨어진 물방울이 자아내는 그것처럼 무수한 동심원, 누추한 삶이나마 오래오래 지속되길 염원하며 그려 낸 거북의 등딱지 모양. 그 이름 없는 작인들에 의한 신비로운 문양들이 꼬리에 꼬리를 무는 선돌의 벽을 바라보며 미실은 시원하고 깨끗한 물속으로 조금씩 잠겨들었다.

구멍 뚫린 통발 어살에 있네
방어와 황어가 멋대로 놀고 있구나.
제나라 여자 돌아온다네
따르는 사람들 구름 같구나.

미실은 문득 제풍(齊風) 한 구절을 읊조렸다. 통발은 가는 대오리로 곱게 엮어 만든 제구이니, 물고기를 잡기 위해서는 구멍이 있어서야 안 될 일이었다. 그러니 구멍 뚫린 통발이야말로 본래의 소용대로 물고기를 잡을 수도 없을뿐더러 잡은 물고기마저 놓치고 마는 쓸모없는 그릇이었다. 그런가 하면 어살은 나무를 둘러 세워 물고기를 유인하는 물속의 울타리이니, 어살 속에 구멍 뚫린 통발이 있다 함은 물고기를 잡고자 하는 의지는커녕 물고기들과 자유롭게 희롱하기 위해 어살을 꽂아 둔 셈속을 지칭했다.

문강, 구멍 뚫린 통발, 정조를 잃어버린 그녀. 미실은 문득 노래의 주인공인 문강을 떠올려 내고 사색에 잠기었다. 제나라 희공의 딸로 태어나 형제국인 노나라의 환공에게 시집을 간 문강. 하지만 그녀는 이미 오래전부터 오라비인 양공과 잠통(潛通)하고 있었으니, 결혼하여 남의 아내가 되었으나 묵은 정을 단번에 끊어 낼 수 없었다. 파렴치한 남매 상간의 음행을 저지르면서도 그 빤빤스러운 낯을 꼿꼿이 쳐들고 는실난실 친정 나들이를 하는 문강. 그럼에도 제나라 사람들은 묘려하고 대담한 그녀의 음행을 차마 욕할 수 없다고 노래하였다. 비난하며 논박하고 손가락질하기는커녕 성애의 열락을 충분히 누리고 더욱 아름다워진 그녀의 행차를 구름처럼 따르며 찬양한다지 않는가.

물론 문강의 금독지행(禽犢之行)*은 비극적인 결과를 자아냈다. 남편인 환공이 문강과 양공의 간통을 눈치 채자, 양공은 아들인 팽생을 시켜 주먹으로 환공의 늑골을 짜부라뜨려 죽였다. 이에 노나라의 의인이 다시 팽생을 죽이고…… 노나라의 군주가 된 문강의 아들 장공은 곧 모자의 인연을 끊었다. 하지만 양공이 죽은 후에도 문강은 규환지옥으로도 초열지옥으로도 가지 않았다. 문강은 또다시 양공의 이복동생인 환공(옛 지아비와 동명)과 사통하니, 참으로 여인의 욕망이란 어둠 속에 자리한 무한한 미지의 대주와 같았다.

미실은 살갗을 희롱하는 부드러운 물결을 벌하듯 찰싹이며 노래한다. 아름다움에게 죄를 물으랴. 충만한 열망과 풍요로운 욕정을 도덕과 규율로 심판하랴. 금기어들이 함부로 행사되지 않는 시대, 그 자유롭고 너그러운 사람들의 노래는 자시(刺詩)가 아니라 차라리 미시(美詩)이리라.

*

서석골은 아버지 입종갈문왕이 특별히 좋아했던 피서지였다. 지소와의 정애가 새롭고 신비로웠던 한때, 입종은 젊은 아내와 어린 아들을 이끌고 자주 나들이하여 즐거운 시간을 보내곤 했다. 본디 유

---

*금독지행 : 친족 사이에서 일어난 음행.

년의 기억이란 안개 자욱한 뜰에서 꽃 빛을 헤아리는 듯한 것이지만, 진흥제에게도 그 스스럼없고 상쾌한 지난날이 아렴풋한 흔적으로 남아 있었다. 마냥 좋았고, 마냥 행복했다. 쏟아지는 햇살, 한가로운 바람, 청량한 물소리, 맛있는 음식 냄새, 마법의 피리 선율처럼 은은하게 흐르는 꽃향기.

「원, 녀석하고. 물을 보고 날뛰는 것이 잔망스러운 강아지 같구나!」

「삼맥종, 발밑을 조심하렴! 그러다가 바위에서 미끄러지면 다친다!」

물장구를 치며 뛰노는 어린 삼맥종을 흐뭇하게 바라보다가 서로 마주 보며 하얗게 웃던 아버지와 어머니.

제왕의 지위 같은 것은 욕심을 내기에 앞서 까마득히 몰랐다. 땅 위의 일을 오직 스스로 선택하고 판단하며 그 결과를 하늘의 심판에 맡기는 존귀하고도 고독한 운명이 자신의 몫일 줄은 꿈에도 상상할 수 없었다. 그러하기에 마음껏 즐거울 수 있었을 것이다. 흐르는 물이 떨어지는 곳에서 천지를 모르고 뒤까부는 광대소금쟁이처럼 물 위라도 걸을 수 있을 만큼 몸이 가벼웠을 것이다.

진흥제는 따르는 사자를 뿌리치고 홀로 물가를 거닐며 깊은 생각에 잠겼다. 그는 왕위에 오른 후 지금까지 가열하게 싸웠고, 싸우지 않기 위해서라도 더욱 맹렬히 싸워 왔다. 욕심 때문이기도 했고 마침내 욕심이 사라진 무욕의 신천지를 꿈꾸었기 때문이기도 했다. 진흥제는 주변국들과 항시 팽팽한 긴장감을 유지하며 때로는 화평의 제의와 조공으로 협력하고, 때로는 군사를 일으켜 정벌하고 복속시키길 반복해 왔다. 그리고 반드시 몸소 행차하여 정복한 땅을 순례했다. 그토록 번거롭고도 고단한 순수(巡狩)를 거듭하며 백성들에게 은혜를 베풀어 소홀히 하지 않을 것임을 확인시키고 새 왕토의 명산에 올라 천지신명께 제를 올렸다.

「반드시 순례를 하여 왕토를 확인하라. 우리의 산천은 어느 하나 빼놓지 않고 답사를 해야 마땅하다. 산천의 지형을 미리 익히고 한눈에 조국 강토를 내려다보는 안목이 생겨야만 전시에 뛰어난 전략을 세워 강토를 지켜 낼 수 있으리라. 뿐만 아니라 방방곡곡에 살고 있는 백성들의 실태를 직접 보아야만 나라를 사랑하는 마음이 생길 것이다. 자기 발로 스스로 디뎌 본 땅이라야 영원히 변치 않는 애정을 지켜 갈 수 있다.」

진흥제는 자기에게 주어진 하늘의 사명을 강력히 믿었다. 잠시 머물렀다 스쳐 가는 차안에서 필부가 아니라 유일의 황제이어야 한다면 반드시 새기고 돋우고 곧추세울 무언가가 있어야 할 것이다. 어느 신하보다 정력적으로 일하고 어느 장군보다 용감무쌍하게 전장으로 달려 나가며 세상의 어느 누구보다 굳건해져야 하리라. 그는 가혹하리만큼 자신을 몰아쳐 자신이 본래 할 수 있었던 것보다 더 높은 경지에 오르기를 일생의 낙으로 삼았다. 그가 정복하고자 하는 최후의 대상은 바로 자기 자신이었을지도 모를 일이었다.

하지만 진흥제는 뭉게뭉게 지펴 오르는 석벽의 운무 문양에 무심히 눈을 던지며, 잊자, 잊어버리자, 오늘만은 등짐처럼 이고 진 고뇌를 모두 내려놓고 어린 날의 행복만을 기억하자 다짐하였다.

답답한 왕성의 울 바깥으로 벗어났다는 것만으로 황후와 궁인들의 웃음소리는 더욱 높고 맑았다. 사자와 시녀들은 말할 것도 없이 여인들과 내신들은 항상 황제의 눈치를 살피고 비위 맞추기를 자기의 일로 삼았다. 하루쯤은 방자하게 외람되이 즐긴대도 무방하리라. 중국의 황제에게 조서를 받기 위해 사신을 보내고, 옛 주(州)를 폐지하고 신주를 설치하는 따위의 복잡하고 골치 아픈 내력을 그들이 짐작하여 안다고 달라질 것은 없다. 오직 스스로 감당할 일이다. 제의 발걸음이 점차 왁자지껄한 자리로부터 멀어져 갔다.

그때였다. 범처럼 용맹하고도 예민한 감각을 지닌 진흥제의 귓가에 바스락대고 찰싹이는 작은 소음이 스쳐 갔다. 그는 본능적으로 보검을 찬 허리를 더듬었지만 조금 전 자리에서 겉옷을 벗어 둘 때 띠도 함께 풀어낸 모양이었다. 왕좌를 지킨다는 것은 무한한 권력을 쥔 동시에 끝없는 위험을 감수하는 일이었다. 신경을 곤두세운 채 날카롭게 주위를 둘러보던 제의 굳은 얼굴이 마침내 소리의 진원지를 발견해 내고 스르르 풀어졌다.

오련한 붉은빛이 눈을 쏘았다. 물은 온통 들끓듯 농홍하게 일렁이고 있었다. 그 붉은 연못 속에 천상에서 내려온 양 아름다운 한 여인이 희디흰 알몸을 담근 채 누워 있었다. 붉은색을 자아내는 데 쓰이는 잇꽃 다발을 바위틈에 꽂아 두고, 여인은 고개를 젖히고 눈을 지그시 감은 채 희미한 가락을 흥얼거리고 있었다. 물빛과 살빛이 아찔하였다.

과연 누구인가? 무산선녀(巫山仙女)*의 재현인가? 강렬한 매력을 뿜어내는 여인의 모습에 제는 하마터면 발밑을 헛디딜 뻔했다. 온몸을 울려 울음을 토하며 암컷을 부를 때에는 어떤 소리도, 하다못해 제 울음소리조차 듣지 못하는 수매미처럼 그의 한순간이 아득해졌다. 정체를 알 수 없는 여인의 요요한 자태는 자객이나 적국의 간자(間者)보다도 더 위험하고 치명적이었다.

「저 여인은 누구인가?」

제왕의 지밀한 목소리가 한 여인의 정체를 묻는 순간 새로운 역사는 이미 시작되었다. 그는 선택의 전권을 누리는 유일의 존재이니,

---

＊무산선녀 : 중국 전설에 등장하는 얼굴이 몹시 곱고 아름다운 선녀.

대답을 피하고 몸을 숨긴다 하여 돌이킬 수 있는 일이 아니었다. 하필이면 사도황후가 그 질문을 들었다. 그녀는 순간 몸이 오싹하는 한기를 느꼈다.

「누구를 말씀하시는 것이옵니까?」

사도황후는 짐짓 능청을 떨어 보았다.

「저기 담홍색 비단을 씌운 가마를 탄 여인 말이다. 아까 수박을 쪼개 먹을 때 황후의 바로 곁에 자리하지 않았던가?」

「미, 미실 말씀이시옵니까?」

「미실! 저 여인이 바로 미실이란 말인가?」

진흥제는 한순간 흠칫 놀랐다. 미실이라면 바로 세종전군의 아내, 혼전에 모후의 속을 꽤나 끓였던 그 여인이 틀림없었다. 대원신통의 아이라며 지소태후가 허락을 구하러 오기도 했고, 융명을 내치고 전군 부인의 자리를 차고앉았다 하여 모후가 그 당돌한 행실을 책망하는 것도 들었다. 옥진의 손녀이며 사도의 조카라던가. 점잖은 세종을 들끓게 하고 첩으로 사는 것이 부끄럽다며 원비 자리를 당당히 요구했다는 이야기를 전해 들었을 때, 제는 짐짓 모후의 하소연에 맞장구를 치면서도 보기 드문 여랑이구나 하고 감탄했었다.

하지만 그토록 빼어난 미색일 줄은 미처 몰랐다. 무수히 궁을 드나들며 오가고 의식에도 여러 번 얼굴을 내비쳤을 게 분명한데, 어쩌다 한 번도 눈에 들지 않았는지 그것이 도리어 괴이하였다. 제는 아주 잠시 세종전군의 음전한 모습을 떠올렸다. 그러나 애초에 남의 처지보다 자기의 의지를 앞세우도록 훈련받은 황제에게 갈등과 죄책감 따위의 범속한 감정은 오래 지속되지 않았다. 오히려 충성스러운 세종이라면 황제의 뜻에 마땅히 찬동하리라는 믿음이 생겼다.

황제의 마음은 황제 자신보다 사도황후가 먼저 알았다. 원하는 것을 갖지 못하면 왕이 아니다. 왕이 가진 무소불능의 권력은 그의 존재를 확인시키는 징표이자 그를 지키는 가장 강력한 무기였다. 왕위가 신위를 앞서는 황제국에서는 모든 숨붙이가 마땅히 왕의 신하이리니, 누구도 왕을 거스르고 거절할 수 없었다.

사도황후는 사사로운 강샘을 느끼기에 앞서 미실이 음모에 의해 동륜태자의 아이를 임신했다는 사실을 진흥제에게 들키게 될까 봐 두려웠다. 생존하는 현왕을 두고 후일을 도모하는 일은 역모에 해당하는 위중한 죄였다.

그런 내막을 알지 못하는 진흥제는 넌지시 사도황후에게 언질을 주었다.

「너의 조카는 하늘도 돕지 않는 여자인데, 어찌 너의 잉첩이 되지 못하고 다른 데로 시집을 갔는가?」

제의 의중을 헤아린 사도황후는 덜덜 떨며 미실을 찾아갔다. 미실은 눈도 깜짝하지 않고 침착하게 사도의 말을 듣더니, 낮고 단호한 음성으로 대꾸하였다.

「저 역시 제를 모시기를 원합니다. 그것이 본디 소녀가 태어나 지금껏 받아 온 교육의 전부이며 타고난 도리입니다. 황제를 섬기는 것은 감정 따위를 넘어서는 일입니다. 그러니 황후께서는 아무것도 걱정하지 마십시오. 지금 곧 제에게 주청하여 소녀를 삼대(三代)를 모시는 자리에 추천하소서. 이후의 일은 소녀가 다 알아서 처신하겠습니다.」

위기의 순간에 미실은 더욱 차갑고 굳건해졌다. 감미로운 목소리로 시를 읊고 속삭일 때에는 더없이 다정하고 순종적인 그녀가, 어느 때에는 소름이 돋도록 냉혈한 모습을 드러냈다. 미실은 한편으로 소녀 같은 청순함과 수줍음을, 다른 한편으로는 음녀의 요염함과 잔인한 열망을 모두 갖춘 여인이었다. 사내들은 어느 방향으로든 그녀에게서 자신이 원하는 여인을 찾아내 자기가 바라는 방식으로 도취되었다. 불에 델 듯 뜨겁게 혹은 얼음처럼 차갑게, 미실은 사랑의 황홀과 상실이 기실 하나와 같은 예리한 자극이라는 것을 잘 알고 있었다.

「난 누구와도 같지 않아. 나는 나야. 나는 세상에 단 하나뿐인 미실이야!」

그녀는 스스로에게 확인시키듯 되뇌며 얼마간 순진하게 얼마간 음탕하게 싱긋 웃었다.

＊

예로부터 궁중에서 말하는 미인의 기준은 저자의 그것과 구분되었다. 음양술로써 성체를 모시는 여인을 선발할 때에는 철저히 황제에게 이로우냐 해로우냐가 기준이 되었다. 비서에서는 초조(初潮) 직전의 열네 살을 홍상미판이라 하여 최고의 여인으로, 열여섯에서 스무 살 어림을 수경이촌(首經已寸)이라 하여 중등으로, 스물한 살에서 스물다섯 살의 출산 전 여성을 미경산육(未經産育)이라 하여 하등으로 분류하곤 했다. 음양오행설에 기반을 둔 방중술의 끝마침은 회춘이니, 양기를 제대로 다루고서야 기력이 백배나 좋아지고 지혜가 날로 새로워지는 경지에 이르게 되는 것이었다.

한편 선도의 비전에는 여인이 아이를 낳으면 그 아름다움이 극에 이른다는 말이 전해지고 있었다. 출산을 통하여 생명의 원기를 체험한 여인이야말로 선도의 대가들이 소중히 여겼던 오진보성(悟眞寶筬)의 비결을 쓸 수 있는 몸이 되기 때문이었다. 선도의 일파인 청성파의 일원인 현미도인은 나이가 삼백여 세에 이르도록 젊음을 유지

했는데, 그가 바로 오진보성의 술법을 후세에 전한 이였다. 현미도인의 뜻을 헤아리기 위해서는 먼저 그의 스승인 태현진인의 서책들을 살펴야 했다.

남녀가 사랑의 줄다리기를 할 때 상대의 몸을 해치지 않으면서 합궁하는 비술을 밝혀 놓은 《청성비록》, 항간에서 말하는 손가락 기술을 발전시킨 것으로 얼음처럼 차가운 여자의 몸도 해빙기의 봄물처럼 풀리게 한다는 비급을 수록한 《대도현지》, 여기에 방중에서 나눌 향기로운 미어와 미태술을 밝힌 《청성옥방결》까지. 미실은 그중에서도 여자의 몫인 《청성비록》과 《청성옥방결》을 꼼꼼히 공부하여 익힌 터였다.

과연 하룻밤의 등하색(燈下色)*이란 상대를 사로잡아 포로로 만들기도 하고 정떨어져 남처럼 냉랭하게도 만드는 것이었다. 그러나 그 오묘한 진리가 반드시 뛰어난 기술과 처방에 가까운 비법으로만 이루어질 수는 없었다. 몸을 열기 전에 마음부터 열어야 마땅하다. 사내든 계집이든, 필부필부든 황손과 인통의 여인이든 근본의 이치만은 다를 것이 없었다.

진흥제와의 첫 밤, 미실은 부러 꽃단장을 하고 옥의를 갖추어 입지 않았다. 도리어 평소보다 단출한 옷차림에 민낯에 가까운 모습이었다. 어찌 보면 그 모양이 시련을 감내하는 여인인 양 파리하고 해쓱하기조차 하였다. 그리하여 제는 욕심대로 덥석 안지도 끌어 눕히지도 못한 채 이 알다가도 모를 여인 앞에서 전전긍긍하였다. 참으로 난생처음 느끼는 낯선 초조감이었다.

지금껏 어떤 여인도 황제 앞에서 이토록 주눅 들지 않고 자신의

---

*등하색 : 불을 켜놓고 남녀가 성교하는 일.

맨 얼굴을 드러낸 적이 없었다. 두려워 조심하며 눈치를 살피는 것은 오직 황제를 성심성의껏 모셔야 하는 그녀들의 몫이었다. 하지만 지금 미실은 마치 존엄한 위광이 무엇인지조차 모르는 우부(愚婦)처럼 굴고 있다. 인통의 여인으로서 마땅히 배우고 익혔을 도리를 송두리째 야자버린 듯 태연자약하기까지 하였다. 제는 점차 조롱당하고 무시당하는 듯한 불쾌감을 느꼈다. 분노를 터뜨리기에 앞서 영문을 알 수 없는 여인의 태도를 밝혀내야 마땅하리라 싶었다.

「황제의 침전에 들라는 통보를 미리 받지 못했느냐?」

제는 불편한 심기를 드러내며 꾸짖듯 물었다.

「들었사옵니다.」

그 지미(至美)한 모습에 걸맞게 정교하고 아름다운 목소리였다. 그러나 고개를 들지도 않고 조용히 대꾸하는 미실은 얼마간 단호하고 냉정하기까지 하였다.

「그런데 네 꾸민 모습이 어찌하여 그러하냐? 대원신통의 일원이라 하니 황제의 여자로 산다는 것이 어떤 것인지 모를 바 아니건만, 부귀영화의 약속도 너를 즐겁게 하지 아니한단 말이냐?」

제는 나랏일을 돌볼 때 신중하고 온후한 편이었으나 한번 격발하면 그 솟치는 모습이 거세고 성급하였다. 고약한 계집이로고! 금방이라도 당치 않게 시퉁한 미실을 향해 불호령을 내려야 마땅하겠으나, 어쩐 일인지 제는 밀고 당기는 수작이 흥미롭고 진진한 느낌이 들었다. 미실은 여전히 앵돌아진 듯한 모습으로 또박또박 대꾸하였다.

「저는 이미 전군의 아내로 미천한 신분에 넘치는 부귀와 영화를 누리었고, 얼마 전에는 몸을 풀어 아들을 낳아 여자로서 누릴 수 있는 큰 행복을 맛보았습니다. 그런데 작금에 이르러 황제의 부르심을 받으니 일신상에 크나큰 광영임에도 아내 된 도리와 어미 된 처지를 생각하니 차마 흔연히 기뻐하기 어렵나이다.」

듣고 보니 황제를 원망하는 양, 종신이자 아우인 세종의 아내를 지위를 이용해 빼앗는 행실을 타박하는 듯도 하였다. 제는 더럭 솟구치는 분노를 참지 못했다.

「그렇다면 신국의 황제인 내가 일개 신하의 눈치를 보아야 한단 말이냐? 네 신분이 무엇이더냐? 황제를 색으로 섬기기에 진력해야 할 색공지신이 아니냐? 도리와 처지를 따지기 이전에 너에게 주어진 소명이 엄연히 따로 있거늘 감히 어느 안전이라고 언짢은 마음을 함부로 드러내느냐?」

그러자 뜻밖에 미실의 눈에서 낙숫물 같은 눈물이 뚝뚝 흘러 떨어지기 시작했다. 그녀는 뺨을 적시는 눈물을 닦지도 않은 채 지그시 황제를 응시했다. 물기가 일렁이는 검푸른 눈동자를 마주하자 진흥제의 마음이 덜컥 무너지는 듯하였다.

「그러하옵니다. 소녀는 그토록 미천한 몸이옵니다. 그런데 어찌 사랑하려 하시옵니까? 마음대로 사랑할 수도 사랑하지 않을 수도 없는 천인에게 그 도저한 성은을 내리려 하시옵니까?」

눈물로 얼룩진 미실의 얼굴에는 누구도 거부하고 저항할 수 없게 만드는 강렬한 유혹이 있었다. 제는 그대로 돌진하듯 미실의 몸을 파고들어 곧바로 중심을 향해 진입하였다. 분노로 인한 격정, 모욕감으로 촉발된 정염이 그를 더욱 뜨겁게 달구었다.

「어떠하냐? 아직도 세종을 생각하느냐?」

제는 숨도 고르지 못한 채 헐떡거리며 묻고 또 물었다. 세상을 호령하며 천하를 평정하고자 꿈꾸는 사내, 위험 앞에 더욱 용맹해지고 기개가 충천하는 대장부가 질투와 수치심을 견디지 못해 몸부림치고 있었다.

미실은 지극히 묘한 여인이었다. 황제의 몸을 받아들인 그녀는 언제 그렇게 매정하고 쌀쌀하게 굴었느냐 싶게 사지로 황제의 몸을 힘껏 결박한 채 향기로운 교성을 드높이고 있었다. 제는 내심 당황하여 놀랐지만 그 절묘한 요분질에 혼절할 듯 짜릿한 쾌감을 맛보았다. 더운 숨을 몰아 내쉬며 시근거리는 미실의 얼굴에는 아직도 도리와 처지 따위를 핑계 삼으며 흘린 눈물 자국이 얼룩져 있었다.

'앙큼한지고! 과연 놀라운 요녀로구나!'

진흥제는 노련하고 지혜로운 남자의 본능으로 즉시 미실의 위험함을 알아챘다. 동시에 이를 거부할 수 없으리라는 것마저 알아 버렸다. 그녀는 하늘의 자식으로 우우(優遇)하며 살아온 황제가 처음으로 사랑에 빠진 지상의 여인이었다.

미실은 누군가를 매혹시키기 위해서는 생심을 끌어내기보다는 자족하고 침묵해야 한다는 사실을 잘 알고 있었다. 침묵 속에 자족할 줄 알아야 하며, 결코 먼저 입을 열어 속내를 드러내서는 안 된다는 것도 알고 있었다. 사랑을 바라면 그의 입에서 사랑한다는 말이 새어 나오게 해야 한다. 원하는 것이 있으면 상대가 먼저 그것을 알아차리고 건네도록 만들어야 한다. 그러기 위해서는 상대가 바라는 것이 무엇인지, 그의 진정을 향해 다가가는 경로부터 밝혀내야 한다.

감성이 예민한 사내는 선율로 녹이고, 순정한 사내는 의리와 약속으로 사로잡으리라. 그렇다면 강인한 사내에게는, 부족한 것이라곤 오로지 스스로 자아내는 것밖에 없는 부유천하(富有天下)의 황제에게는 정복의 열망을 돋우는 새로운 신천지를 펼쳐 보여 주어야 한다. 그러나 다른 사내들과 마찬가지로 그에게도 문은 언제나 절반만 열어 두어야 마땅하다. 문을 활짝 열어 보여 줄 수 있는 전부보다 훨씬 신비롭고 만족스러운 것이야말로, 애써 문틈을 비집어 드는 그의 마음속에 있기 때문이다.

미실의 예상은 한 치도 빗나가지 않았다. 진흥제는 그 괴상스럽고
도 야릇했던 미실과의 밤을 쉽게 잊지 못했다. 천하의 모든 것을 마
땅히 가질 수 있다고 스스로 믿어 의심치 않는 자신에게서 생경한
공허감과 결핍과 두려움을 보았다. 자기 입으로 사랑하는 아우라고
말하는 세종에게 강렬한 질투와 음험한 시기심을 느끼는 또 다른
자신을 보았다. 제는 불편하고도 서름한 그 기분을 해명하고 싶었
다. 그토록 뒤엉킨 심정이 첫 정사를 더욱 뜨겁고 격렬하게 했는지,
그때 느낀 절정의 쾌감이 바로 꿈에서조차 누린 적 없는 해방감이
었는지.

두 번째 부름을 받아 황제의 침전에 든 미실은 처음과 전혀 다른
여인인 듯하였다. 그 화려한 옷차림과 휘황한 수식에서부터 녹아내
릴 듯 흩뿌리는 교소까지 첫날의 모습과 완전히 딴판이었다. 당황한
황제는 그만 거듭하여 미실의 간사함에 현혹되고 말았다.

「설령 거짓이라도 발설해 보십시오. 이 세상에서 눈에 보이는 것
은 미실, 그대밖에 없다고.」

회백색 털을 빳빳하게 곤두세운 늑대의 등에 타고 달 한가운데로
와아와아 소리 지르며 달려가는 듯, 격렬한 정사의 와중에 미실이 속
살거렸다. 숱한 여인을 접하고 내로라하는 미색을 모두 섭렵한 황제
였다. 그럼에도 미실은 특별했다. 다른 어떤 여인과도 달랐고 스스
로 그러하고자 하는 의지마저 갖고 있었다.

미실은 과연 일별만으로 남자의 혼을 빼앗는 요녀였다. 그녀가 허
리를 뒤틀며 교성을 높일 때 황제는 쌍수(雙修) 쌍신(雙身)의 아득한
경지를 보았다. 옛사람들이 어찌하여 성교의 즐거움을 일컬을 때 신
선이 될 것 같기도 하고 죽을 것 같기도 하다고 했는지를, 대성환희

천이 서로 엉겨서 성교하는 형상으로 불자들의 숭배를 받는 이유를 알 것 같았다. 선악과 미추, 호오와 귀속을 넘어서기 위해 바야흐로 필요한 것이 방심(放心)이 아니던가. 파정의 순간에 이르러 모든 것이 비워지는 듯 충만하니 생심을 끌어낼 필요도 없이 절로 마음이 열리지 아니하던가.

그녀의 여근은 마치 날카로운 이빨을 가진 음습한 맹수의 입과도 같아 한번 사로잡히면 양기가 다 소진될 때까지 붙잡고 놓아주지 않는 듯했다. 그럼에도 공포감과 동시에 엄습하는 쾌감이 뿌리칠 수 없이 크기에 스스로 기어들지 않을 재주가 없었다.

미실은 더욱 열을 올려 정점을 향해 치달았다. 정복의 욕망에 불타는 사내는 정복당하기를 치명적으로 두려워하며 꺼린다. 하지만 그런 사내를 사로잡는 길 또한 그를 정복하여 지배하는 것뿐이다. 미실은 잠시도 짬을 주지 않고 마지막까지 맹렬하게 몰아붙였다.

「미실, 너밖에는 아무도 보이지 않는구나. 세상에 너와 나, 오로지 우리의 사랑이 있을 뿐이구나!」

산 채로 사로잡힌 짐승처럼 울부짖으며, 마침내 제는 스스로 손을 묶고 입으로 구슬을 물어 예물로 바치듯 항복하는 자세로 미실에게 굴복하였다. 그녀만큼 잔인하고 아름다운 적(敵)은 없었다. 진흥제는 미실의 불가사의한 관능에 저항의 염을 잃고 투항하였다.

*

진흥제는 미실을 한 번 두 번 거듭 사랑하고는 마침내 곁을 떠나지 못하게 할 지경에 이르렀으니, 그 사랑이 가히 천하를 뒤집을 만하였다. 능통한 음사로 제를 사로잡은 미실은 날로 중해지는 총애에 바야흐로 황후궁의 전주(殿主)*로 발탁되기에 이르렀다. 황후궁의 전주는 그 지위가 곧 황후와 같이 높고 귀했다. 그때로부터 황제의 지밀(至密)*에서 새로운 권력이 비롯되었다.

미실은 나는 천마를 잡아탄 듯 날로 기세등등하였으나 그 와중에서 가장 고통을 받은 사람은 다름 아닌 세종전군이었다. 또다시 사랑을 잃은 세종은 갑작스러운 사태에 놀랍고 두려워 침식을 끊고 헤매었다. 사랑이 그에게 가져다준 것은 고통뿐이었다. 무엇으로도 보상받을 수 없고 위로받을 수 없었다. 그러나 이미 정해졌던 일이다. 한순간도 떨칠 수 없었던 비극적인 예감대로였다.

「어머니는 틀리지 않으셨습니다. 무섭도록 현명하고 냉철한 분, 당신의 경고가 옳았습니다.」

지소태후는 와병 중이었다. 동륜태자와 만호공주를 결혼시켜 진골정통을 잇고자 시도한 것이 지소태후가 마지막으로 자아낸 생심이었다. 거듭된 충격과 실의에 무쇠와 같던 지소태후도 자리보전을 하고 몇 달째 시름시름 앓고 있었다. 좋은 약과 신통하다는 비방이 총동원되었지만 마음에 맺힌 울혈은 풀리지 않았고 노환까지 겹쳐 얼마 전부터는 말조차 잃어버린 상태였다. 세종은 자기의 말을 알아듣는지 알 수도 없는 병자 앞에서만 솔직하게 마음을 고백할 수 있었다. 만약 지소태후가 전처럼 건강했더라면 그조차 털어놓을 상대가 아예 없었을 것이다.

「미실을 탐내어 취하고자 하는 순간 영원히 빼앗겨 잃고야 말 것이라고, 그녀의 운명까지도 떠맡아 제 운명이 바뀌리라고 어머니가 말씀하셨죠. 제정신이 아니었기에 결코 그 말을 받아들일 수는

---

*전주 : 왕의 곁에서 모든 정사를 참결하는 중책.
*지밀 : 임금이 늘 거처하던 대전(大殿).

174

없었지만, 그 말이 옳으리란 건 그때 이미 알고 있었습니다. 하지만…… 못난 아들은 지금도 미실을 미워하지 못합니다. 정을 넘어서 영을 장악당한 저에게 어떤 선택의 권리가 남아 있겠습니까? 저는 아무도 원망할 자격이 없습니다.」

세종은 헌거로운 풍신에 걸맞지 않게 아이처럼 몸을 옹그리며 병상에 이마를 짚었다. 너무 일찍 만난 것이 죄다. 너무 사랑한 것이 죄다. 지금의 참람한 지경에 이르러서도 사랑을 버릴 수 없는 것 또한 그의 죄다. 세종은 병든 어미의 취기가 밴 이불깃으로 입을 틀어막고 아주 오래 흐느껴 울었다.

미실 역시 세종전군이 마음에 걸리기는 마찬가지였다. 황제의 여인이 된 채로 전군 부인 행세를 할 수는 없는 일이었다. 젊고 건강한 세종에게 빈 방을 홀로 지키게 하는 것도 잔인한 일이었고 그들의 관계를 불편하게 여기는 황제에게도 외람된 짓이었다.

「한 가지 제에게 아뢰어 청할 말씀이 있사옵니다.」

어느 밤 또다시 지극한 환희를 누린 후, 미실이 신중하게 입을 열었다.

「무슨 이야기이기에 그리 정색을 하느냐? 어서 말해 보라.」

진흥제가 무엇이든 개의치 않겠다는 듯 허물없이 대꾸하였다.

「소녀의 지아비인 세종전군에 대한 말씀이옵니다.」

「세종이라…….」

느긋하게 풀린 표정으로 미실을 바라보던 제의 얼굴이 문득 굳어졌다. 사사로운 의리나 인정에 꺼들릴 필요가 없는 황제이고 미실이 색공지신의 신분으로 본래 임무를 다하고 있다고는 하나, 졸지에 아내를 잃어버린 아우를 생각하면 제의 마음도 편편찮을 수밖에 없었다. 미실은 그러한 배륜의 위험성이 자극이 되어 제가 더욱 자신에게 몰두했음을 알고 있지만 이제는 그 거북함을 떨쳐 내야 할 때라고 느끼고 있었다.

「전군의 연령이 한창때인지라 이대로 홀로 두심은 무참한 일입니다. 그에 대한 조처가 시급한 줄 아뢰옵니다.」

미실은 마치 남에 대해 말하는 양 침착하였다. 그 모습이 모질고 독하게도 보이련만 이미 사랑에 눈이 멀어 버린 제에게는 범속한 여인이 감히 흉내 낼 수 없는 독특한 매력으로 느껴졌다.

「그럼 어찌하면 좋겠느냐? 너에게 무슨 생각이 있느냐?」

진지하게 방도를 물어 구하는 제의 대꾸에 미실의 야무진 입매가 살짝 비틀렸다.

「전군은 애초에 융명과 혼약을 맺은 상태에서 또다시 아내를 들여 소녀를 만났습니다. 와중에 정비이던 융명이 스스로 물러나 살기를 원하니, 소녀가 정비가 되어 전군과 함께하게 되었습니다. 하지만 작금에 이르러 소녀가 제를 곁에서 모시는 영광을 얻었으니, 지금이라도 꼬였던 옛일을 풀어 되돌림이 옳지 않을까 하옵니다. 다행히 사가에 머무르는 융명 또한 재가하지 않았다 하니 능히 가능하지 않겠습니까?」

제가 들어 보니 과연 그럴듯하였다. 새로 아내를 맞아들이는 것이 아니라 곡절에 의해 헤어졌던 옛 아내를 다시 들인다면 오랜 원한을 푸는 의미에서도 모두를 만족시킬 수 있을 것 같았다.

「과연 너는 지혜로운 여인이다. 내 즉시 전군에게 명을 내리어 융명을 다시 받아들이게 하리라.」

제의 하명을 받은 세종은 차마 자기의 뜻을 드러내어 거절할 수 없었다. 황제의 명령에 불복하는 것은 상상도 할 수 없는 일이려니와, 아직도 미실을 잊지 못하고 있다는 사실이 발각되면 자신은 물론 미실에게도 화가 미칠 수 있을 터였다. 하지만 그 순간에도 더욱 자닝하고 무참한 것은 더 이상 자신의 아내가 아닌 그녀를 보고파 애태우는 세종의 열망이었다.

미실은 그런 세종의 미련이 부담스럽고 일쩝었다. 상대가 원하는 것보다 훨씬 많은 것을 바치려 드는 맹목적인 집착까지도 익애(溺愛)라 불러야 옳을 것인가. 그것을 소중히 받아 안지 못한다고 탓하고 비난해야 마땅한 일인가. 어쩌면 미실은 그 지극한 순정 때문에 자신의 사랑을 빼앗겨야 했던 일에 아직껏 앙심을 품고 있는지도 모를 일이었다. 그렇다 해도 어쩔 수 없었다. 미실은 세종을 이해하고 측은해할 수는 있을지언정 사랑할 수는 없었다.

첫 여자와 첫 남자로 만났던 순결과 동정의 정인, 그리고 한때 부부의 연으로 얽혀 맺어졌던 그들이 다시 만났다. 남녀 간의 애정과 제도의 결속은 사라졌대도 사람의 힘으로 끊을 수 없는 혈연의 도리가 그들 사이에 남아 있었다. 부쩍 자란 하종을 안고 쓰다듬는 미실의 얼굴엔 어느 곳에서도 보이지 않았던 짙은 수심이 깃들어 있었다. 아무것도 모르는 천진한 하종은 무릎으로 기어 어미의 품과 아비의 등을 오가며 까르륵까르륵 명랑하게 까불었다.

「견딜 만……하시오?」

미실이 문득 말을 건네었다. 목말을 태워 하종을 어르던 세종의 등이 순간 경직되었다.

「무슨 이야기를 하고 싶으십니까?」

그는 미실을 돌아보지 않고 대답하였다.

「이대로 같은 담장 안에서 무시로 얼굴을 대면하며 살 수 있으리라 생각하시오?」

미실은 어두운 표정으로 힘없이 긴 팔을 늘어뜨린 채 혼잣말처럼 중얼거렸다.

「그리하지 않으면, 어찌해야 옳단 말입니까?」

세종은 무력한 자신에 대한 부끄러움으로 얼굴을 붉히며 대꾸했다. 등을 돌려 마주하지 않길 다행이다 싶었다. 미실은 세종의 말을 듣고 깊은 한숨을 내쉬더니, 이윽고 단호하게 자신의 뜻을 밝혔다.

「떠나 주시오. 그대는 낭도들을 이끄는 풍월주이니 명산대천 어디든 유오하며 순례할 수도 있고, 밖으로 나가 공을 세워 이름을 드높일 수도 있지 않소?」

세종은 발밑이 움푹 꺼져 내려앉는 것만 같았다. 나직한 대화였음에도 어미 아비의 수상한 낌새를 눈치 챘는지 하종이 칭얼거리기 시작했다.

「괘, 괜찮다. 이젠 우리 하종이 꽤나 실해져서 아버지가 힘이 드는구나.」

세종은 하종을 달래며 마음을 추슬렀다. 왕성을 떠나는 일까지는 예상하지 못했다. 먼발치에서라도 미실을 지켜보고 하종을 징검돌 삼아 가끔 만나면 족하리라 생각했다. 하지만 그마저도 미실에게 고통일 수 있다는 것을 몰랐다. 세종은 가슴이 찢어지는 듯한 격통을 느끼면서도 짐짓 쾌활하고 씩씩하게 대답했다.

「그런 방도가 있었군요! 나 역시 답답한 궁에서 벗어나 넓은 세상을 보고자 하는 마음을 늘 갖고 있었는데, 전주가 풍월주 된 도리를 일깨워 주시니 비로소 용기를 낼 수 있을 것 같습니다. 어디가 좋겠습니까? 기왕이면 신국에서 누린 은혜에 보답하고자 지방으로 출정하는 것이 어떻겠습니까?」

세종은 진실로 사기가 진작되어 들뜬 듯 지껄이었다. 미실이 자신에게 원하는 것이 남아 있다면, 무엇이든 그는 감당하지 못할 바 없었다.

178

전주가 된 미실은 날개를 펼치듯 마음껏 자신의 재능과 특기를 뽐 냈다. 미실은 특히 문장을 잘 지어서 진흥제를 기쁘고 만족스럽게 했다. 제가 조정에 나가 업무를 볼 때에는 반드시 미실이 동행하였 다. 명민한 미실은 금세 복잡한 정무에 익숙해져서 제를 도와 문서 를 살펴보고 참결(參決)하여 옳은지 그른지를 살피는 지경에 이르렀 다. 여인에게서 그저 만족과 휴식을 구하면 그만인 줄 알았던 제는 뜻밖의 원군으로 등장한 미실의 총명함에 깊은 감동을 받았다. 참으 로 버릴 것 하나 없는 값진 여인이었다.

일이 이 지경에 이르니 조야의 권세가 옥진을 위시로 한 일족에게 돌아가고, 지금껏 진골정통에게 밀렸던 대원신통이 다시 성하게 일 어나기에 이르렀다. 사람들은 입을 모아 미실을 나라를 위하고 집안 을 살리는 여인이라고 칭송하였다. 누구보다 옥진이 금시발복(今時 發福)함에 기뻐하며 자신이 미실을 위해 쏟은 정성이 헛되지 않았음 을 자랑하였다.

미실은 점차로 권력이 어떤 것인지 알아 갔다. 그것은 누군가를 제압하고 어떤 일을 도모할 수 있는 힘이었다. 누군가를 선택하고 싫어 꺼리는 어떤 일을 거부할 수 있는 가능성이었다. 힘없는 여인 이었기에 어쩔 수 없이 감당해야 했던 숱한 일들, 자신의 의지와는 하등 상관없는 선택으로 운명 속에 내동댕이쳐져야 했던 기억이 그 녀를 더욱 냉철한 권력가로 만들었다.

그리하여 어느 밤, 미실은 마침내 제에게 자신이 임신했음을 고백 했다. 배 속에서 자라는 것이 황제의 씨앗이라고 거짓말을 지어 바 치지는 않았다. 다만 씨앗의 주인이 동륜태자라고 말하지 않았을 뿐이었다. 하지만 진흥제는 미실의 아이가 자기 자식임을 추호도

의심치 않았다.

「수유의 시기에는 본래 수태가 되지 않는 것이 터울을 조절하는 자연의 섭리라던데, 너는 왕성하고 건강하여 그 이치마저 손쉽게 뛰어넘는구나!」

제는 미실이 하종에게 먹이던 젖을 끊지 않은 줄로 믿고 있었다. 그래서 황제의 침전에 들기 시작한 때부터 수유가 중단된 것으로 알고 당연히 자기 씨앗을 임신했다고 생각한 것이었다. 사도황후가 민첩하게 거들며 한 술 더 떠서 말했다.

「폐하, 감축드리옵니다! 저 역시 전부터 미실 전주의 둔부가 요부와 아름다운 대비를 이루는 것을 특이하게 보아 왔는데, 그것이 회임하기에 적합한 표식임을 이제야 알았나이다.」

「오호라, 몸의 대비로 회임에 적합한지 아닌지를 짐작할 수 있다는 것이오?」

「그러하옵니다. 여의서에서는 요부가 둔부의 칠 할에 이르는 여인이 임신에 가장 적합하다고 하니, 그 모습이 또한 보기에도 가장 아름다운 줄로 알고 있습니다.」

사도황후의 농간 또한 무르익어 만만치 않았다. 미실이 그 주고받는 모습이 객심스러워 차마 고개를 들지 못하니, 제는 오직 부끄러움 때문인가 하여 한층 사랑옵게 생각하였다.

미실은 마침내 몸을 풀어 아이를 낳았다. 미실을 꼭 닮아 살빛이 희고 갓난것임에도 콧대가 오뚝한 딸이었다. 제는 그 아이가 동륜태자의 자식이라는 사실을 까마득히 모른 채 자기의 소생인 줄로 알고 애송공주로 봉하였다.

미실에 대한 진흥제의 배려는 실로 파격적이었다. 제는 세 살배기 하종에게 사지(舍知)의 위를 내리고 궁중에 들어와 애송공주의 벗이 되게 하였다. 아비인 세종의 심성을 빼닮은 하종은 무척이나 순하고 애정이 도타운 아이라서 아우인 애송을 지극히 아끼었다. 애송공주가 울면 따라 울고 강샘을 부리기는커녕 돌보고 살피기에 정성을 쏟으니, 제는 그 모습을 어여삐 여겨 하종까지도 자기 자식처럼 사랑하였다. 이어 미실이 반야공주를 낳으니 하종은 대사(大舍)의 위에 올랐고, 난야공주가 출생하자 나마(奈麻)가 되기에 이르렀다.

제는 공주들에게 하종을 형이라 부를 것을 명하였다. 하지만 세종만큼이나 분별과 도리를 스스로 아는 하종은 어린 나이임에도 위가 낮음을 내세워 감히 형이라 자처하지 않았다. 제는 그런 아름다움을 높이 사 마침내 미실이 수종을 낳았을 때 하종까지도 함께 전군으로 봉하고자 하였다. 궁 안팎이 들썩거릴 정도로 전격적인 대우였다.

「어찌 그리하시옵니까? 하종에게는 지금의 위도 남분하나이다.」

미실은 속으로 기쁨을 이기지 못하였으나 겉으로는 겸양의 자세를 취해 보였다. 제는 그 모습을 더욱 아리땁게 여기어 호탕하게 웃으며 말하였다.

「짐의 자식을 넷씩이나 낳아 준 전주에게 그 정도가 문제일쏘냐? 하종은 충분히 전군의 위에 오를 덕을 갖추었으니 분수에 넘친다고 말할 것도 없다. 전주가 기쁘다면 짐도 기쁘다. 이 모두 하늘이 기뻐하실 일이 아닌가?」

그런데 그때 내성의 장으로서 업무를 관장하던 삼호공이 따지고 나섰다.

「정식 혼인 관계에서 나지 않은 사자(私子)가 전군이 되는 것도 참람한데, 하물며 사자의 아들까지 전군으로 세운다 하십니까? 이는 안으로 혼란을 일으키고 밖으로 비웃음을 살 일이옵니다!」

삼호공은 지소태후의 사자인 세종이 전군의 지위에 오른 데 이어 황제의 자식이 아닌 하종까지 전군으로 봉한다는 것은 있을 수 없는 일이라며 과감하게 꼬집었다. 황제라 하여 신하의 충언을 경시한다면 스스로 난군이 되길 자처하는 것일 테다. 삼호공의 말이 틀리지 않으니 제는 곧 자신의 의견을 수정하여 아쉬우나마 하종을 대나마(大奈麻)로 한 등위 높이는 데 그쳤다. 와중에 손바닥 위에 놓였던 것을 빼앗겨 버린 미실은 그 분노를 참을 수 없어 삼호공을 불러 꾸짖었다.

「아재비는 나 때문에 내질을 관장하는데, 나의 아이를 방해하는 것은 무엇 때문이오?」

이미 사도황후와 함께 내정을 틀어잡기 시작한 미실은 어느 누구도 쉽게 무시하고 외면할 수 없는 존재였다. 우직하고 올곧기가 대나무 같은 삼호공은 웃으며 대답하였다.

「얻을 수 없는 것을 얻는 것은 상서로운 일이 아닙니다. 급히 차면 기울어지고 서서히 이루어지면 완전합니다. 비록 전군의 위에는 오르지 못한다 하나 언젠가 부마(駙馬)가 될 수도 있는 일이 아닙니까? 제도를 넘어서서 뭇사람들의 마음을 거스르면서까지 당장 위를 얻어야 마땅하겠습니까?」

하지만 앵돌아진 미실의 노여움이 쉽게 풀리지 않으니 삼호공은 내직을 사직하기에 이르렀다. 미실은 그 자리에 영실의 아들인 노동을 천거하여 내질을 관장하도록 하였다. 가차 없이 냉정하고 사나운 조처였다.

제는 이러한 사정을 전해 듣고 억지와 미련을 부려서라도 하종을 위하고파 하는 미실의 마음을 읽었다. 일찍 아비와 생이별을 하고 이부형제들과 어울려 자란 하종이지만 그런 처지와 관계없이 천진하고 순수하기에 더욱 미실의 마음을 기울어지게 했으리라. 제는 어떻게든 미실의 마음을 위로하고 싶었다. 그녀가 충만한 기쁨으로 만개한 꽃처럼 활짝 웃는 모습을 보고 싶었다.

미실은 한 번도 보채고 독촉하지 않았다. 하지만 모든 상황의 고삐를 단단히 끌어 잡고 때로 조이고 때로 풀었다. 조르고 채근한다고 사랑을 얻을 수 있는 것이 아니다. 무언가를 얻기 위해 사랑을 도구로 남용해서도 안 된다. 단, 사랑만이 행사할 수 있는 위력을 한시도 잊지 않고 믿어야 한다. 일단 사랑을 움켜쥔 뒤에는 원하는 모든 것들이 수월하게 이루어진다. 사랑은 얻는 것보다 놓치지 않는 것이 더 중요하다.

진흥제는 미실의 강렬한 바람을 충족시켜 주고 싶었다. 그래서 결국 하종을 양아들로 삼아 전군의 위를 주기로 하였다. 하종과 수종을 전군으로 봉하는 예는 수종이 태어난 지 일흔일곱 날 되던 때 행해졌다. 진흥제와 미실전주, 수종과 하종이 함께 수레를 타고 봉례(封禮)가 거행되는 신궁에 이르렀다.

미실은 지극한 기쁨을 이기지 못하여 제의 품 안에 엎드려지며 고하였다.

「하루에 두 전군의 어미가 되었습니다. 천지간에 어느 여인이 저보다 더 행복하겠나이까?」

제는 아름다운 굴곡이 흐르는 미실의 어깨를 어루만지며 말하였다.

「전주가 짐과 더불어 한 몸인데 아들이 어찌 두 전군뿐이겠는가? 태자와 왕자들이 모두 너의 아들이며 왕토의 민인들이 모두 너의 자식이리라.」

진흥제는 예식이 끝난 후 연회를 베풀어 친히 축하하였다. 연회에서 제는 태자를 비롯한 왕자와 전군들로 하여금 미실에게 절하도록 하고, 미실을 어머니라 부르도록 명하였다. 그들 모두 스스럼없이 황제의 명에 따랐으나, 일찍이 미실과 상통한 바 있는 동륜태자는 이 뒤섞여 어지러운 상황을 감당하지 못하여 쩔쩔매었다.

「태자는 어찌 절하지 아니하느냐? 어서 어머니께 예를 바치라!」

제의 명령에 동륜태자는 간신히 한 번 절하였다. 태자의 절을 받은 미실이 자리에서 벌떡 일어나 말했다.

「태자는 그만 멈추십시오!」

동륜의 가슴이 철렁 내려앉았다. 하지만 미실은 여전히 생글거리는 얼굴로 눈 하나 깜짝하지 않고 말했다.

「태자는 다른 왕자나 전군들과는 그 지위와 신분이 엄연히 다른데 어찌 같은 격식을 갖추라 할 수 있겠습니까?」

미실의 말을 들은 진흥제가 과연 그렇다 하며 태자는 일 배(拜)만 바치고 다른 사람들은 사 배를 할 것을 명하였다. 동륜은 딱딱하게 굳은 얼굴로 뒷걸음쳐 물러났다.

연회는 밤이 깊도록 계속되었다. 갖가지 미주 가효(美酒佳肴)가 넘치는 가운데 진흥제는 대취하였고 미실도 취하였다. 제와 미실은 마주 보며 춤을 추듯 서로를 이끌어 장막 너머로 사라졌다. 잔치는 끝났다. 모두가 기쁨으로 산호만세를 외치고 물러나는 가운데, 오직 동륜태자만이 단 술에 쓰게 취한 얼굴로 차마 입 밖으로 외칠 수 없는 만세를 주정질처럼 흥얼거리고 있었다.

미실은 자신이 얻은 만큼 철저히 보상했다. 그날의 침전은 환희불의 세계였다. 그곳이 곧 극락이었다. 금과 은과 유리와 수정으로 이루어진 일곱 겹의 난간과 일곱 겹의 그물과 일곱 겹의 가로수로 둘러싸인 경처였다. 금모래가 깔리고 청정한 물이 가득 찬 연못에는 푸르고 노랗고 붉고 하얀 연꽃이 수레바퀴만큼이나 크게 피어 미묘하고 정결한 향기를 내뿜었고, 음악과 함께 꽃비가 내렸다. 십만억의 꽃이 비처럼 내렸다. 선녀의 유희로 그곳에서 헤매어 놀며, 미실은 자신의 무궁한 독력을 깨달았다. 한때 처참하게 짓밟혀 내쳐져야 했던 바로 그 이유가 지금 그녀가 행사하는 힘의 근원이었다.

몽중설몽(夢中說夢)

　　봄은 붉게 왔다. 천지간에 꽃들이 다투어 피어나 저마다 색과 향을 뿜내고, 꽃밭에서 넘노는 벌 나비 떼의 날갯짓이 어지러웠다. 스물셋의 나이에 다섯 아이의 어미가 된 미실은 여전히 젊고 아름다웠다. 색정은 무르익어 손놀림 몸짓 하나도 예사롭지 않았고 숨기고 가릴 수 없는 활기와 원력이 넘쳤다. 바야흐로 세상의 중심에 곧추서 스스로를 과시하기에 마땅한 생의 절정! 하지만 피어오르는 것이 있으면 반드시 시들어 떨어지는 것이 있기 마련이고, 마냥 모든 것이 나쁘지 않은 것처럼 모든 것이 좋을 수만도 없는 법이었다.

　　미실은 무야(戊夜)의 어스름을 뚫고 말을 몰아 달리고 있었다. 따르는 자 하나 거느리지 않은 호젓한 독주였다. 하지만 그 자유롭고도 방만한 모습이 일면 애잔하고 위태로운 까닭은 마상에서 흔들리는 그녀의 마음속에 가득 차 일렁이는 슬픔 때문이었다.

　　「아아, 나고 살고 죽는 일이 다 무엇이더냐?」

　　그녀는 문득 아렴풋한 잔월(殘月)을 바라보며 중얼거렸다. 이지러져 저무는 달에는 미실이 그토록 의지하고 사랑했던 할머니 옥진의 모습이 스며 있었다.

지소태후가 죽은 지 얼마 지나지 않아 정정하던 옥진이 갑자기 쓰러졌다. 목이 부어 물 한 모금도 제대로 넘기지 못했고 변을 보지 못해 배가 부풀어 올랐다. 미실은 언제나 건정하던 옥진의 곡도에서 돌덩이처럼 딱딱한 변을 손가락으로 후벼 파 꺼내며 미추와 귀천, 그리고 생사의 불명한 경계가 서글퍼 울었다.

존엄한 왕자 석가모니를 슬픔으로 일깨운 것도 바로 늙어 병든 노인이라던가. 옥진의 죽음을 목도한 미실은 생과 사의 이치를 새삼스레 깨닫고 울칩(鬱蟄)하여 한동안 기신하지 못하였다. 진흥제는 안절부절못하고 미실의 흥을 돋울 방도를 찾기에 바빴고 하종을 비롯한 자식들은 매일 문안하여 어미를 위로하려 애썼다. 하지만 미실은 스스로 분별하여 깨치기 전까지는 무엇으로도 동하지 아니하였다. 어둠이 내리면 더욱 가혹하게 그녀를 사로잡는 망실의 슬픔에 잠을 이루지 못한 지 몇 날 밤, 마침내 침상에서 버티다 못해 한혈마를 끌고 몰래 궁을 빠져나온 터였다.

잘 조련되어 생기가 왕성한 애마는 간만에 주인을 싣고 나는 듯 달렸다. 불쑥 솟은 노근 따윈 단숨에 솟치어 넘고 군데군데 고인 웅덩이는 훌쩍 건너뛰었다. 내딛는 걸음마다 거침이 없었고 기세가 충만하고 씩씩하였다.

「너는 죽음 따윈 아예 모르느냐? 오직 살아 있다는 것만 아느냐?」

미실은 고삐를 당겨 서슬이 푸른 젊은 말을 다스리며 친구에게 건네는 양 속달속달 말하였다.

그 짐승은 모른다 하였다. 다만 살아 있는 순간이 아니라면 다른 어떤 시간도 생각해 내지 않는다 하였다. 달리기 위해 살아 있고, 살아 있기 위해 달린다 하였다. 그토록 단순 명료한 짐승의 시간, 미실은 그 간솔한 수성이 사무치게 부러웠다.

그녀가 믿는 것은 삶이다. 살아 있는 육신이다. 살아 있는 육신이 향유할 수 있는 쾌락과 만족이다. 그러하기에 더욱 정체를 알 수 없는 죽음이 두렵고 끔찍했다. 심장의 박동이 멈추는 순간부터 썩어들기 시작하는 육신, 아홉 개의 구멍에서 흘러나오는 미련과 같은 삶의 찌끼, 아름다운 거죽을 배반하고 부글부글 끓어오르는 내장들의 부패를 생각하면 절로 몸이 떨리고 모골이 송연하였다. 그리하여 그토록 사랑했던 할머니임에도 차마 사체를 마주하지 못해 외면하고 뒷걸음쳐야 했다. 미실이 옥진을 배반한 것인가, 어쩌면 옥진이 미실을 배반한 것은 아닌가.

분분한 생각들을 떨쳐 버리려 미실은 더욱 거칠게 말을 몰았다. 어느덧 동쪽 하늘이 훤하게 밝아 오며 동이 트고 있었다. 미실도 지쳤고 말도 지쳤다. 나른하게 늘어질 만큼 기운이 빠져 가라앉으니 오히려 기분이 나아지는 듯싶었다. 이대로 까부라져 깊게 잠들었다 깨어나면, 어린 날의 그때처럼 아름다운 옥진이 서늘한 손길로 미실의 이마를 짚으며 무슨 백일몽에 이리도 오래 시달리느냐고 위로해 줄 것만 같았다.

미실은 문득 타는 듯한 갈증을 느끼며 주위를 두리번거렸다. 말달리기에 몰두하다 보니 평소의 궤도를 벗어나 낯선 동네에까지 다다른지라 아무래도 옹달샘이나 우물을 찾을 수 없었다. 말도 미실과 마찬가지로 목이 마른지 혀를 길게 빼물고 고개를 홰홰 휘둘렀다. 그때 마침 미실의 눈에 초막 한 채가 들어왔다. 울타리도 없이 들풀로 지붕을 가린 초라한 막집이었다. 그래도 그곳에 사람이 기거한다면 마실 물 한 모금쯤은 얻을 수 있을 것이다. 미실은 무거운 발걸음을 재촉하여 말을 끌었다.

사람이 살아가는 데에는 무수히 많은 것이 필요하다. 수다한 소용에 의해 생겨나는 숱한 기물들이 세간을 번잡하고도 살뜰하게 한다. 하지만 사람이 살아가는 데 정작 필요한 것은 생각보다 그리 많지 않을는지도 모른다. 미실은 소소한 가재도구 하나 제대로 갖춰져 있지 않은 황량한 초막을 둘러보며 혹 살던 사람들이 버리고 떠난 폐가가 아닌지 의심하였다. 하지만 나무 식기 속의 먹다 남은 음식 찌꺼기가 아직 말라붙지 않은 것을 보면 누군가 살고 있는 것만은 분명하였다. 미실은 의아함을 느끼며 그리 넓지도 않은 집 안을 두리번거렸다.

어느덧 새벽빛이 훤히 비치어 주위가 밝아졌다. 하루가 무섭게 창창하게 무르익는 다사로운 봄볕이었다. 그 속에 한 사내가 있었다. 사내의 몰골은 참으로 흉악하고 괴이하여, 사람인지 민가에 내려온 굶주린 산짐승인지 헤아리기 어려운 형상이었다. 온몸은 다듬지 않은 털로 무성히 덮였고, 구부러진 등 위에 불쑥 솟은 곱사등이 볼썽 사나웠다. 그런 데다 털투성이의 몸을 겨우 가린 누더기에서는 고약한 지린내가 풍겼고 드러난 허벅지와 종아리는 칡덤불을 헤쳐 걸은 듯 온통 상처가 덧나 짓물러 있었다. 고름이 흐르는 상처 위에는 파리가 왕왕거리며 쉬를 슬고 있었다. 아무리 목이 타들어 간대도 그에게 물 한 사발을 청해 얻어 마실 엄두가 나지 않았다.

웬일인지 미실은 단번에 어마뜨거라 놀라 소스라치며 돌아서지 못했다. 미실이 다가서고 있다는 것조차 눈치 채지 못하는 것을 보니 사내는 꼽추로도 모자라 농아의 장애까지 짊어지고 있음이 분명했다. 험상궂은 외용에도 불구하고 사내를 옥죈 심신의 제약이 너무 크고 무겁기에, 그는 사뭇 버러지 한 마리 제대로 잡아 죽이지 못할 화상으로 느껴졌다. 무력하고 무력하도다! 굴신이 용이치 않은 병신 사내의 어깨에는 비겁과 공포가 한 짐 가득 부려져 있었다.

물론 귀가 먹었기에 제 집에 낯선 누군가가 들어왔다는 것도 모를 터이지만, 신명의 저주를 온몸으로 받은 몰골의 사내는 어떤 무아경에 빠져 인기척마저 느끼지 못하는 듯하였다. 타닥 탁, 탁탁탁! 둔탁하게 울려 퍼지는 정체 모를 소리가 음험하고도 미심쩍기에 미실은 마치 홀린 듯 사내의 등 뒤로 한 걸음씩 가까이 다가갔다.

「어, 어으, 어어……!」

더 이상 추루하고 비참할 수 없는 꼬락서니를 한 사내의 입에서 혀 짜래기의 노래 같은 신음 소리가 새어 나왔다. 필사적으로, 필사적으로 사내는 무언가를 움켜잡고 있었다. 갑저창이 나서 벌겋게 붓고 고름이 흐르는 손으로 그것을 억세게 싸잡고 앞으로 뒤로, 몸을 들썩거리며 왕복하기를 거듭하였다. 사내는 얼마나 몰입해 있었던지 비지땀까지 뚝뚝 쏟았다. 그럼에도 일그러진 그의 얼굴에는 억수장마로 흙탕물이 분탕질한 자리에 검고 보드랍게 가라앉은 명개와도 같은 짧고 안타까운 기쁨이 배어 있었다. 희열인 듯한 고통, 고통과 같은 희열이었다.

햇살은 따스했다. 바람은 비단결처럼 고왔다. 새로 난 천지만물이 숨구멍을 모두 열어 저마다 살아 있음을 목청껏 외치고 있었다. 그 아우성의 한가운데 세상에서 가장 추악하고 미천한 한 사내가 자신의 성기를 훔켜잡고 괴성을 높이고 있었다. 꼽재기 같은 여분의 인생이나마 즐기고 누릴 자격은 가졌노라고, 모두가 무시하고 상대해 주지 않는 미물에게도 들끓는 육신의 욕망은 엄연하다고, 그는 꺽꺽 혼신의 힘을 다해 부르짖고 있었다. 보드라운 연록의 세상 속에 더러운 탁색으로 도드라진 그의 몸, 목소리, 숨결, 그리고 징그럽도록 질긴 생애.

미실의 눈에서는 어느새 한 줄기 눈물이 배어나 흘렀다. 순정한 동정과 연민의 물기가 뺨을 적시고 마음에까지 스몄다. 아무도 그에게 가르쳐 준 적 없는 욕망일 것이다. 어쩌면 박운한 사내는 일생에 단 한 번도 여인과 살을 부대껴 보지 못한 채 숨을 거둬야 할는지도 모른다. 그럼에도 어김없이 꼿꼿이 발기하는 더러운 살덩이, 어여쁜 자지, 슬픈 물건.

미실은 추물 앞에 무릎을 꿇었다. 텅 비어 까마득한 정적이 그녀의 여윈 어깨를 내리눌렀다. 그제야 미실의 존재를 눈치 챈 사내의 눈이 화등잔만 해지며 두려움과 수치심과 원망과 탐심을 한꺼번에 뿜어내었다. 놀랄 것 없다고, 두려워하지 말라고 미실은 말없이 고개를 주억거렸다. 나는 천상의 선녀가 아니라고, 하늘에서 하강하지 않았어도 마땅히 너를 위로할 지상의 여인이라고, 미실은 물기가 넘치는 젖은 눈으로 말하였다.

베어 물듯 덕적덕적 더께가 오른 더러운 사내의 물건을 입에 넣었다. 사내는 충격과 경악을 넘어서 지금 자기에게 어떤 일이 벌어지고 있는지를 깨닫지 못한 듯 어리벙벙하였다. 그러나 곧 사내의 입에서 뜨겁고 향기로운 소리가 터져 나오기 시작했다. 미실은 세상에서 가장 더럽고 못생긴 물건을 빨아 삼키며 시나브로 정화되었다. 해빙기의 가람처럼 그녀의 마음에 출렁이던 의혹과 불안이 녹고, 새로운 생령의 기운이 전신에 번졌다. 팔다리를 길게 뻗으면 그녀에게서도 애채가 툭툭 솟아오를 것만 같았다.

깨끗하고 더럽고 아름답고 추하고 귀하고 천함의 경계라니! 그런 건 아예 없었다. 처음부터 존재하지 않았다. 미실은 발가벗고 숲을 내달리던 유년의 아득한 기억 속으로 무람없이 거슬러 올랐다. 그곳에서 삶과 죽음은 둘이 아니라 하나였다. 죽음은 그저 쪽배를 타고

노 저어 건너면 강 건너 저편에서 아슴푸레 일렁이는 한 점 불빛, 그리운 언덕에 지나지 않았다.

놀랄 것 없다, 두려워하지 마라! 미실은 스스로에게 중얼거렸다. 입 안에 미지근하고 비릿한 즙액이 가득 고였다. 미실은 주저하지 않고 그것을 꿀꺽 삼켰다. 갈증 따윈 까마득히 사라졌다. 목이 타는 듯한 불안과 초조, 공포와 절망 따위는 결코 그녀의 살아 있음을 뒤흔들지 못할 것이다. 반드시, 그러하리라.

*

한 소년이 있었다. 실로 꼬리에 꼬리를 문 불가사의한 인연으로 세상에 난, 더없이 아름다운 모습을 지니고도 제 아름다움을 스스로 믿지 못하는 애처로운 소년이었다.

소년의 아버지는 아비의 성을 알지 못하여 어미의 성을 물려받았다. 그리하여 소년도 아비를 따라 조모의 성을 물려받았다. 소년은 어려서부터 미천한 신분 때문에 또래들의 놀림을 받았다. 소년이 아무리 미려한 풍채에 옥적을 잘 부는 솜씨를 뽐내도 친구들은 놀이에 소년을 끼워 주지 않았다. 소년이 아름다워지면 아름다워질수록, 그에 대한 경멸과 냉대도 커졌다.

소년이 성씨와 미색까지 대물림한 할머니의 기이한 이야기를 들은 것은 멋모르고 마냥 따르던 형이 스스로 굶어 죽은 후였다. 그의 형은 친형이 아니라 했다. 소년의 동모제이면서 아버지의 동생이라 했다. 아버지와 피 한 방울 섞이지 않은 형제의 연으로 얽혀, 끝까지 아버지를 용서하지 않았다 하였다. 소년이 미워할 수도 사랑할 수도 없었던 형, 그가 바로 싱싱하던 동백꽃이 하루아침에 뚝 떨어져 썩어

버리듯 춘사(椿事)로 세상을 등진 사다함이었다.

사다함의 아버지 구리지가 금진낭주와 통하기 전, 그에게 우연히 다가온 한 여인이 있었다. 강가의 얼음이 가만가만 녹아들던 어느 이른 봄날, 낭도들을 이끌고 유오하던 구리지의 눈에 미색의 한 소년이 다가들었다. 소년의 이름은 설성으로, 또래의 아이들이 흔히 그러하듯 화랑을 좋아하여 매일 냇가에 나와 친구들과 화랑의 놀이를 익히곤 하였다. 구리지는 말을 멈추고 손짓으로 그를 불렀다.

「네 생김이 기특하구나. 과연 네가 사는 곳이 어디더냐?」

그러자 소년은 구리지의 말을 끌고 한 작은 민가에 다다랐다. 그때 설성의 어머니는 천복을 입은 채 마당에서 보리를 찧던 중이었다. 봄이 다가온다 하나 아직 바람 끝은 쌀쌀했다. 설성의 어머니는 짚신조차 꿰신지 못한 채 빨갛게 얼어 부르튼 맨발을 손으로 가리며 감히 구리지를 쳐다보지 못하고 쩔쩔매었다. 그 모습이 애틋하고 어여뻐 구리지는 문득 솟구치는 춘정을 억누르기 어려웠다. 구리지가 가까이 다가가 물었다.

「네가 이 아이의 어미더냐? 네 남편은 누구이기에 너처럼 아름다운 여인이 누더기를 입은 채 맨발로 보리를 찧는단 말이냐?」

그러자 여인은 설움이 북받쳐 목이 멘 듯 울며 말을 제대로 잇지 못했다. 그녀의 맑고 깊은 눈에서 떨어진 눈물이 무거운 절굿공이를 적시었다. 여인은 한참 후에야 입을 떼어 대답했다.

「첩은 나이 열여섯 살에 남도의 유화로서 좋은 낭도를 만나 상통하였기에 이 아이를 낳았습니다. 단 한 번의 관계 끝에 그 낭도가 말하기를, 부모에게 물어 결혼해야 하는데 출정하게 되면 삼 년을 기다려야 한다고 하였습니다. 첩은 기꺼이 그러겠다고, 그를 믿고 따르는 마음으로 다짐했습니다. 하지만 삼 년이 지나고 또 몇 해가 지나도 그는 돌아오지 않았습니다……」

여인은 눈물 콧물을 후루룩 삼키며 다시 더듬더듬 말을 이었다.

「할 수 없이 아이에게도 첩의 성을 따르게 하니, 제 선조는 고야촌장(高耶村長) 호진공의 후손이라 '설'이란 성을 물렸습니다. 일이 이 지경에 이르자 부모는 그를 믿을 수 없다고 생각하여 다른 사람에게 시집보내려 하였습니다. 그러나 첩은 따르지 않고 무릇 십사 년 동안 믿음을 지켰습니다. 그러다 의지하던 부모 또한 죽고, 이제 모자가 서로 기대어 살고 있을 뿐입니다.」

구리지는 여인에게 쏟아지기 시작한 마음을 애써 감추며 재차 물었다.

「하나, 너는 아직 나이가 적은데 어찌 다른 사람에게 시집을 가지 않고 스스로 고생을 하는가?」

「서른 살 된 여자가 가면 장차 어디로 가겠습니까? 오직 아이가 자라는 것을 기다릴 뿐입니다.」

여인은 피로로 부르튼 입술을 비집고 새어 나오는 울음을 참으며 서럽게 말을 흘렸다. 그제야 구리지는 목소리를 가다듬어 부드럽게 여인에게 다가서며 말했다.

「너를 보니 천한 옷은 비록 더럽고 누추하지만 얼굴이 수려하며 살결이 부드럽고 해맑으니, 이런 곳에 있을 인물이 아니다. 마치 먼지 더미에 싸여 있는 백옥과 같아서 마땅히 사랑받을 만하니라. 다만 내가 궁금한 것은…… 네가 말한 십사 년 전의 정인은 그 아름다움이 나와 비교하여 어떠하였는가?」

그러자 여인은 펄쩍 뛰며 손사래를 쳤다.

「천하고 추한 첩이 어찌 감히 고귀한 분을 평가할 수 있겠습니까? 또한 좋은 낭도라는 사람 역시 지금 와 돌이켜 보면 제 못난 깜냥

에 맞는 평범한 낭도에 불과하니, 귀인과 비교하여 만분의 일이라
도 되겠습니까?」

겁먹은 듯 들뜬 눈빛이 구리지에게 더욱 아리땁게 느껴졌다. 구리
지가 다시금 목소리를 낮추어 은근히 말을 건넸다.

「그럼, 행여 너는 아직도 첫정을 나눈 낭도를 기다리고 있는 거
냐?」

잔인한 물음에 여인의 낯빛이 먹구름이 몰려드는 하늘처럼 어둡
고 침울해졌다.

「귀하신 분께서 어찌 농담으로 천녀를 희롱하십니까? 아마도……
그 낭도가 살았다면 반드시 돌아왔을 것입니다. 그로 인해 엉킨
운명을 원망하여 어찌 그 눈빛의 진정까지 부인하리까. 아무리 기
다려도 오지 않음은 싸움에 출정하여 죽음을 맞았기 때문일 것입
니다. 첩은 이미 그를 기다리지 않은 지 오래입니다.」

그러자 구리지는 고개를 들어 의미심장한 웃음을 지었다.

「오늘이 곧 너의 길일이다. 지금 네가 찧은 보리로 밥을 지어 올
수 있겠는가?」

「천한 음식이라 받들어 올리기에 부족하지만, 감히 명을 받잡지
않을 수 있겠습니까?」

여인은 기쁜 표정으로 서둘러 빻은 보리를 갈무리하여 상을 차렸
다. 기를 써 정성을 들였으나 거친 밥에 푸성귀 찬이 상에 오른 전부
였다. 하지만 억지를 부리듯 여인의 밥그릇을 상에 함께 올려 겸상
을 한 구리지의 얼굴에는 포만감과 흐뭇한 기색이 감돌고 있었다.

「우리 부인의 음식이 정말 맛있구나!」

구리지는 상을 물리려는 여인의 허리를 감아 채었다. 아이를 낳았
다고는 하나 여전히 버들가지처럼 낭창낭창한 여인의 허리가 구리

지의 팔 안에서 휘어져 감겼다. 여인의 머릿결에선 시금한 땀내와 솔가리가 타는 듯한 매캐한 냄새가 났다. 구리지의 욕정이 불끈 솟구쳤다. 그러나 여인은 한사코 몸을 빼내며 구리지의 달뜬 몸짓을 잡쥐었다. 여인은 다지르는 듯 한 마디 한 마디를 분명히 내뱉었다.

「첩은 몸을 깨끗이 한 지 십사 년이 되었습니다. 마을의 젊은이들이 혼자 사는 여인이라 쉬이 여겨 범하고자 한 일도 많았으나, 첩의 의지와 기개를 굴복시키기 어려워 서로 경계하며 보호하여 준 까닭에 오늘까지 정절을 지켰습니다. 그런데 하루아침에 그것을 그르친다면 마을의 무뢰한 자들이 당연히 다음을 넘볼 것이 불 보듯 훤합니다. 그리되면 자연히 서로를 의지하여 지내던 모자의 관계는 끊어집니다. 귀한 분이 비록 어떤 사람인지 모르지만 감히 사랑하지 않는다는 것은 아닙니다. 다만 처지가 이러하니, 부디 첩과 그 자식을 불쌍히 여겨 용서하여 주시기 바랍니다.」

여인은 감히 명분을 앞세워 자신의 열행(烈行)을 과시하며 거래를 도모하고 있었다. 촌부라고 하나 그 영악스럽고 사특함이 예사롭지 않았다. 하지만 그조차 음심을 품은 사내에겐 매력적으로 느껴질 뿐이었다. 구리지는 은근한 웃음을 지으며 자신의 신분을 밝혔다.

「나로 말하자면 비량공의 아들이다. 내가 너를 첩으로 삼는데 감히 누가 너를 범하겠는가?」

구리지의 말에 여인은 놀라 꿇어앉으며 고개를 들지 못하고 말하였다.

「뜻하지 않게 오늘 이같이 큰 경사가 있습니다. 첩은 감히 여러 말을 하지 않겠습니다. 바라건대 우리 어르신께서 좋을 대로 하시옵소서.」

마침내 여인은 정갈히 목욕을 마치고 구리지의 거칠고 성급한 사

196

랑을 받아들였다. 구리지는 여인과 그 아들 설성을 위해 새로운 집을 짓고 그 동네를 봉(封)하여 주매, 향인들이 영광스럽게 여겨 동네의 이름을 '대행(大幸)'이라 부르게 되었다.

그 어머니가 사랑을 받아 첩이 되자 설성은 구리지를 따르는 신하의 지위를 얻었다. 구리지는 도량이 크고 사사로운 일에 거리낌이 없는 사람이었다. 그는 설성의 출신이 한미한 것을 염려하여 급간 설우휘의 가문에 소속시켜 벼슬길을 열어 주었다. 설성은 불가능하게만 여겼던 자신의 꿈을 이루게 된 데 감격하여 구리지에게 입속의 혀처럼 굴기를 마다하지 않았다. 구리지가 금진낭주와 통하게 되자 설성은 그 사이에서 안팎심부름을 가리지 않고 했을 뿐 아니라 금진 낭주에게도 정성을 다 바쳤다.

그러나 운명은 설성 모자와 구리지, 그리고 금진을 사납게 얽어 놓았다. 구리지는 모습이 아름답고 교태를 잘 지어 보이는 설성을 자신의 용양신으로 삼기에 이르렀는데, 구리지가 독산성 전투에 출정하여 자리를 비우자 금진이 그를 사랑하여 몰래 통하게 된 것이었다. 구리지가 전쟁터에서 죽자, 금진은 곧 설성과 부부처럼 더불어 살았다.

그리하여 소년이 세상에 났다. 할머니는 구리지와 통하여 서자 셋을 낳았고, 아버지는 구리지의 아내와 통하여 소년을 낳았다. 사다함은 소년의 형이자 삼촌이었다. 소년의 이름은 설원, 애초부터 은밀한 잠통의 관계에서 태어나 자존의 의지를 품지 못한 채 자라난, 아름다워 더욱 서러운 목숨이었다.

풍월주인 세종전군이 출정하여 자리를 비우자 화랑도의 낭정을 운영하는 일은 부제인 설원랑의 몫이 되었다. 사다함이 죽은 지 몇 해가 지났으나 여전히 그를 흠모하고 동경하는 기풍이 남아 있었기에 설원은 사다함의 아우라는 이유로 부제에까지 오른 것이었다. 하지만 죽은 자의 후광이란 부화(浮華)하기 그지없었다. 굳이 사양하는 설원을 부제의 자리에 앉히고도, 낭도들은 본디 설원의 출신이 한미하다는 이유로 도무지 받들어 모실 생각을 하지 않았다. 그도 모자라 명문가 출신의 몇몇은 아예 노골적으로 설원의 영(令)에 반대하며 뒷공론을 일삼기도 하였다.

그리하여 설원랑의 얼굴에는 늘 깊은 수심이 드리워져 있었다. 자기가 딛고 선 자리, 자기가 가진 것들이 정녕 자기 것이 아니었기에 그는 불안을 떨치지 못했다. 침불안식불안에 사로자기 일쑤인지라 그의 몸은 껑충한 키에 비해 강말라 구부슴했고, 도전하는 자들을 매섭게 건너보며 제압하는 일조차 하지 못하였다. 그나마 생전에 사다함이 바람막이가 되어 주어 수줍고 내성적인 소년으로 형의 그늘에 숨어 지내기에 족했는데, 사다함이 죽고 나자 오갈 데 없는 천덕꾸러기로 마땅히 처신하지 못한 채 음울한 군더더기처럼 지내게 된 것이었다.

미실은 내정을 돌보게 된 이후 자연스럽게 화랑도의 낭정에 관심을 갖게 되었다. 어렸을 때부터 화랑도를 흠모하기도 했지만, 사다함에게 풍월주를 물려받은 세종을 변방으로 쫓아 보냈기에 일말의 책임감을 느끼고 있었다. 하지만 미실이 얼마간 지켜본 바로 설원랑을 중심으로 낭정이 돌아가는 꼴이 영 괴이쩍고 수상하기 이를 데 없었다. 부제의 영이 하부까지 제대로 전달되지 않았고, 노골적으로 미실에게 부제의 무재무능을 간하는 자마저 있었다.

미실에게도 설원의 존재가 마냥 편편하지는 않았다. 그는 잔뜩 기가 질려 빙충맞은 모습으로 슬슬 피해 기어들기 일쑤였기에, 화랑의 행사나 이러저러한 의례에서 제대로 미실과 맞면한 일조차 없었다. 미실은 은근히 불쾌하고 성질이 돋쳤다. 사다함과 같은 어미의 배에서 태어난 형제라더니 어찌 하는 짓은 그 형의 절반에도 미치지 못하는가. 미실은 마지막으로 화랑의 연회에 참석하여 그 깜냥을 직접 저울질하고 처분을 내리기로 마음먹었다.

내막을 모르는 설원랑은 불현듯 연회의 자리에서 미실을 맞이하고 어찌할 바를 몰라 쩔쩔매었다. 왕경과 왕토를, 아니 삼한을 통틀어 최고의 미색, 당대의 영웅과 호걸을 단숨에 사랑으로 장악하여 전주에까지 오른 여인, 기개와 야망이 남아를 넘어서고 그 문장의 솜씨며 예술의 기량까지도 뭇 사내의 뺨을 치는 여랑……. 사람들이 그녀에 대해 말할 때에는 폐월수화(閉月羞花)니 침어낙안(沈魚落雁)이니 하는 미인을 묘사하는 세상의 온갖 비유가 동원되곤 하였다. 미실에 대한 소문이 하도 왜자하고 대단하기에 설원은 이미 명성만으로 그녀에게 잔뜩 기가 죽은 터였다.

「우주 청원의 기에 근거를 둔 선도들의 유희가 어찌 이다지도 흥과 멋에 들뜨지 아니한가? 피리와 거문고를 울려 마법을 꾀하고 구순하고 기쁘게 즐겨야 마땅하리라. 누가 먼저 나서서 정취를 돋우겠는가? 솜씨 있는 자에게 상을 내리리라!」

맑고 영롱한 눈으로 좌중을 둘러보던 미실의 시선이 문득 설원랑과 마주쳤다. 설원은 버릇처럼 그를 맞받아 내지 못하고 눈을 내리깔았다. 하지만 그 순간 날카로운 고드름 창이 심장을 관통한 듯 얼얼한 느낌이 설원의 몸을 휩쌌다. 폐부까지 꿰뚫어 보는 투명하고도 냉정한 눈길. 무섭고 아름다웠다.

「부제 설원랑이 먼저 해보라! 상부가 본을 보이지 않고서야 어찌 낭도들이 스스로 다투어 나서겠는가?」

미실은 빙글빙글 웃고 있었다. 그 미소는 우롱하는 듯 기대하는 듯 미묘하였다. 노래와 춤 솜씨라면 화랑 중에 설원이 단연 으뜸이었다. 다만 타고난 재주와 기질마저 비웃고 폄하하는 무리 때문에 설원 스스로 그것을 펼쳐 보이길 저어하는 것뿐이었다.

「무엇 하느냐? 전주의 영이 들리지 않느냐?」

미실의 호령이 머뭇거리는 설원의 등을 밀었다. 신령과 감응하는 피리와 거문고 가락이 영묘하게 울려 퍼지기 시작했다.

잔을 들어
사랑으로 고인 잔을
식기 전에 이 잔을 들어
피는 뛰어
피는 살아
어젊은 피는 붉어 붉어

님하 아손 님
늘 보아도 아손 님
고이려 고이려 무엇으로 고이려

지고저 나는
애달픈 꽃이여
시들기 전에 져버리고저…….

미실은 그만 입으로 가져가던 주배를 놓쳤다. 금빛 술잔은 맥을 잃은 미실의 손끝에서 벗어나 주안 아래로 떨어져 굴러 숨었다. 시녀가 허겁지겁 건포로 미실의 젖은 치마를 훔쳤다. 하지만 이미 치렁한 치마의 주름 사이로 붉고 향기로운 술기가 알알하고 축축하게 스며들고 있었다.

「네가 그 노래의 연원을 알고 부른 거냐?」

연회가 파하고 미실은 설원랑을 따로 불러 세웠다. 오만하고 당당한 모습이야 여전했으나 카랑한 미실의 목소리는 떨리고 있었다. 설원은 전주가 보인 뜻밖의 반응에 그녀보다 더 놀라 떨고 있었다. 주위에 변변한 벗조차 없는 어리고 얼뜬 그로서야 저자에 짝자그르하게 퍼졌던 사다함과 미실의 염문을 알 리가 없었다.

「죽은 저의 형 사다함이 가사를 짓고 무관랑이 곡을 붙인 노래인 줄로 압니다. 생시에 그들이 서로 어울려 부르기를 즐겼기에, 연전에 빛나는 비운에 직면하매 낭도들이 모두 부모 형제를 잃은 듯 울며 합창했나이다.」

「빛나는 비운? 그래, 그리 말할 수도 있겠지…….」

미실의 눈이 어룽어룽 흐려졌다. 시간이 지나도 가끔씩 이렇게 습격을 당한다. 끊어 내친 것이 아니라 잠시 참아 잊은 것인지도 모른다. 모든 중독의 속성처럼, 사랑은 사라지는 대신 피톨 속에 잠복할 뿐이다.

「네 형을 어떻게 기억하는가?」

미실은 사뭇 누그러진 목소리로 물었다. 설원은 여전히 고개를 들지 못하고 대답하였다.

「아름다운 사내였습니다. 다시 나기 어려운 단아하고 수려한 화랑이었습니다. 하지만 그 이전에 저에게 너무도 다정하고 친절한 형이었지요. 못난 저에게 감당하기 버거운 사랑을 쏟아 주었지요…….」

이승에 없는 한 사람을 추억하는 두 사람의 눈에 같은 빛이 서렸다. 미실이 그제야 가만히 뜯어보니 설원은 적잖이 사다함을 닮아 있었다. 사다함만큼의 귀격을 갖추지는 못했지만 서늘한 콧날과 거짓을 모르는 양순한 눈매가 꼭 생전의 그와 같았다. 누군가 흉곽을 헤집어 미실의 염통을 꽉 움켜잡는 것만 같았다. 미실은 아련한 통증을 느꼈다.

「네 형이 못다 베풀고 간 정의를 내가 대신하리라. 그렇게 근심하며 두려워할 것 없다. 내가 원하여 하는 일이다.」

미실은 담뿍 감상에 젖어 설원을 끌어안았다. 친밀감과 연민으로부터 비롯된 그것은 순식간에 애욕으로 화하였다. 아무리 사랑의 잔을 넘치도록 들이켜도 좀처럼 목마름을 채울 수 없는 여인, 오래도록 애정의 결핍으로 마음을 앓아 온 우울하고 삭막한 사내는 서로 얼크러지는 순간 벼락이 내린 봄 뫼처럼 사납게 타올랐다.

미실이 그를 사내로 만들었다. 미실의 사랑은 설원의 성정에 드리워진 의혹과 불안의 닻돌을 끌어 올려 청정한 밑바닥을 드러나게 했다. 설원은 더 이상 어깨를 구부리고 발끝을 보며 걷지 않았다. 당당하게 가슴을 펴고 눈을 치켜뜨는 순간 세상의 높이와 넓이가 달라졌다. 설원은 미실의 아름다운 대지를 누비며 자신의 남성이 얼마나 강건하고 가절(佳絶)한지를 깨달았다. 설원의 키와 무게가 날로 더해졌다. 멈추었던 성장이 비로소 시작되는 것만 같았다.

미실은 그를 음악가로 만들었다. 자긍심을 되찾고 현세를 기꺼이 누리게 된 설원에게선 쉼 없이 음악과 춤이 흘러나왔다. 그가 만든 〈사내기물악〉은 화랑도뿐만 아니라 왕경의 사람들에게 인기 있는 유행가가 되었다.

미실은 그에게 힘을 다루고 사람을 부리는 방법도 가르쳤다. 미실은 악의적인 시비 분별을 종식시키고 설원랑에게 낭도들을 예속시키니, 그녀가 얼마나 진흥제의 총애를 받고 있는지 아는 자라면 감히 여러 말을 하지 못하였다. 설원은 어렵고 힘든 일이 생길 때마다 미실에게 격의 없이 하소연했다. 그러면 미실은 다정하고 달콤한 목소리로 '너의 낭도들을 내가 잘 타일러 보겠다' 하고 속삭였다. 미실이 시시때때로 진귀한 하사품을 보내 주니, 설원은 이 보배롭고 귀중한 것들을 운용하여 낭도 몇을 얻어 심복으로 삼았다.

미실의 사랑은 결코 공평무사하고 공명정대하지 않았다. 그녀는 편파적이고 노골적으로 자신의 사랑을 과시했다. 자신에게 복종하는 자에게는 모든 것을 아낌없이 베풀었다. 자기에게 반대하는 시비 주비에게는 가차 없이 보복하였다. 정적이 생기고 비난을 받는 일을 개의치 않았다. 박애란 위선이거나 몽매에 불과했다. 그녀가 아니더라도 이미 세상은 불공평했다. 나고 살고 죽는 모든 일에서 그러했다. 어쩌면 천지를 주관하는 신명까지도 아름답고 추하고 행복하고 불행한 일에 지극히 편벽되이 권력을 행사하기 마련이었다.

미실은 섣불리 반성하지 않을 작정이었다. 후회조차 그녀에겐 치욕으로 느껴졌다. 오직 자신의 마음이 흐르는 대로, 몸이 움직이는 대로 삶의 쪽배를 저어 가리라. 그것만이 그녀가 자신의 삶을 긍정하는 유일한 방식이었다.

*

미실을 통해 처음으로 관능에 눈뜬 설원은 솟구치는 격정을 누르지 못할 지경에 이르렀다. 미실 역시 새로 취한 어린 정부에 흠뻑 빠져 날로 음행의 도가 더해졌다.

미실은 거침이 없었다. 뜨겁게 넘쳐흐르는 열정과 욕망을 굳이 숨기려 들지 않았다. 그녀는 위험을 모르기에 더욱 위험했다. 한 송이 꽃을 꺾기 위해 스스로를 휘몰아 가파른 벼랑까지도 마땅히 달려가고자 하였다. 살얼음이 낀 강 위를 달음질치는 일도 마다하지 않았다. 그녀의 몸 곳곳에서는 불쑥불쑥 붉은 꽃이 돋았다. 시절을 모르고 피는 꽃처럼 서름한 그것은 부끄러움도 모르고 시뻘건 입을 벌리며 만개하였다. 그녀의 욕정은 도가니 속의 쇳물처럼 들끓었고, 그것이 식지 않는 한 그녀의 삶도 어디까지나 끝이 아니었다.

오라비와 놀아난 노나라의 왕후 문강, 시아버지의 여자가 되어 남편을 죽인 제나라 여인 선강, 남편의 방관 속에 세 명의 정부와 난음을 벌인 정나라 공녀 하희가 부럽지도 두렵지도 않았다. 그 희대의 요희이며 악희인 간음녀들이 누구보다 당당하게 그려진 〈국풍(國風)〉의 시들을 보라. 시는 오직 시대의 눈으로 인간 세상을 들여다본다. 절창으로 읊어진 음험한 시들이야말로 숨길 수 없는 자연의 소리였다. 여인들의 사지를 찢어 죽인다고 본성이 멸하랴, 거부할 수 없는 아름다움의 모가지를 잡아 베랴.

하지만 아무리 부정한다 하여도 엄연히 존재하는 경계들, 아슬아슬한 현실의 강박과 동요는 여전히 그녀를 사로잡은 채 놓아주지 않았다. 믿기 어려웠다. 알 수 없는 미래, 운명, 사랑. 지금 가지고 있는 것들이 많아지면 많아질수록 언젠가 잃어버리고야 말리라는 불안이 싹텄다. 지상 최고의 부귀와 영화를 구가할 수 있는 힘이 되기도 하지만, 군주의 사랑이란 또한 얼마나 부질없는가.

중국의 한비자는 우화를 통해 말하였다.

미자하는 뛰어난 미소년으로 위나라 영공의 사랑을 받았다. 한창 정이 무르익던 때에, 미자하는 복숭아를 먹다가 그 맛과 향이 하도 좋아 한 입 깨문 복숭아를 그대로 영공에게 건넸다. 주위 사람들은 이 방자한 태도에 소스라치게 놀랐다. 하지만 영공은 미자하의 잇바디가 새겨진 복숭아를 치켜들며 감격하여 말하였다.

「오홉다, 이렇게 맛있는 복숭아를 혼자 먹지 않고 나를 주다니 참으로 충성스러운 마음이로다!」

눈먼 사랑이 방자무기한 행동마저 충정으로 느끼게 한 것이었다. 또 하루는 미자하가 성 밖에 사는 어머니가 위독하다는 전갈을 받고 밤늦게 병문안을 가게 되었는데, 경황 중에 영공에게 허락받는 일을 잊고 마음대로 마차를 몰고 나가게 되었다. 왕의 말을 다치게 하면 사람의 목숨이 달아나던 시절이었다. 하지만 영공은 이마저도 좋게만 해석하고 평가하였다.

「함부로 군주의 수레를 타면 족참에 처해짐을 알면서도, 병든 어머니를 위문하기 위해 깊은 밤을 달려간 미자하의 효심은 과연 알아줄 만한 것이로다.」

영공은 만나는 사람마다 붙잡고 미자하의 충성심과 효심을 자랑하기에 바빴다. 그러나 시간은 어김없이 흘러 미자하의 곱던 얼굴에도 주름이 접히고 잡티가 돋았다. 스러져 가는 미모만큼이나 영공의 사랑도 빠르게 식어 갔다. 어느 날인가 궁원의 뜰을 거닐던 영공의 시야에 비척거리며 지나는 미자하의 모습이 들어왔다. 불쑥 역정이 솟구치어 영공은 소리를 질렀다.

「허어, 어찌하여 저놈이 아직도 내 눈앞에 얼쩡대는가? 저놈은 군주인 나에게 먼저 올리지 않고 제가 먹다 남은 복숭아를 준 불충하기가 둘도 없는 놈이로다. 어디 그뿐이랴? 언젠가는 제 어미가 병이 들었는데 감히 군주의 수레를 멋대로 타고 나간 시건방지기가 천산의 원숭이 같은 놈이다. 내 이런 놈을 벌주지 않고 누구를 벌주겠는가?」

영공은 제 분에 겨워 불뚝거리다 마침내 미자하에게 지난 죄를 물어 중벌을 내렸다. 옛사람들은 그리하여 황제의 사랑이란 봄의 햇빛과도 같다고 하였다. 한때 세상을 덮어 찬란하게 빛나되 곧 스러지고야 마는 부질없는 계절의 온기.

미실이 심복의 사삿집을 통하여 광대버섯을 얻어 들인 것은 그 무렵이었다. 천축의 사람들이 그토록 찬양해 마지않는 불멸의 음료 소마(蘇摩)는 바로 이 광대버섯을 우려낸 물이었다. 그들에게 소마는 중국의 전설적인 불로초인 영지와 같은 효능으로 여겨졌다. 하지만 미실은 그것을 불사의 묘약으로서가 아니라 신비한 환각제로 취하였다. 하얀 반점이 박힌 붉은 갓을 들쓴 광대버섯을 달여 마시면 볼수 없고 만질 수 없는 것들이 비로소 보이고 느껴졌다.

영원한 것들, 사라지지 않는 것들, 유한한 세상에 오직 무한한 것들, 허상이라지만 취할수록 탐나는 것들.

미실은 그것을 들이켰다. 입 안 가득 머금어 어린 정부의 입술에 흘려 넣었다. 설원도 기꺼이 받아 마셨다. 두려움, 노여움, 기쁨, 한기, 열기, 놀람, 그리움, 피로감, 슬픔⋯⋯. 통통하게 살찐 흡혈충처럼 발끝에서부터 기어오른 구기(九氣)가 온몸을 헤집고 정수리까지 치뻗었다. 곧이어 일말의 두려움조차 사라지는 대신, 대해를 헤매는 듯 운산을 오르는 듯 막막하고도 아득한 쾌감이 엄습했다. 서럽고도 흔연하였다.

아름다움을 동경하고 열정을 희구하고 영구한 삶을 바라는 욕망만 있는 것은 아니다. 그만큼이나 아름다움을 파괴하고 나태와 부랑에 빠져들고 스스로 소멸하고자 하는 충동이 있다. 발끝이 아슬아슬한 낭떠러지에 서서, 검푸르게 출렁이는 물 앞에 직면하여 사람의 정신이 아찔해지고 가슴이 뛰는 것은 살고자 하는 욕망과 죽음의 충동이 바로 마주 보기 때문이다. 빛이 눈부실수록 더욱 짙어지는 암흑.

그 어두운 자멸의 광기에 담뿍 취하여, 미실은 더운 몸을 가린 옷가지를 훌훌 벗어 던졌다. 다섯 생명을 품어 배불리 먹인 도도록한 아랫배와 뽀얀 젖가슴이 거리낌 없이 드러났다. 설원은 마른침을 꿀꺽 삼켰다. 미실의 젖은 입술이 그의 희디흰 목덜미에 닿았다. 아직 소년의 미태를 간직한 말끔하고 청량한 목이었다. 하지만 붉은 얼굴 너머 그의 아랫도리는 이미 우람한 청년의 위용을 자랑하고 있었다. 미실은 목젖이 드러나도록 웃어 젖히며 흐물흐물 풀어진 목소리로 말했다.

「나의 봉추여! 가까이 오라! 내가 너에게 환희불의 극락을 보여 주겠다!」

미실은 다짜고짜 설원을 덮쳐눌렀다. 설원은 침상에 부딪힌 뒤통수가 아픈지조차 느끼지 못한 채 그녀의 몸 아래 깔렸다. 미실의 살진 허벅지에 갇히어 설원은 꼼짝달싹하지 못하는 꼴이 되었다. 미실은 흡사 말을 달리듯 빳빳하게 몸을 곤두세운 채 설원을 집어삼키었다.

새 누대는 높디높고
황하의 물 출렁출렁
고운 님 바랐는데
이런 꼽추 얻었다네.

고기 그물 쳐 놓았는데
기러기가 걸리었네

고운 님 바랐는데

이런 거저 얻었다네.

미실은 사납게 몸을 밀며 선강의 노래를 흥얼거렸다. 본디 거저(籧
篨)란 새의 가슴, 비둘기나 닭의 가슴, 거북의 가슴을 가리키니, 풍만
하게 출렁이는 미실의 유방이 바로 그것이라 할 만했다. 꼴사나운 꼽
추 모양의 동작이고 체위면 또 어떠한가. 상궤를 벗어난 도착의 시도
야말로 새롭고 신선한 성애의 최고이자 최선이었다. 미실의 머리가,
가슴이, 몸이 점차 뜨거워졌다. 그녀는 짐승처럼 마구 울부짖으며 평
원의 끝을 향해 달음질쳤다.

그때 문득 미생이 누이에게 사삿일을 청탁하러 왔다가 그 음탕하
고 난잡한 장면을 목도하고 말았다. 미생은 본디 호색한 성품을 가
진 데다 누이의 일이라면 마구발방하여 나서기를 꺼리지 않았다. 바
야흐로 놀라운 정치(情癡)의 상황에 직면하매, 미생은 처신할 바를
몰라 당황하였다. 그만 뒤돌아 자리를 피함이 마땅하겠으나, 어느덧
미생에게도 파괴적인 욕정이, 위험한 충동이 풀쑥 솟구치었다.

미생은 이미 자기를 잃어버리고 오로지 한 마리 암컷과 수컷으로
뒤엉킨 그들에게서 묘약을 건네받아 들이켰다. 한 방울도 새어 흐르
지 않았다. 그들의 피 속에 동연히 흐르는 음란하고 요염한 형질이
옳고 그름과 굽고 곧음의 분별을 무너뜨렸다. 참으로 무서운 밤이었
다. 하늘의 벌을 두려워할 줄 모르는 짐승들의 시간이었다. 그들은
서로의 운명 속으로 얼키설키 뒤엉키었다.

그들은 동시에 죽었다가 함께 다시 살아나길 반복하였다. 미실은
고조된 쾌감에 자기를 내던진 채 백치처럼 흐린 눈을 슴벅거렸다.
멀리서 별들이 지난 생의 기억인 양 희미하게 빛나고 있었다.

그들이 지은 증음(烝淫)*의 죄가 너무도 크고 위중하기에, 종내 들끓는 흥분의 도가니에서 벗어난 그들은 오싹한 한기와 함께 전율을 느꼈다. 아직 어린 사내들은 지벌(罰)*의 예감에 떨며 몸 둘 바를 몰라 하였다. 신명의 편폐(偏嬖)를 믿어 의심치 않는 미실만이 하늘이 아니라 오직 사람을 두려워할 뿐이었다.

「옛사람들이 말하길, 방 안의 말은 담장의 찔레와 같다 하였다. 담장의 찔레처럼 쓸어버릴 수도 없고 치워 버릴 수도 없으며 묶어 버릴 수도 없으니, 그것을 굳이 밝히려고 하지 말 것이며 떠들썩하게 읽어 내려고 해서는 곤란하다는 뜻이다. 왜 그러한가? 말로 옮겨지기가 무섭게 더러운 욕이 되어 버리기 때문이다.」

미실은 설원과 미생에게 입단속을 단단히 할 것을 주문했다.

「공자의 시집에는 이렇게 적혀 있느니라. '침실에서 한 말을 밖으로 하면 안 되지. 그것이 설령 말해도 되는 내용일지라도, 반드시 말은 추해진다네……' 인간의 말은 곱새기기 쉽다. 입 밖에 내어 길게 말할수록 애초의 속성과는 더욱 멀어질 뿐이다.」

미실 역시 그 담장에 걸친 가시 달린 찔레나무가 무섭고 꺼림칙하기는 마찬가지였다. 하지만 이미 그녀의 심중에는 위기를 기회로 만들 절묘한 계책이 착착 진행 중이었다. 한 걸음 물러서느냐, 한 걸음 앞서 내디디느냐의 차이일 뿐이다. 미실은 중국의 병법가 손(孫)의 방책을 되새겼다. 이길 수 없는 자는 지키고, 이길 수 있는 자는 공격한다……. 그녀는 오로지 스스로의 힘으로 이기고자 하였다.

미실은 이제 완전히 한 배를 탄 공범이 된 설원과 미생에게 말하였다.

---

*증음: 손아래 남자와 손위 여자가 간통함.
*지벌: 신(神)에게 거슬리는 일을 저질러 당하는 벌.

「내가 너희들과 사사로운 관계를 가졌는데, 만약 낭도들이 이를 눈치 채고 우러러보지 않는다면 세상의 여론 역시 거둘 수 없을 것이다.」

「그, 그러면 어찌하오리까?」

설원이 불안한 눈빛으로 애걸하듯 미실을 바라보았다.

「좋은 방도가 없겠습니까? 누이의 의견이라면 목숨을 내놓고 따르오리다.」

상간의 죄를 지었다는 자책감에 얼마간 풀이 죽은 미생은 다급한 기색으로 재촉하였다.

「방도가 없지는 않지.」

「어떤 방법입니까?」

「내가 직접 화랑도의 낭정을 운영하는 것이다. 내가 원화가 되어 화랑도를 다스린다면 누구도 감히 권위에 도전하고 저항하지 못하리라. 너희들은 마땅히 나를 원화로 받들어야 하지 않겠느냐?」

미실의 기발한 구상에 설원과 미생은 손뼉을 마주치며 기뻐하였다. 과연 그녀의 뜻대로 된다면 아무도 그들의 뒤를 캐어 구설을 하지 못할 것이었다. 약점을 들키지 않을 최선의 방법은 더욱 강해지는 것뿐이다.

그때부터 설원과 미생의 행보가 바빠졌다. 설원은 심복으로 삼은 자들을 들쑤셔 원화를 소생시키자는 중망(衆望)을 일으켰고, 입이 빠르고 행동이 잰 미생 역시 그 과정에서 바람잡이로 한몫했다. 어느 정도 긍정적인 기운이 무르익었다는 판단이 서자, 설원은 곧 화랑도를 대표하여 진흥제에게 원화제도의 부활을 정식으로 제안하였다.

미실이 설원과 미생까지 더불어 정을 통했다는 사실을 알 리 없는 진흥제는 이 갑작스러운 청원에 적이 당황하였다. 남모와 준정의 난리로 원화제도를 폐한 지 어언 스물아홉 해, 풍월도의 기풍이 이제 막 자리를 잡아 가는데 갑자기 온고지정(溫故之情)을 발휘하고 나서는 화랑들이 아무래도 의심쩍었던 것이다.

미실은 분위기가 농익을 때까지 슬쩍 몸을 빼어 물러나 앉았다가, 진흥제가 거듭된 청원에 망설이는 기색을 보이자 일의 고삐를 바투 잡았다. 미실은 간곡하고도 온건하게 황제를 설득했다.

「폐하의 과분한 은혜를 받고 있는 소첩이 무슨 욕심을 더 부리겠습니까? 다만 어질고 훌륭한 옛 선제들은 첩을 원화로 삼아 나라에 아름다운 풍속을 퍼뜨리고자 하였고, 이에 총첩(寵妾)을 낭도로 하여금 받들게 하여 함께 남도에서 조알*을 받았습니다. 소첩은 이미 폐하의 지극한 총애 속에 향기로운 나날을 보내고 있지만, 아직 따르는 무리를 갖지 못하여 그 가향이 지밀을 넘어 퍼져 나가지 못하나이다. 외람되오나 소첩에게 원화의 소임을 맡겨 주신다면 열과 성을 다하여 성은이 백화난만한 신국을 꾸며 보겠나이다.」

「네 뜻이야 갸륵하다만, 화랑도에겐 엄연히 풍월주가 있지 않더냐?」

「물론 세종이 풍월주로서 낭도들을 거느리고 지방에 있지만, 그는 첩이 원화로서 화랑도의 낭정을 맡아보리라 이르면 흔쾌히 찬동할 줄로 아옵니다. 만약 세종에게 변고라도 있다면 첩이 스스로 원화가 되어 그 낭도를 모두 거느리는 것이 마땅한 도리일 터, 그이 역시 반대하고 나설 리 없다고 사료되옵니다.」

「과연 그러한가? 전주의 마음이 이미 기울었고 풍월주의 처지 또한 그러하다면 짐이 기쁘게 여기지 못할 바 없으리라.」

---

*조알 : 왕을 알현하는 예식.

진흥제는 미실의 재치 있고 교묘한 설득에 넘어가 세종에게 알려 풍월주의 지위에서 물러나게 하고 미실을 받들어 원화로 삼았다. 이에 설원과 미생은 봉사랑(奉事郎)이 되어 황제의 명으로 낭도의 많은 무리를 통솔하게 되었고, 금진은 화모(花母)가 되었다. 본디 화랑의 법으로는 풍월주 부인이 화주가 되는 것이 원칙이었으나 미실이 원화의 자리에 올랐으므로 설원의 어머니인 금진을 화모로 삼은 것이었다.

마침내 미실이 원화의 위에 오르던 날, 진흥제와 미실은 함께 곤룡포와 면류관을 갖추어 입고 나와 남도에서 조알을 받고 큰 잔치를 베풀었다. 이때에 이르러 신미년에 개국으로 바꾸었던 연호를 대창(大昌)으로 고치니, 부활한 원화와 함께 왕국이 크게 강성하길 바라는 뜻이었다.

이날의 잔치는 그야말로 만냥판이었다. 낭도와 유화들은 새벽까지 왕경 곳곳을 돌아다니며 노래하고, 서로 예를 갖추지 않고도 탐탐히 화합하였다. 성안의 여인들이 미색을 겨루는 회합이 열려 만중이 성중의 미녀로 뽑혔는데, 그녀의 미모를 찬양하며 뿌려진 꽃이 허리춤에 닿을 지경이었다. 만개한 꽃처럼 심지를 돋운 등불이 천지를 환하게 밝혔다. 아름다움으로 더욱 번성할 신국을 축원하는 민인들의 환성은 사해의 물을 끓어오르게 할 정도였다.

진흥제와 미실원화는 대궁의 난간에 기대어 낭도들의 행렬을 구경하며 손을 흔들었다. 낭도들은 각각 한 명의 유화와 짝을 지어 손뼉을 치고 춤추며 지나갔는데, 그때마다 성안 가득 만세 소리가 진동하였다. 진흥제는 그 기쁨과 즐거움에 흠뻑 취해 소리쳤다.

「도솔천이 어디더냐? 화락천이 바로 여기구나! 무엇 하느냐? 저 아름다운 청춘들에게 상을 내리지 않으면서 어떤 공로의 대소를 따지며 논공행상을 말하겠는가. 어서 채전을 대령하라!」

진흥제는 미실과 함께 무리를 향해 색색의 돈을 던지며 이생의 지복을 축하하였다. 흩뿌려지는 돈을 향해 입을 벌리고 몸을 날리는 사내들, 바람을 머금고 팽팽하게 펼쳐진 여인들의 치마폭. 제는 미실의 잘쏙하고 날씬한 허릿매를 찌르며 그윽이 말했다.

「저들도 각기 자웅이고 나와 너 또한 자웅이도다…….」

그러자 미실은 미풍에 홑꽃이 뒤집히듯 몸을 팔랑 돌리어 진흥제의 가슴에 제 봉긋한 융기를 맞비비며 말했다.

「지대물박의 대국이라 하여 무조건 중국의 풍속과 문물을 따르오리까? 이 아름다운 풍경이야말로 우리에게 고유한 신국의 도가 전개된 광경이 아니오리까? 소첩은 오늘 이대로 죽어도 좋사옵니다. 지상의 마지막 풍경이 이러하다면 참으로 행복한 생애라 곱씹으리다. 비록 황후의 존귀함이라도 이 같은 즐거움은 없었을 것입니다.」

미실은 사도황후까지 들먹거리며 진흥제의 귓전에 교태 어린 속삭임을 퍼부었다. 그날 밤 진흥제와 미실은 남도의 정궁에서 합환하였다.

사람들은 미실의 색이 아름답고 미태가 뛰어난 것을 두고 옥진의 기풍을 크게 가졌다 평하였다. 미실 역시 옥진을 수호신으로 섬기며 신궁에 조상을 모셨는데, 그 모습이 심히 괴이하고 기묘하였다. 신궁에 모셔진 수많은 화상과 신상들 중에서도 법흥제와 옥진의 교신상(交神像)은 해괴하고 음란한 모습으로 더욱 도드라졌다. 미실은 그 상에 절을 바칠 때 옥진에게 먼저, 법흥제를 다음 순서에 놓았다.

언젠가 아들 하종이 왜 선제보다 할머니의 상에 먼저 절을 하느냐 물었다. 미실은 셈속 없는 아이처럼 생긋 웃으며 대답하였다.

「선제께서 언제나 말씀하셨단다. 억조창생이 나를 신으로 여기지만, 나는 옥진을 신으로 여긴다고. 마음이 가고 몸이 머무르는 곳에 진실이 있으리라. 머리로는 아무리 해도 진정을 구할 수 없단다. 아가, 내 말을 명심하여라.」

이처럼 변화무쌍 날로 새로워지며 귀토지설(龜兎之說)의 주인공처럼 자기 실속과 이익을 놓치지 않는 미실을 두고 당시 사람들은 귀신의 감응이라 추측하였다. 그 귀신은 다름 아닌 끝내 사랑을 이루지 못하고 떠난 사다함이라, 그의 영혼이 미실의 가슴 안에 머물며 시시때때로 좋은 계책으로 도와준다는 것이었다.

어쩌면 인생은 몽중설몽, 꿈속에서 꿈 이야기를 하는 딱 그만큼이거나 그만하지도 못할 것이었다.

파란, 그리고

    가을이 오는 한수 천변은 적막하다. 백발을 풀어 흔드는 억새를 헤치며 세종은 말없이 걸어간다. 올해는 논밭의 수확이 그다지 좋지 않다. 비가 너무 많이 왔고 햇볕이 적었던 탓이다. 굳이 조(租)를 징수하는 연말까지 기다려 셈하지 않아도, 자투리땅마다 일군 수수와 조가 실한 열매를 맺은 모양만 보아도 흉년의 짐작이 선다. 어찌해서든 자연은 사람을 살리게 되어 있다. 지혜로 늙은 자들은 산비탈에 자리한 실과나무들이 사람들의 세간을 살피는 방법을 위로처럼 전해 왔다.

    밤나무와 상수리나무의 정령들은 자늑자늑하게 들판을 굽어보고 있다가 백성들의 창고에 곡식이 두두룩이 쌓여 있을 만할 때에는 몸을 단출히 벼르는가 하면, 기근이 들어 백성들의 주림이 충분히 예상될 때에는 생심을 다 끌어내 열매를 맺고 익히기에 용을 쓴다 하였다. 그래서 흉년에는 밤과 도토리가 유난히 흥하고 실하다는 것이다. 본디 가둬 기르지 않는 짐승들이 주워 먹으면 맞춤한 그것들을 구태여 산천 가득 풀어 놓는 이유가 다름이 아니라 배고픈 인간들을 구제하려는 자연의 갸륵한 뜻에 있다고나 할까.

세종은 백성들이 맞아야 할 더욱 춥고 독한 겨울에 대한 예감으로 몸을 떨다가, 억새밭 한편 열매를 매단 수수와 조의 알곡이 튼실한 것을 보고서야 조금은 안심한다. 도망치듯 물러나듯 스스로 변방의 수비를 자처하여 떠나온 지 몇 해, 이제야 조금씩 이곳의 풍경에 마음이 머문다. 그러나 아직은 낯선 땅이었다. 영묘한 신국, 자비심으로 충만한 왕토의 중심인 왕경을 떠나 이곳으로 향하는 행장을 꾸릴 때 그 마음이 마냥 곱고 강락할 수는 없었다. 한편으로 쓰라리고 두려운 심중을 들킬까 두려워 벗들이 청한 환송의 주연(酒宴)도 애써 물리쳤다.

하지만 크지 않은 기대가 가져다준 뜻밖의 행복이라 할까, 고목에서도 꽃이 핀다는 옛말이 틀리지 않음을 새삼스레 깨닫는다. 적막하고 지루한 변방의 생활이 그의 가슴을 횟횟하게 태우던 불을 잠재웠다. 절기에 따라 어김없이 변하는 자연과, 또한 변하지 않는 만물의 이치가 그를 위로하고 다독였다. 하늘은 사람을 살리고, 사람은 그 스스로를 살리려 한다. 세종은 티 한 점 없이 깨끗한 하늘을 바라보며 가볍지도 무겁지도 않은 미소를 지었다.

이곳은 보고 겪을수록 왕경과 또 다르게 신비한 땅이다. 애초에 이곳은 영랑(永郎)*의 도를 전해 받은 신녀 보덕이 머물렀던 마한의 땅으로 알려져 왔다. 보덕의 용모는 가을날 물 위에 핀 연꽃같이 빛났고 바람을 타고 다니며 거문고를 껴안고 노래 불렀다 하니, 세종은 가끔씩 한수를 스쳐 솟구치는 바람결에서 그 향기로운 소리를 더듬

---

*영랑 : 신라의 신선 중 하나.

216

는다. 그런가 하면 부여에서 망명한 온조 집단이 소국을 세워 일으킨 백제가 오백 년 가깝게 머물렀던 곳이나, 지금에 이르러 과거의 영화는 간데없고 고구려와의 쟁투로 인한 참경이 무너진 위례성의 흔적으로 희미하게 남아 있을 뿐이다.

하늘의 보우하심과 사람의 지극함이 바야흐로 태평성대를 만드는지라!

삼한(三韓) 통합의 대업을 완수하기 위해 황제가 공들여 온 신고여서(新古黎庶)의 융화는 비문에 새겨질 것이 아니라 사람들 사이에 자리함이 마땅하다. 옛사람과 새사람의 조화는 사람들이 서로 엉겨 살고 부대끼는 가운데 가을날 추억하는 봄눈처럼 잊혔다. 아직은 미완의 통일이라 하나, 누가 지금 이 땅에서 치열한 삼국의 격전과 골육상쟁을 굳이 추억하려 할 것인가. 백제가 고구려에 빼앗기고, 백제와 신라의 동맹군이 고구려를 내몰고, 또다시 백제의 점령군을 신라가 몰아내어 자리하는 치열한 각축전은 무심한 한수의 흐름 속에 적이 묻혀 잊혔다. 또한 이곳의 이름은 더 이상 신주가 아니라 엄연히 한산주로 불리니, 몸소 국토를 순수하며 백성을 통합하고 신하들을 위로하고자 한 진흥제의 자비심을 다시 한 번 곱씹는다.

세종은 생겨진 굴곡과 높낮이를 따라 목적도 정처도 없이 흐르는 물처럼 살았다. 빛깔도 맛도 냄새도 없는 물과 같지 아니하면 견디지 못할 일, 그리고 시간이었다. 사다함의 급작스러운 죽음 이후 미실이 유명을 내세워 풍월주의 위에 오를 것을 권했을 때, 그는 내키지 않았지만 그대로 따랐다. 미실이 성총을 입은 후 출정하기를 권하였을 때에도 그는 흔연히 그리하였다. 그리고 다시 미실이 화랑도를 폐지하고 원화를 부흥시키겠노라 선언하며 풍월주의 위를 내놓을 것을 요구하자, 그는 왕경으로 돌아가 그간 자신을 섬기며 따르던 낭도들을 불러 모았다.

「새 원화는 나의 옛 부인이다. 너희들은 불평하지 말고 잘 섬기도록 하라.」

세종은 분한 눈물로 소맷부리를 적시는 낭도들을 다독이며 그들을 모두 해산시켰다. 그 모습이 지극히 정갈스럽고도 쓸쓸하기에, 낭도들은 울며불며 자리를 떠나지 못했다.

진정 세종에겐 욕심이 없었다. 억울하고 원통한 마음도 없었다. 모든 소란과 혼돈을 개부심하고 나면, 그 자리엔 오롯이 한 사람을 향한 정한 마음만이 남을 뿐이었다. 권력을 얻어 더욱 막강해진 그녀의 아름다움, 그럼에도 세종의 눈에만은 끝끝내 충만할 수 없는 그녀의 결핍과 보상이 느껴졌다. 한때 그녀와 정을 나누었다는 사실만으로 한없이 기쁘다가도, 어느 순간 그녀를 망가뜨린 것은 다름 아닌 자신이라는 생각에 이르면 괴로워졌다. 이편으로도 저편으로도, 세종은 미실에게서 벗어날 수 없었다.

「어찌 그러하느냐? 그깟 여인이 대체 무어라고, 아무리 경국지색의 미희라 해도 너에게 그토록 잔인하게 군 계집이 아니더냐? 잊어라. 오직 잊는 수밖에 없다. 잊어야 새로운 사랑이 찾아온다. 새로운 사랑을 찾아야만 네가 값없는 치기에 빠져 빼앗긴 복록(福祿)을 돌려받을 수 있으리라!」

이제는 이미 세상을 등진 어머니 지소태후 대신, 누이인 숙명공주가 세종을 다그쳤다. 숙명은 미실이 입궁하고 세종이 출정하는 순간부터 미실에 대한 적대감을 노골적으로 드러내며 더불어 화합하지 않았다.

「누이도 골품을 팽개치고 사랑을 택하지 않았소? 그때 누이는 이로움과 손실을 따져 보았소? 같은 이부자리에 잠들지 못한다고 인

연까지 끝났을까요? 전주와 나 사이엔 하종이 있습니다. 행여 하
종 앞에서 그런 소릴랑 하지 마십시오.」

효성과 우애를 타고난 음전한 숙명은 끝까지 미실을 두둔하는 세
종 때문에 더욱 아프게 가슴을 쳤다. 숙명의 눈에 세종은 여전히 세
상을 모르는 철부지였다. 숙명은 미실을 미워했으나 조카인 하종은
자신의 아들인 보리와 다를 바 없이 특별히 사랑했다. 언젠가 숙명
은 하종에게 이런 말을 했다.

「나의 아버지 태종 각간은 곧 너의 할아버지다. 하늘에 다시없고
땅에도 다시없는 대영웅이다. 너는 마땅히 조부를 신으로 받들어
모셔야 하리라.」

그 말 뒤에는 아버지에게 배우고 어머니에게는 배우지 말라는 뜻
이 숨어 있었다. 명석한 하종은 고모의 속내를 알면서도 짐짓 모른
척 어리보기처럼 굴었다. 하종은 천상 높은 지조와 굳은 절개의 표
본으로 꼽히는 세종의 아들이었다.

누이는 미실을 수국 같은 여인이라 하였다. 수국의 다른 이름은
칠변화(七變花)이니, 처음에는 희게 났다가도 어떤 것은 분홍에서
다홍으로, 또 어떤 것은 하늘빛에서 파란빛으로 그 색깔을 바꾸어
피기 일쑤였다. 꽃 빛처럼 다변하는 절개 없는 여인이라 하나 누이
는 혈육에 대한 애정으로 눈이 가려져 그 너머의 마음까진 헤아리지
못한다. 물이 되어 쓸리며 흘러도 좋고, 그대로 흔적 없이 스미고 말
라 버린대도 어쩔 수 없는 마음을.

세종은 다만 끝 간 데 없이 솟구쳐 오르는 미실의 욕망을 염려했
다. 위태로운 것은 파국을 맞기 마련이니, 그는 오직 미실이 상처 입
지 않기를 일월성신에게 빌고 또 빌 뿐이었다.

*

「네가 원화가 되었기로 이리 비싸게 군단 말이냐? 황제의 총애를 믿고 방자하게 군다면 우리의 잠통이 언제까지 비밀로 머물지 않으리라!」

「내가 언제 태자가 싫다 하였습니까? 지금 나의 처지와 상황에서 태자와의 관계를 이어갈 방도가 없지 않습니까? 그토록 성을 내며 죄어칠 일이 아닙니다.」

「처지와 상황이 달라졌다고? 그러면 언제는 처지와 상황이 합당하여 감히 내 앞에서 옷고름을 풀어 헤치며 교소를 흘렸는가? 달라질 처지도 아니고 변할 상황도 아니니 나를 더 화나게 하지 마라!」

잔뜩 옴친 목소리, 애써 소리를 죽인 다그침이 사내와 여인 사이에서 투덕투덕 오고 갔다. 하나는 으름조이고 하나는 애원조이나 둘다 다급하긴 매한가지였다. 이제 막 색욕에 눈뜬 스물 남짓의 청년을 타일러 납득시키기란 육식수에게 풀을 먹여 허기를 다스리라 하는 것과 같았다. 몸이 달아오를 대로 달아오른 채 밤이슬을 밟고 온 사내는 으르렁거리며 포악한 식성을 드러냈다. 어쩔 수 없었다. 더 이상 거부할 방도가 없었다.

미실은 전주가 되고 원화가 된 후에도 몇 번이나 거듭하여 동륜태자를 받아들였다. 동륜의 보짱이 하도 드세어 비밀을 지키기 위해서라도 몰래 서로 이어 만나지 않을 수 없었던 것이다.

「네가 상상(床上)에 흔들거리며 걸터앉아 내 절을 받았으렷다! 내 오늘은 누가 위이고 누가 아래인지 확실하게 가르쳐 주리라!」

동륜은 밀회의 횟수가 늘어날수록 더욱 험하고 거칠게 굴었다. 그는 그렇게 질투와 초조함과 죄책감을 견뎌 냈다. 모든 내막이 만천하에 공개되는 것은 시간문제였다. 귀물을 축내어 입막음을 하고 있

220

지만 입빠른 사자와 시녀들의 속성을 언제까지 누르고 쥘 수는 없는 일이었다.

미실은 할 수 없이 동생인 미생에게 도움을 청하였다. 미생은 본디 미실조차 인정하는 어색(漁色)의 달인으로, 여자를 낚는 솜씨야말로 어느 노련한 어부도 따르지 못할 터였다.

미생은 미실이 진흥제의 총애를 받게 되자 여러 번 부름을 받고 입궁하여 동륜태자, 금륜왕자와 더불어 토함공 밑에서 함께 수업한 처지였다. 미생은 귀염성 있는 얼굴에다 아양을 잘 부려 왕자와 공주 모두가 좋아하였다. 사도황후의 명으로 여러 공주들이 그들의 수업에 동참하자 미생은 공주들과 사사로이 많은 관계를 가졌다. 진흥제가 그 사실을 알고 미생을 문초하여 벌주려 하니, 미실이 달려와 황제 앞에 엎드려 읍소하였다.

「이 아이는 색공지신의 유풍을 지닌 저희 집안의 풍류 나비입니다. 모름지기 제 본분대로 왕녀를 모셔 기쁨을 바친 것뿐인데, 어찌 문초를 하신다 합니까?」

미실의 연분홍 볼을 적시는 홍루(紅淚)와 하롱하롱 떨리는 목소리는 사내를 단번에 무장 해제시키는 힘을 가지고 있었다. 그리하여 이미 미실에게 담뿍 빠진 제는 더 이상 어쩌지 못한 채 간단히 훈계하고 미생을 놓아줄 수밖에 없었다. 미생에게는 누이가 금과옥조보다 더 지엄하고 천군만마보다 더 믿음성 있는 원군이었다.

「요즘도 조간(釣竿)*을 둘러메고 저자를 쏘다니느냐?」

미실은 미생과 마주 앉자마자 대뜸 물었다. 미생은 누이의 속내를 알지 못한 채 헤헤 웃으며 대답하였다.

---

*조간 : 낚싯대.

「물고기에게 물을 굶느냐 물으시나이까?」

「왕경 여인네들의 수질은 어떠하냐? 가히 어루만져 희롱할 만하더냐?」

「여인들이야 언제나 아름답지요. 대체 소자에게 이런 질문을 던지는 연유가 무엇입니까?」

미생은 간사한 염알이꾼처럼 고개를 갸웃거리며 누이의 얼굴을 살펴보았다. 오늘따라 심각한 표정에 수심이 깃든 것을 보니 허튼수작이나 나누자고 부른 것은 아닌 것 같았다.

「내가 성은을 입기 이전에 이모와 함께 꾀한 대모가 있었느니라⋯⋯.」

미실은 미생에게 사도황후와 더불어 맺은 밀약이며, 음심에 들뜬 동륜태자가 수시로 찾는 통에 많은 것이 드러날까 염려하고 있다는 사실을 모두 밝혔다. 가만히 있어도 물결치는 웃음으로 묘한 미생의 옥안(玉眼)이 납작한 세모꼴로 갈쭉해졌다. 그 역시 위험을 느끼고 긴장한 것이다.

「그래서 오늘 누이가 저에게 의논하고자 하는 바는 무엇입니까? 미력이나마 제가 할 수 있는 일이라면 기꺼이 하겠나이다.」

「너에게는 그리 어려운 일이 아닐 것이다. 뜻밖에 일이 아주 쉽게 풀릴 수도 있으리라. 어쩌면 도요새와 무명조개를 한 번에 잡아 취한 어부처럼, 너도나도 동시에 새롭게 이로울 수 있다.」

미실의 검은 눈동자 속에서 망상스러운 불꽃이 반짝 튀었다.

「요즘 동륜태자를 만난 적이 있느냐?」

「누이의 말을 듣고 보니 요즘 태자의 거동이 소자를 피하는 듯 꺼리는 것이 조금은 수상했습니다. 사통의 비밀 때문이었겠지요. 하지만 어린 날에 함께 배우며 가까이 지낸지라 아주 서먹서먹한 사이는 아니지요.」

「그렇다면 다시 동륜태자에게 다가가 어울리라. 궁 밖으로 나가 놀 때 곁을 따르며 아름다운 유화를 천거하도록 하여라. 그러면 나에게 닥친 위험은 덜해질 것이고 너와의 사이는 더욱 돈독해질 것이 아닌가?」

「과연 그러합니다. 누이의 계책이 참으로 절묘합니다!」

간사함으로 하나같이 통하는 남매는 서로 바라보며 키득거렸다.

이후로 미생은 동륜태자와 더불어 낭도들을 이끌고 날마다 밖에서 어색에 몰두했다. 미생은 가동주졸(街童走卒)*인 양 경망스럽긴 했지만, 용모가 수려하고 말에 운치가 있어서 여인들에게 꽤 인기가 좋았다. 어리석은 사내만큼이나 어리석은 여인들이 있었기에, 미생은 남도에 갈 때마다 몸과 마음을 다 바치길 원하는 천백의 유화들에게 둘러싸이곤 하였다. 한번 눈길을 주면 따르지 않는 여자가 없다고 하여 미생에게 붙여진 별명은 천간성(天奸星), 가히 하늘의 별이 지상에 내려와 어우렁더우렁 간음하는 것만 같았다. 일이 이러한지라 타고난 성정이 호방하고 정력이 왕성한 태자는 나쁜 벗이 인도하는 대로 본분을 잊고 황음을 일삼았다.

겁 없는 난봉꾼들은 미색이 출중한 여인이라면 처녀고 유부녀고 가리지 않았다. 미생은 본디 부귀하게 나고 자라 아랫사람의 마음을 잘 몰랐다. 그런 데다 색을 좋아하고 재물을 탐하여 뭇사람의 신망도 두텁지 않았다. 하지만 미실이 건넨 뇌물을 적절히 부리어 써 이해에 밝은 자들을 많이 거느리고 있었기에, 그들은 충성스러운 엽견처럼 이런저런 정보를 두루 물어다 날랐다.

---

*가동주졸 : 길거리에서 노는 철없는 아이.

언젠가 미생의 귀에 나마(奈麻) 당두의 처가 아름답다는 소식이 들어왔다. 미생은 주저 없이 동륜태자에게 밤소일할 기찬 거리가 생겼음을 알렸다.

바야흐로 가을은 사내의 계절, 달도 없는 그믐의 캄캄한 어둠 속으로 열에 들뜬 두 사내가 느실난실 걸어가고 있었다.

「오렴(誤廉)*한 정보는 아니겠지? 정말로 당두의 처가 옥매를 닮은 절색이렷다?」

「어느 안전이라고 감히 가언을 지껄이리까? 소인에게 귀엣말을 바친 낭도가 바로 여인의 이종제랍니다. 규방에 갇혀 뭇사람의 눈에 띄지 않았을 뿐 헤픈 웃음을 흘리는 길가의 꽃들과는 그 정조가 사뭇 다르다 하더이다.」

「본사내의 그늘 아래 사는 계집이라니 구미가 당기기는 하지만 불집으로 기어드는 위험 또한 감수해야 하기에 하는 말이다.」

「태자는 진념하실 것 없나이다. 어저께 소인이 미리 당두를 불러 귀인을 모시고 방문하겠노라 뚱기어 두었나이다. 눈치가 있는 자라면 제가 행신할 바를 마땅히 알겠지요. 그리고 '아침에는 목란의 이슬을 마시고 저녁엔 가을 국화의 꽃을 씹는다' 하지 않습니까? 장장추야 지루한 날, 무르익어 황홀한 여화와 어울리는 재미가 필히 색다르리라 사료되옵니다.」

미생은 되지도 않게 굴원의 시구까지 들먹이며 요사를 떨었다. 동륜은 제 흥에 취하고 제멋에 겨워 깨끼춤을 추듯 어깨를 흔들며 발걸음을 재촉했다. 과연 긴박한 기운이 깃들어 더욱 고요한 당두의 집에는 문틈으로 불빛이 거물거물 새어 나오고 있었다. 그들이 대문

---

*오렴 : 염탐을 잘못함.

224

앞에서 큼큼 헛기침을 하자 총냥이처럼 눈이 불거지고 입이 뾰족한 사내 하나가 맨발로 튀어나왔다.

「태, 태자 전하! 하늘만큼 높고 귀하신 분이 이런 누옥을 방문해 주시다니 더없는 영광이옵니다!」

당두는 미생과 동륜의 예상보다 훨씬 더 처신사납게 굴었다. 키가 작고 빼빼 마른 사내가 굴신하여 머리를 조아리길 거듭하니 그 모양이 불쌍하다기보다는 자못 역겹게 느껴질 정도였다.

「자네가 바둑에 조예가 깊다는 소문을 익히 들었네. 과연 그러한 가?」

미생은 시치미를 뚝 떼고 뜬금없는 바둑 이야기를 꺼내며 능청을 떨었다. 태자가 바둑은 웬 바둑이냐는 기색을 떠올리자 미생은 야살 스레 눈을 찡긋하였다.

「예? 아, 예…… 시답잖은 잡기에 재주가 있을 뿐이온데 그 때문에 귀한 발걸음을 하시었단 말씀이옵니까……?」

「바둑이 단순히 잡기이기만 한가? 신선의 소일이요, 천계의 유희이니 서로 즐겨 나누기에 마땅하지 아니한가?」

「아, 물론 그러하옵지요.」

미생의 너스레에 당두는 내막도 모르고 그저 고개를 주억거리기에 바빴다.

「그러하다면 어서 판과 돌을 가져오게. 내 실력에 호선(互先)으로 자네를 상대하긴 버거울 테니 몇 점쯤은 당연히 접어주겠지?」

미생은 여전히 난데없는 바둑 타령이었다. 당두가 고개를 갸웃거리며 바둑판을 가지러 방을 나가자 미생은 참았던 웃음을 터뜨리며 데굴데굴 방바닥을 굴렀다.

「이게 무슨 망령스러운 짓인가? 바둑이나 두자고 밤이슬로 옷깃을 적시며 달려왔단 말인가?」

동륜이 발끈하여 미생을 꾸짖는 시늉을 보였다. 미생은 웃음 끝에 눈초리에 눈물까지 대롱대롱 매단 꼴로 역정을 내는 동륜의 옷소매를 잡고 말했다.

「태자께서 황당해하시는 것도 무리가 아닌 줄 아옵니다. 하지만 저 당두라는 자의 의중을 떠보려 벌인 후림대수작이었답니다.」

「후림대수작이라고? 무얼 후리어 떠보겠다고 그리 소동을 벌인단 말인가?」

「조갈이 난다고 뜨거운 물을 들이켜다간 혀를 데고, 지레뜸을 하다간 설익은 생쌀을 씹어야 하는 법이옵니다. 일에는 상하가 있고 선후가 있으니 남의 계집을 취하는 일에도 분별이 있어야 하지 않겠습니까? 저 뱅충맞은 사내의 꼴을 보십시오. 자기의 뻔한 예상이 빗나가자 당황하고 실망하는 빛까지 내비치지 않습니까? 서방이 저 모양인 집구석에 열녀 날 리 있겠습니까? 이제 속속들이 푹 익은 밥을 떠먹기만 하면 될 일입니다.」

「오호라, 이제야 알겠네! 미생, 자네야말로 내가 스승으로 모셔야 할 타고난 호색꾼이로고!」

과연 미생의 예기가 어긋남 없이 적중했다. 손끝 하나 까딱하지 않았음에도 어리석고 비굴한 당두는 그들이 원하는 바를 제풀로 지어다 바쳤다. 당두의 아내가 국화로 빚은 가향주와 잡누르미로 안주를 삼은 주안상을 직접 들고 방에 들어오니, 순간 방 안이 환해지며 은근한 향내가 진동하였다.

'어떻습니까? 제가 수집한 정보가 시시풍덩한 허풍은 아니었지요?'

'네가 옳다! 서방이란 작자의 꼬락서니엔 아무래도 어울리지 않는

미색이로고!'

미생과 동륜 사이에 말없는 대화가 오고 갔다.

당두의 처는 호리호리한 세요(細腰)의 미인이라기보다 육덕이 좋은 풍만한 여인이었다. 고름이 터질 듯 팽팽하게 부풀어 오른 젖가슴은 사내의 숨통을 조일 듯 아찔했고, 주름 진 치마 아래 가로퍼진 둔부는 무한한 생산력을 과시하는 듯했다. 아니나 다를까 많지 않은 나이에 벌써 아이가 넷이라 했고, 농담인지 자랑인지 당두가 흘린 말로는 눈만 마주쳐도 회임을 하는 신기한 여인이라는 것이었다.

「의선 팽조는 평소에 국화로 빚은 술을 즐겨 마셔 천칠백 해를 살면서도 그 얼굴빛이 열일곱 같았답니다. 무병장수를 기원하는 궁중의 옥매주가 바로 그것이 아니겠습니까?」

미생이 찰랑찰랑 차오른 술잔을 기울이며 당두의 처를 옥매에 비유한 동륜에게 넌지시 그 여인의 토옥(土沃)함을 일깨웠다. 동륜 또한 모성의 풍성함에 취하여 갈구하는 눈빛이 짙어졌다. 당두의 처역시 온몸을 더듬는 뜨거운 눈빛을 피하지 못하여 토실토실한 뺨이 발그레 달아올랐다. 막강한 생산의 힘만큼이나 품은 기질이 질기고 뜨거운 여인임이 분명했다.

분위기가 그 지경에 이르자 당두는 슬그머니 몸을 접고 자리를 피하였다. 자기 힘으로 이미 막을 수 없는 일이라면 스스로 때를 가려 물러서는 게 유리하리라는 계산이 선 것이었다.

국화 꽃잎을 곱게 말려 메밀 껍질과 함께 채운 향침이 신열처럼 횟횟한 애욕으로 젖어들었다. 여인의 몸은 발을 담그면 푹푹 빠져드는 모래펄처럼 질펀하고 깊다랬다. 젊은 사내들은 한없이 사랑을 보채었다. 이따금 토벽 너머 여인의 태내에서 난 아이들이 어미를 잃고 칭얼거리는 소리가 들리곤 했지만, 그들은 누구에게도 이 달콤한 어머니를 빼앗길 수 없었다. 흰 모시 자루 속 향기로운 꽃잎이 밤새 쓸리어 버석거렸다.

*

겁심 따윈 아예 잊은 파락호(破落戶)는 점차 대담해졌다.

미실은 동륜이 태자비인 만호에게 큰 관심을 쏟지 않자 자신의 고종제(姑從弟)인 윤궁을 후궁으로 천거하여 혼인시켰는데, 이미 불장난의 짜릿함을 경험한 동륜은 본처이든 미첩이든 상관없이 평탄한 결혼 생활에 만족할 수 없었다. 신혼은 촌음으로 지나고 윤궁이 아이를 임신하자 동륜은 곧 미생이 쑤석이지 않아도 스스로 새롭고 자극적인 사건을 꾀하기에 이르렀다.

그즈음 신라에는 기축년(569) 완공된 황룡사에 장륙존상(丈六尊像)을 주조하는 대업이 한창 진행 중이었다. 진흥제는 밖으로는 용맹한 정복 군주로, 안으로는 정법으로 세상을 다스리는 전륜왕을 꿈꾸었기에 하곡현(울산)의 사포에서 왕경까지 무거운 쇠붙이를 옮겨 나르는 고된 행사도 마다하지 않았다. 그의 궁극적인 꿈이야말로 통치의 수레바퀴를 굴려 세상을 하나로 통일하는 전륜왕이 되는 것이었기에 두 아들의 이름까지도 금륜, 은륜, 동륜, 철륜의 네 전륜왕 중에서 따와 붙일 정도였다.

사포에 닿은 금과 철을 실은 배는 서축 대향화국의 아육왕이 보낸 것이었다. 아육왕은 머나먼 동방에까지 이름이 드높은 세속의 전륜왕이라 일컬어지는 성군이었다. 부처님이 열반한 후 백 년 만에 태어난 아육왕은 황철 오만 칠천 근, 황금 삼만 푼으로 석가 존상 세 개를 부어 만들고자 했던 꿈을 못다 이룬 채, 그것을 큰 배에 실어 바다에 띄워 보냈다. 그로부터 칠백여 년이 흐른 어느 날, 그 성스러운 선박은 마침내 높고 세찬 파도와 그보다 더 아득한 시간을 넘어 신라의 남쪽 바다에 닿은 것이었다. 세월에 닳아 낡은 편지를 해석해 보니 그 내용이 이러하였다.

'인연이 있는 땅에 도착해 여섯 길의 존용을 이루어 주소서!'

진흥제는 이야말로 부처의 원력이요 계시라 여기며, 하곡현에 세존상을 모실 동축사를 세우고 금과 철을 왕경으로 옮기는 대공사를 시작하였다. 지난 무자년(568) 북쪽 변방의 해변 운시산에 마운령 비를 세우고 그곳에 새긴 대로, 칼의 피바람보다는 석가의 자비로 현세의 땅에 유록(有綠)의 불국토를 실현하고자 하는 마음이었다.

「세상의 도리가 진실에서 어긋나고 그윽한 덕화가 퍼지지 아니하면 사악함이 서로 다툰다.」

하지만 만세의 영웅호걸도 어쩔 수 없는 것이 자식이었다. 비문에까지 새겨 경계하는 거짓과 사악함이 다름 아닌 자신이 뿌린 씨앗으로부터 움트고 있음을, 황제는 까맣게 눈치 채지 못하고 있었다.

진흥제가 야심 찬 불사로 한창 바쁠 무렵, 동륜은 아버지가 들지 않는 침전에 홀로 남아 휘휘한 나날을 보내고 있던 후궁 보명에게 잔뜩 눈독을 들이고 있었다. 왕성 안에는 황제와 황후가 함께 기거하는 대궁을 비롯해 주변에 독립되어 위치한 처첩들의 궁이 몇 개 있었는데, 그 주인은 각기 궁주로 불리며 황제의 총애를 얻기 위해 경쟁하고 있었다.

아들에게 아버지는 높은 벽이었다. 자신의 좁은 보폭으로 그 까마득히 높고 단단한 옹벽을 뛰어넘기는 힘들다는 것을, 아들은 너무 일찍 깨달았다. 아버지가 강해질수록 아들은 나약해졌고 아버지가 존경과 위엄을 얻어 가는 만큼 아들은 실의와 좌절에 빠졌다. 그토록 탐나는 아버지의 것들이 정녕 자기 것이 될 수 없다면, 훔치고 빼돌려서라도 갖고 싶은 게 어리석은 아들의 욕심이었다.

「미실! 너는 내가 바보인 줄 아느냐? 나는 무기력하지만 바보는 아니다. 너의 셈속이 어떤 답을 끌어내 나를 내친 것인지는 번연히 알지만, 나는 속아 준다. 속기로 한다. 하지만 언젠가는 네가 나를 밀어낸 것을 후회하게 될 것이다. 네 몫이 될 수도 있었던 모든 것이 다른 여인의 차지가 되었다고 하여 그때 땅을 치고 후회해 봐야 소용없으리라.」

동륜은 가슴속에 깊이 뿌리박힌 열등감과 소외감을 미실에 대한 복수의 의지로 불태웠다. 어떻게 해서든 미실보다 더 잘난 여자를 정복하고 지배해야만 했다. 하지만 지금 왕토에 미실보다 더 아름답고 더 강력한 여인은 없었다. 그럼에도 동륜은 포기하지 않았다. 미실만큼은 아니더라도 미실에 버금가는 미모와 지위를 가진 여인을 찾아야 했다. 그때 마침 희번덕이는 동륜의 눈에 든 여인이 바로 보명궁주였다.

보명은 미실이 진흥제를 모시기 직전에 입궁한 여인으로, 미실이라는 막강한 상대를 대적하기 전까지는 모두의 부러움과 시샘을 한 몸에 받은 총첩이었다. 하지만 미실에게 빠진 제는 헤어날 줄을 모르고 한번 떠난 사랑은 쏘아진 화살처럼 돌아올 길이 없으니, 보명은 다만 막막궁산과도 같은 궁 안에 갇혀 시들어 갈 뿐이었다.

일전에 진흥제의 성총을 입어 궁주가 된 월화와 옥리와는 또 다르게, 보명은 나름의 독특한 아름다움을 가지고 있었다. 그녀는 얼굴이 맑고 아름다우면서도 얼마간 가냘프고 병약한 인상이었다. 생김새처럼 성격 또한 모지락스럽고 악착같지 못하여 미실에게 황제를 송두리째 빼앗기고도 끙끙 마음을 앓을 뿐 어설픈 계책마저 지어내지 못했다. 동륜은 이 어리숭하고 애처로운 여인을 제 차지로 삼고 싶었다. 그녀의 아련하고도 슬픈 미소가 한편으로는 가소롭고 한편으로는 어깨를 끌어안고 한바탕 통곡하고픈 묘한 동병상련의 비애를 자아냈다.

동륜은 금번의 일이 미실의 귀에 들어가지 않도록 하기 위해 모사 과정에서 늘 함께 어우러지던 미생을 제외시켰다. 그리고 은밀하게 건장한 장사 몇을 끌어 모았다. 보명은 이미 동륜이 자신을 연모하여 일을 꾸미고 있다는 사실을 눈치 채고 있었다.

극양의 수 아홉이 둘로 겹치는 중구일, 특별식을 장만하여 나들이를 간 계곡에서 보명은 상수리나무 사이로 번득이는 눈빛을 보았다. 간곡히 애원하는가 하면 격렬히 호소하는 그것이 구하여 취하고자 하는 바야 불 보듯 빤했다.

「만두 속이 너무 짜게 빚어졌나 보다. 왜 이리 조갈이 나는고?」

보명은 몸 둘 바를 몰라 자꾸 냉수만 들이켰다. 단풍은 온 산을 태울 듯 붉고, 젊고 건강한 그녀의 몸에서도 불쑥불쑥 애욕의 불기가 치솟고 있었다. 한편으로 그녀는 이것이 얼마나 위험한 충동인가를 상기하였다. 다른 누구도 아닌 황제의 맏아들인 태자다. 나이 차이는 얼마 나지 않지만 자신은 엄연한 왕자의 새어머니다. 아니, 그 어떤 현실의 제약보다도 보명 스스로 비밀을 판돈 삼아 위태로운 간통의 도박에 뛰어들 자신이 없었다.

「나는 미실궁주가 아니다. 미실궁주가 될 수 없다. 미실은 미실이기에 가능하겠지만, 나는 다만 보명일 뿐……」

보명은 꽃가지를 꺾으며 한 잔 두 잔 마시는 술에 조금씩 취해 가면서도 마지막 문끈을 놓지 않으려 애썼다. 하지만 도리어 그 어설픈 저항의 몸짓이 무음(誣淫)한 동륜을 도발하였다. 그는 보명의 절개와 지조를 비웃었다. 어서 빨리 덜그럭거리며 들썩이는 문을 활짝 젖히고 들어가 한바탕 농탕치며 뛰놀고 싶었다. 지엄한 아비의 침전에서 음탕한 소리와 난잡한 행동을 마구 일삼으리라. 보명의 향기롭고 정갈한 입에서 이런 기쁨은 난생처음이라 뇌까리는 감탕질이 터져 나오게 하리라.

동륜은 소피를 보기 위해 비틀거리며 꽃그늘로 숨어드는 보명의 뒤를 밟았다. 풍성한 주름치마가 들춰지는 소리, 어린애 손바닥 같은 단풍 이파리 틈새로 어른어른 내비치는 보명의 뽀얀 엉덩이가 아찔하였다. 동륜은 볼일을 보고 일어서는 보명의 등 뒤로 다가가 다짜고짜 가슴으로 그녀를 품었다.

「무슨 일이오? 어찌 이리 한단 말이오?」

보명의 입에서 숨이 말려드는 비명이 터졌다. 하지만 사람들의 눈을 의식하여 잔뜩 짓눌린 그것은 멀리 퍼져 나가지 못하고 잦아들었다.

「궁주! 궁주를 사모하는 내 심정을 이리도 몰라준단 말이오? 보시오. 내 염통이 곧 흉근을 찢고 튀어나올 듯 고동치고 있소이다!」

동륜은 보명을 돌려세워 품 안에 가두더니 대뜸 팔목을 끌어 자신의 왼쪽 가슴에 가져갔다. 피가 빠르게 도는 태자의 단단한 가슴이 손바닥 가득 잡혔다. 우람하게 솟구친 양물이 부드러운 비단 치마 너머로 선명하게 느껴졌다. 보명은 그만 어질증을 느끼며 비틀거렸다. 하지만 그녀는 휘청대면서도 가까스로 가슴속에서 벌떡거리는 제어의 외침을 들었다.

「안 되오! 어서 비켜 서시오! 신명의 천벌과 황제의 역정이 정녕 두렵지 않단 말이오?」

보명은 있는 힘껏 동륜의 가슴팍을 밀어냈다. 미처 보명의 반격을 예상하지 못했던지 동륜은 움찔하여 뒷걸음치다가 구절초 꽃 무더기에 철벅 엉덩방아를 찧고 말았다. 그 모양이 볼썽사납고 멋하기는 했지만 보명은 뒤도 돌아보지 않고 재빨리 자리를 벗어나 몸을 피했다.

「나를 피하겠다고? 감히 나를? 저까짓 천첩까지 나를 괄시하며 능멸한단 말인가?」

동륜은 손에 잡히는 대로 백색 들꽃 무더기를 쥐뜯으며 보명이 남기고 간 지린 물 그림을 뚫어져라 바라보았다. 문득 그의 입아귀가 사납고 잔인하게 비틀어졌다.

마침내 거사의 날이었다. 성급한 동륜으로선 그야말로 사력을 다해 인내하여 해를 넘겨 가며 조심스럽게 모의한 일이었다. 오래 준비한 만큼 일은 신속하게 진행되었다. 장사들은 몸을 굽혀 버팀대를 만들어 냈다. 태자의 붉은 가죽신이 그것을 디뎌 밟았다. 발끝의 물컹한 이물감을 모질게 박찼다. 그는 단번에 몸을 날려 높은 담장을 뛰어넘었다. 미리 담을 넘어 기다리고 있던 다른 사내들이 손을 뻗어 안전한 착지를 도왔다.

「변괴는 없는고? 아직 궁 안에서 알아차린 기척은 없겠지?」

「미리 정탐한 바로 보명궁에서는 키가 넉 자가 넘는 맹견을 몇 마리 기른다 하더이다. 일을 그르치게 될까 두려워 넉넉히 고깃덩이를 물려 놓았나이다. 태자께서는 반석 위로 행차하시면 족하나이다.」

어둠 속에서 반들반들한 사내들의 눈이 음흉하게 빛났다.

「좋다! 방심하지 말고 동정을 살피라. 내가 일을 마치고 곧 돌아오리라.」

땅의 경계를 허물고 소국을 복속시키는 일보다는 점찍은 여인을 정복하는 데 공력을 쏟기 바쁜 태자는 마치 출정이라도 나서는 양

거드럭거리며 아슴푸레한 불빛을 향해 다가갔다. 방 안에선 보명이 홀로 수틀을 잡고 앉았는지 인기척은 있는데 사람의 말소리는 들리지 않고 조용했다.

「요조숙녀께서는 어떤 해후상봉을 즐기시려나? 만무방인 나로서야 고상한 궁주의 비위를 맞출 방도가 없네.」

동륜은 이죽거리며 혼자 이러쿵저러쿵 떠벌리다가 대뜸 방문을 박차고 안으로 들이닥쳤다. 예상대로 베갯잇에 쌍 희(囍) 자를 새기고 있던 보명은 너무 놀라 바늘을 쥔 손만 벌벌 떨 뿐 새된 비명조차 지르지 못했다.

「어쩌시려오? 궁주에게는 베 짜는 북도 없으니 바늘이라도 던져 보시려오? 내 기꺼이 입을 벌리고 과녁 노릇을 하리다.」

동륜은 투사(投梭)의 고사*를 내세우며 유들유들 역겹게 굴었다. 하지만 이미 뱀과 정면으로 눈이 마주친 개구리마냥 놀라 질린 보명은 바늘 하나 제대로 움켜쥘 힘마저 잃어버린 터였다. 동륜은 스스로 자기 옷고름을 거칠게 쥐어뜯어 허연 알몸뚱이를 드러내었다. 보명이 그 모습을 차마 마주 보지 못하여 고개를 떨어뜨리자 동륜의 노성이 마지막 일침을 가했다.

「소리를 지르시오! 사람을 불러 보시오! 궁주가 감히 미실에게 빼앗긴 총애를 되찾아 올 수 있다면, 마땅히 그리하시오. 홀로 정조를 지킨다 하여 누가 당신을 칭송하고 누가 당신을 위로하리오? 궁녀들이라도 맷돌 서방으로 들일 것이오? 언제까지 싸늘한 침상 위에서 각선생(角先生)을 벗 삼아 늙어 가려오?」

---

*투사의 고사 : 진(晉)나라 사람 사곤이 이웃의 미인 고씨에게 음심을 품고 덤볐다가 여자가 베 짜는 북(방추)을 던지는 바람에 앞니 두 개가 부러졌다는 고사.

또박또박 씹어 내뱉듯 던지는 동륜의 일갈은 악독하고 음란했다. 보명은 부들부들 몸을 떨며 그의 설시를 고스란히 맞받았다. 무례하고 야만스럽기가 이를 데 없지만, 그의 말은 틀리지 않다. 보명이 아무리 움치고 뛰어도 미실을 넘어설 수는 없다. 미실을 넘어설 수 없다면 외롭고 싸늘한 밤은 하루 이틀로 끝나지 않을 것이다. 그리하여 하늘이 없는 땅은 황폐하고, 낮이 없는 밤은 지질하며, 양이 없는 음은 곧 쇠하여 스러져 갈 것이다…….

동륜은 이런 보명의 갈등을 눈치 챈 듯 대뜸 그녀의 가벼운 몸을 동실 들어 침상 위로 던졌다. 지펴 오르는 연기를 잡으려는 양 팔다리를 몇 번 허우적거려 보았지만 보명은 이내 자신의 형편과 사정을 인정하고 저항을 멈추었다. 보명이 힘써 거부하지 않으니, 일은 곧 성사되었다.

「당신의 홍목단이 얼마나 붉고 고운지, 당신은 알고 있소?」

양쪽 겨드랑이 사이에 보명의 무릎을 끼고 궤상(跪像)*으로 앉은 동륜이 취한 듯한 목소리로 물었다.

「본 적이…… 없어 모르오.」

보명은 자신의 여근을 들여다보고 앉은 동륜이 괴괴망측하게만 느껴져 감은 눈을 뜨지 못한 채 가까스로 대답했다.

「아름다움은 기꺼이 보고, 듣고, 흡입하고, 맛보는 것이 도리요. 세상이 하늘의 일월성신으로 모자라 땅 위에 사람을 낸 뜻이 무엇이겠소? 스스로 생각하고 스스로 말하는 육신을 더 이상 속박하지 마시오. 내 몸을 거울삼아 들여다보시오. 이미 궁주의 홍목단이 나를 향해 이리, 이리 만개하지 않았소!」

---

*궤상 : 무릎을 꿇은 자세.

동륜은 더운 숨을 내뿜으며 꽃의 중심을 향해 곧장 진입하였다. 상합법과 방중술을 앞세우는 황제와의 정사와는 또 달랐다. 황제와의 그것이 회춘과 장생의 수단으로 장엄하고 정숙하다면, 동륜과의 관계는 성장의 추이를 고스란히 드러내듯 조급하면서도 뜨거웠다. 예법도 정도도 없었다. 오로지 관능이 생각하고 성애가 말하였다. 그러나 그 거칠고 미숙한 정사에는 오련한 슬픔이 있었다. 정사는 그저 정사가 아니라 사랑을 얻기에 갈급한 어리고 어리석은 사내가 생애 전부를 건 쟁투였다.

'분단생사(分段生死)라 하던가…….'

보명은 문득 심학에서 이른 범부의 나고 죽음에 대해 떠올렸다. 각자가 진 업인(業因)에 따라 신체의 장대하고 왜소함, 목숨의 길고 짧음이 구분되어 있으니 그들은 오로지 타고난 바에 따라 육도(六道)를 윤회할 뿐이라던가.

태자는 일개 범부가 아닌 신국의 자손일진대, 엄연히 여체 위에서 건장한 육신으로 용틀임하며 자기의 살아 있는 바를 과시하고 있는데, 왜 보명은 외람되이 불길한 상념에 빠져드는지 알 수 없었다. 보명은 성급히 파정하고 가슴팍에 엎드린 동륜의 등을 가만가만히 쓸어 주었다. 참으로 이상하였다. 황음무도하다고 궁 안팎에 소문이 자자한 태자를, 울컥 이해하고 용납할 수 있을 것만 같았다.

그렇게 시작된 동륜태자와 보명의 잠통은 여섯 낮을 건너 여섯 밤 거듭 이어졌다. 미생은 하루 거르기가 무섭게 어색에 나서자 재촉하며 조르던 태자가 잠잠한 것이 아무래도 이상하다고 미실에게 고해바쳤지만, 영리하고 재바른 미실도 유적한 보명궁에서 밤마다 벌어지는 비밀스러운 잔치를 미처 눈치 채지 못하고 있었다.

그러나 자기 뜻대로 욕심을 채운 동륜태자라도 마냥 강락하지는 않았다. 동륜태자는 하루도 보명을 만나지 못하면 견디지 못할 지경이었다. 젖감질을 앓는 아이처럼 시름시름 안절부절못하고 애태우기 일쑤, 한순간의 건들바람인 줄 알았더니 마음의 밑바닥을 쓸어 내는 노대바람인가 보았다. 그가 섭렵한 숱한 여인들에 빗대어 보명이 특별히 아름답고 더 성적 매력으로 넘치는 것도 아닌데, 동륜은 사랑의 마법에 단단히 결박되어 자기를 통제하고 다스리지 못했다.

마침내 보명과 통한 지 이레째 되던 밤, 동륜은 손짓하여 이끄는 듯한 어둠에 홀려 보명궁 앞에 서 있었다.

「이대로 담을 넘을 것인가, 발길을 돌려 태자궁으로 돌아갈 것인가?」

동륜은 담벼락의 높이를 눈으로 어림하며 잠시 망설이었다. 아무리 충성스러운 부하들이라지만 여섯 밤을 꼬박 새워 가며 망을 보게 한 것이 미안쩍어 각자 본집에 돌아가 쉬라 연통을 넣은 차였다. 장사들의 도움을 받지 않고도 담장 정도야 뛰어넘을 수 있겠지만 낯선 소리와 냄새에 민감한 맹견들이 아무래도 걱정이었다. 갑자기 풀어기르던 개들을 우리에 가둬 놓으면 없던 의심까지 생긴다 하여 보명에게 다른 처방을 주문하지 않은 것이 그리 후회될 수가 없었다.

「나를 여기까지 이르게 한 것은 두 다리도 달빛도 아니다. 오로지 내 마음이 나를 이끄는구나. 내 마음이 이렇게 흐늘대는 것을 보면 궁주 역시 간절히 나를 그리워하고 있음이 분명하다. 개들도 이젠 내 체취에 익숙해졌겠지. 담을 넘자마자 재빨리 뛰어가면 그깟 멍추 같은 짐승쯤이야 간단히 따돌리지 못하겠는가.」

봄밤은 잘 익은 과실주처럼 향기로웠다. 어디선가 꽃망울 툭툭 터지는 소리가 들려올 듯 고요하고 적막했다. 바람살이 간들 스쳐 와 춘정을 일깨웠다. 초조했다. 이대로 그녀를 두고 돌아서면 밤새 후회로 뒤척일 것이 분명했다. 조바심으로 자제력을 잃은 동륜은 제멋대로 상황을 안일하게 판단하였다.

그는 주위를 한 번 두리번거리고 나서 힘껏 다리를 굴러 공중으로 솟구쳐 올랐다. 몸이 그리 가벼울 수가 없었다. 모든 근심을 까마득히 잊게 하는 셈속 없는 사랑, 꼭 그것과 같이 흔쾌하였다. 하지만 동륜의 두 발이 땅을 밟아 딛기가 무섭게, 찢긴 종이 북이 울리듯 으르렁대는 사나운 소리가 사방에서 터져 나오기 시작했다.

「이것들이 다 무어냐? 궁주! 궁주! 보명! 이것들을 물리치라! 악, 아악!」

그동안 동륜이 보명궁으로 틈입할 때마다 장사들은 미리 고약한 냄새를 풍기는 누리장나무 다발로 개들의 코를 둘되게 하고 생닭과 황육으로 입을 막아 달래었다. 그리하여 개들은 온순하게 길들여진 것이 아니라 잠시 야성의 본능을 잊은 것뿐이었다. 간만에 어금버금한 공격 대상을 발견한 개들은 훈련받은 바에 충실하게 이빨 사이로 거품을 물고 침을 뚝뚝 흘리며 달려들었다.

동륜은 비명을 지르며 몸부림을 쳤지만 사나운 개들의 공세에 팔다리가 물려 쓰러졌다. 무너진 고깃덩이 위로 포악한 개들이 다투어 덮쳤다. 그중 한 놈이 동륜의 목을 정통으로 물어뜯었다.

급소를 공격당한 동륜은 단말마의 비명만을 남긴 채 정신을 놓아 버렸다. 동륜이 내지른 최초의 비명 소리를 듣고 보명이 맨발로 뛰어나오던 짧은 순간에 벌어진 일이었다. 보명이 미친 듯이 개들을 걷어차고 내질러 동륜에게서 떼어 냈지만 이미 동륜의 눈동자는 허옇게 뒤집혀 그가 그토록 보고파 하던 정인을 알아보지 못했다.

「오늘은 오지 않으리라 했잖소? 이 밤이 지나고 내일 다시, 그때 또 만나리라 하지 않았소? 안 되오! 이리 가면 안 되오! 이토록 끔찍한 몰골로 떠나 버리면 아니 되오!」

보명의 울부짖음이 어둠을 갈가리 찢으며 울려 퍼졌다. 오직 견마지심으로 주인을 따르는 개들은 영문도 모르는 채 꼬리를 치며 축축한 혓바닥으로 보명의 흙 묻은 발바닥을 핥을 뿐이었다.

보명은 만신창이가 되어 너덜거리는 동륜을 안고 궁 안으로 들어갔다. 내의를 급히 불러 상처를 처매고 갖은 비방을 동원했지만, 동이 틀 무렵 미미하게 뛰던 심장마저 멎었다. 동륜태자가 이처럼 어이없이 죽은 것은 홍제(鴻濟) 원년(572) 진월(음력 삼월), 신명이 보낸 춘신(春信)이 벚나무 끝에 닿아 붉디붉게 지펴 오르던 시절이었다.

*

하룻밤을 경계로 온 나라가 발칵 뒤집혔다.

상명지통(喪明之痛)*을 겪은 진흥제의 충격과 슬픔은 너무도 크고 깊어 도무지 빠져나올 방도가 없는 듯했다. 한 아비로 아들을 잃은 원통한 심정 또한 지극하려니와 일국의 황제로서 대업을 이을 사자(嗣子)가 그야말로 개죽음을 당했다는 사실이 백성들과 이웃 나라들에 육니하기 이를 데 없었다.

돌연한 슬픔은 분노가 되어 타올랐다. 진흥제는 죽은 동륜태자의 종인들을 모두 불러 모아 그간의 내막을 문초하기 시작했다. 죽은 자는 유구무언이요, 산 자들의 입에서 새어 나오는 말들은 목불인견의 음사들인지라, 제는 그만 충분히 아들의 죽음을 추모할 여유마저 잃고 광인처럼 날뛰며 추문 공세에 몰두하게 되었다.

─────────────

*상명지통 : 눈이 멀 정도로 슬프다는 뜻으로 아들이 죽은 슬픔을 비유적으로 이르는 말.

「선인들이 밝히길 욕정은 끊어져서도 안 되지만 빨라서도 안 되고, 방종해서도 안 되며, 너무 강해서도 안 된다지 않았던가. 욕정에는 엄연히 금지하는 것이 있어야 하는 법이라고.」

진흥제는 가슴을 치며 태자에게 제대로 음양 상합의 원리를 가르치지 못한 것을 후회했다. 자신이 이상으로 삼은 가치의 고고함을 내세워 그저 믿고 따르라 강요한 것이 잘못이었다. 꿈은 스스로 꾸는 자의 몫일 뿐, 황제의 꿈이 결코 태자의 것이 될 수 없었다. 하늘이 땅이 아니고 물이 불이 아니듯, 아버지와 아들은 엄연히 다른 존재였다.

하지만 타고난 기질이 얼마간 나약하고 경망하긴 했으나 입태자(立太子) 후 곧잘 군주의 수업을 소화해 온 동륜이 갑자기 궁 안팎을 오가며 난봉을 부리게 된 데는 결정적인 계기가 있을 듯했다. 황제는 유례없이 태자의 죽음과 관련된 이들을 직접 문초하며 어디서부터 이 실타래가 뒤얽혔는지 진상을 까밝히기에 이르렀다. 궁 안에는 몇 날 며칠 살이 타는 냄새와 뼈가 갈리는 소리, 노호와 비명과 신음이 물결쳤다.

매를 이길 사람은 없었다. 애당초 형구에 묶여 치도곤을 맞으며 지켜야 할 진실 따위도 없었다. 겁에 질리고 고통에 못 이긴 사람들의 입에서 하나 둘 미생과 미실의 이름이 새어 나오기 시작했다.

「소, 소인은 자세한 연유와 속내 따윈 알지 못하나이다. 다만 미생랑이 지시하는 바대로 왕경의 미녀들을 물색해 바쳤을 뿐이옵나이다.」

「불충한 죄인을 죽여 주시옵소서! 하지만 소인은 미실원화를 좇아 따른 죄밖에 없사옵니다. 하늘과 땅을 두고 맹세하나이다!」

이렇듯 생전의 동륜과 가까이 지내던 종인들 중에 미실과 미생의 낭도들이 많고 그들의 입에서 미실 남매의 추잡한 짓거리들이 흘러 나오니, 진흥제는 비로소 미실의 품행을 의심하기에 이르렀다.

「미실…… 그 요망한 것이 은혜를 원수로 갚는 거냐? 태자의 음행을 부추겨 얻으려는 것이 무엇인고. 또 어떤 추악한 진실이 미실궁에 똬리를 틀고 있단 말인가.」

그간 베푼 조은(朝恩)이 다대한 만큼 미실에게 느끼는 제의 배신감 또한 컸다. 궁 안에는 곧 큰 옥사가 일어나리라는 흉흉한 소문이 공공연하게 떠돌았다. 숨죽인 채 돌아가는 사정을 살피던 미실은 누구보다 빨리 나쁜 낌새를 눈치 챘다. 일이 이 지경에까지 이르렀으니 가까스로 눌러 막았던 지저분하고 잡스러운 소문들이 활개 치고 앞 다투어 튀어나오는 것은 시간문제였다.

「어찌합니까? 어찌해야 옳단 말입니까? 어리보기 귀동인인 줄만 알았던 태자가 이처럼 큰 사고를 칠 줄 어찌 알았겠습니까?」

미생이 도둑고양이처럼 야음을 틈타 미실을 찾아왔다. 항상 히죽해죽 고민이라곤 아예 없는 듯하던 미생의 낯빛이 며칠 사이에 시꺼멓게 타든 것을 보니 어지간히 애가 닳은 모양이었다.

「본래 가장 위험한 자는 위험이 무엇인지 모르는 자다. 그래서 지나치게 단순하고, 순진하고, 착한 것마저도 나쁜 것이다. 태자가 단신으로 보명궁을 월장한 일은 나에게도 놀라운 사건이었다. 하지만 아주 이해할 수 없는 것도 아니다. 부러 이해하지 않으려 버팅기지만 않는다면 세상에 이해하지 못할 일이 무엇이겠는가.」

「누이는 이 판국에도 선사 같은 소리를 읊조리시오? 당장 우리의 목숨이 경각에 달린 형편입니다.」

「서두르지 마라. 죽은 태자가 살아 돌아오지 않는 한 이미 엎질러진 물이 아닌가.」

「엎질러진 물이라면 주워 담을 방도가 없지 않습니까? 이대로 목에 칼이 들어올 때까지 기다리자고요? 아아, 난 죽기 싫습니다. 무서워요! 싫어요!」

동동거리는 미생과 달리 미실은 놀라울 정도로 침착했다. 싸늘하리만큼 태연한 표정에도 변화가 없었다. 갈래를 뻗친 백 가지 생각을 하나로 모으기 위해 그녀의 아미가 잠시 꿈틀거렸을 뿐이었다.

「생지옥에서 며칠을 살며 줄곧 손가(孫家)의 말을 떠올렸느니라. 조종하되 조종당하지 마라! 무릇 모든 싸움에 감정을 앞세우기보다는 이익을 따져야만 이길 수 있다는 것이 손가의 궁극적인 가르침이도다.」

「조종하되 조종당하지 말라……. 그러면 어찌하시겠다는 것입니까?」

「얻기 위해서는 기꺼이 잃어야 한다. 너와 나의 목숨을 구하기 위해 원화의 위를 내놓고 떠나리라. 비밀이 만천하에 공개되는 것은 나에게도 두려운 일이지만, 황제 역시 모든 진실을 요구하지는 않을 것이다. 내가 감당하기 버거운 공은 상대에게 던져 줘야 옳다. 그 공을 다시 나에게 돌려보내느냐 아니냐는, 내가 아닌 상대의 몫이리라…….」

미실은 모질게 입술을 깨물고 마침내 승부수를 던졌다. 그 즉시 낭도들을 모아 원화의 자리에서 물러남을 선포하고 평복 차림에 목 놓아 울며 궁을 빠져나갔다. 미실의 명령으로 하종 또한 전군의 위를 사퇴하고 어미를 따라 궁문을 나섰다. 옥에 가두어 심문할 겨를도 없이 미실이 먼저 선수를 치고 나서자 진흥제는 그만 닭 쫓던 개 먼 산 바라보는 모양이 되어 버렸다.

「원화의 위를 내놓았다고? 그것이 제멋대로 받고 제멋대로 내던

질 수 있는 지위라더냐? 선도를 부흥시켜 신국의 위상을 드높이겠
노라 서약한 것이 언제였는데, 무슨 죄를 어찌 지었다고 말도 없이
궁을 빠져나간단 말이냐. 이 요망한 풍류 나비 일족들의 버릇을
단단히 고쳐 놓지 않고서야 어찌 나라의 기강이 서겠는가!」

진흥제는 길길이 뛰며 화를 냈다. 하지만 당장 미실을 추격하여 잡
아들이라는 명은 내리지 않았다. 백만 개의 사랑이 곧바로 백만 개의
미움으로 둔갑하기란 쉽지 않은 법이었다. 단 하나라도 미움으로 변
하지 못한 사랑이 남아 있다면, 그것은 온전한 미움일 수 없었다.

이때 미실의 계책과 황제의 마음을 눈치 챈 사도황후가 미실을 구
하려 안간힘을 쓰고 나섰다.

「미실의 처신이 아무리 그릇되다 하여도 삼주(三柱)의 맹세를 저
버릴 수야 있겠습니까? 어찌 천한 무리들이 지껄이는 어지러운 말
에 현혹되어 총첩의 은혜를 빼앗고 내치신단 말입니까? 죽은 아들
의 혼령도 필시 이 자닝한 형국에 아파할 것입니다. 부디 자비를
베풀어 가련한 동륜태자의 넋을 극락으로 인도하소서⋯⋯.」

아들을 잃은 어미의 심정이야말로 참렬하기 그지없을 터인데, 사
도황후는 인욕(忍辱)의 마음으로 간절히 미실의 용서를 구하였다.

「과연 황후는 만백성의 어머니이자 나의 스승이시오. 아육왕이 깨
달음을 얻기까지 숱한 살육전이 있었다지만, 피를 손에 묻히지 않
고도 이기는 것이 진정한 용자의 체모일 것이오. 그리하리다. 내
가 버리리다. 삶의 화택(火宅)에서 들끓는 내 마음을 던지리다. 참
혹하게 죽은 우리 아들, 동륜을 위해서라도⋯⋯.」

진흥제는 사도황후를 끌어안고 통곡하며 부르짖었다. 사체의 외
양이 하도 참혹하여 차마 염습에도 입회시키지 못한 아내였다. 그
순간 그들은 황제도 황후도 무엇도 아니었다. 다만 새끼를 잃은 어

미 아비일 뿐인 그들에게 필요한 것은 복수도 논판(論判)도 아닌 슬픔을 씻어 내는 한바탕의 눈물, 외곬으로 숫된 애도의 의식이었다.

눈물은 누추하고 번잡스러운 모든 세사를 정화시켰다. 시원하게 울어 젖히고 나니 비로소 원한과 의심이 가라앉고 한발 물러설 여유가 생겼다. 진흥제는 마침내 옥에 가두었던 사람들을 풀어 주고 이 모두를 불문에 부치라는 조칙을 내렸다. 이로써 미실의 요청으로 부활한 원화, 오직 미실 한 사람을 위해 만들어졌던 원화제도는 폐지되었다. 지방에 출정해 있던 세종이 소환되었고, 화랑의 낭적이 다시 쓰이기 시작했다.

아무 일도 일어나지 않은 듯 거짓말처럼 새날이 밝았다. 모두의 입이 한결같이 닫혀 무거워졌고, 비밀 아닌 비밀을 공유한 사람들은 적이 신중해졌다. 동륜태자만이 감쪽같이 사라졌을 뿐, 무엇도 달라진 것이 없는 듯하였다. 동륜은 너절한 육신과 빈곤한 영혼뿐 아니라 이승에서 부여받은 버거운 이름까지도 지우고 갔다.

오직 단 한 사람, 그들의 불행한 인연이 처음 맺어진 숲 모퉁이를 떠나지 못하고 서성이는 사람이 있었다. 봄이 이울어도 그녀에게는 가을, 여름이 다가와도 그녀에겐 헤어날 수 없는 가을이었다. 그녀는 가냘픈 목을 꺾어 무정히 돋아나는 새 이파리를 마냥 바라보았다. 울울창창한 상수리나무 아래 후두두 누리*인 양 떨어지던 도토리, 지난 생애 사랑한 어느 정랑이 던져 보낸 신호인가. 튼실한 아름드리 기둥을 거푸 쓸어내리는 보명의 눈가장이 어느새 꼼꼼하게 젖어 들고 있었다.

---

*누리 : 우박.

남자의 사랑

이른 아침부터 앞뜰 연못 위로 제비가 낮게 날더니, 어느새 촉촉이 는개가 내리기 시작했다.

「춘분이 지난 것이 엊그제 같더니, 오늘이 벌써 청명이로구나……」

방문을 열고 마당을 향해 몸을 돌려 앉은 미실이 흐트러진 머리를 쓸어 올리며 희미하게 중얼거렸다.

「조반 후에 즐겨 드시던 행병이라도 마련해 바치오리까? 지난해 수확하여 달게 졸여 둔 것이 남아 있사옵니다.」

눈치 빠르고 손끝 여문 계집종 아이가 미실의 낯빛을 살피며 물었다.

「이제 겨우 살구꽃이 피기 시작했는데 살구 과자가 다 무어냐? 청명에는 그저 소리 없이 다정한 행화우를 즐기기에 족하다. 하늘의 이치는 절기를 거스르지 않는 법인데, 사람만이 조바심으로 지난 갈무리를 들추는구나.」

「입이 쓰다고 며칠째 변변히 식사를 못하시지 않으셨습니까?」

「일없다. 행병을 먹는다고 속이 썩어 쓴입이 가셔지겠는가. 이젠

나도 단것보다 쓴 것이 도리어 익숙한 나이인가 보다…….」

「무슨 말씀이시옵니까? 원화께선 아직도 갓 핀 꽃처럼 아름다우
십니다.」

「원화? 원화라고 했느냐? 그게 누굴 가리키는 이름이더냐?」

「송구하옵니다. 소녀가 실수를 했사옵니다. 죽을죄를 지었사오나
부디 너그러이 용서해 주시옵소서!」

계집종은 손을 모아 싹싹 비는 시늉을 했다. 비위를 맞추려는 그
곱실한 행동거지마저도 미실의 눈에는 아리땁게 비치지 않았다. 웬
만한 일에는 알면서도 속아 주는 게 사람을 알뜰히 부려 쓰는 방법
이란 것을 알면서도 밤새껏 뒤척이며 버성긴 마음에 그나마의 여유
조차 없었다.

궁에서는 아직도 아무 소식이 없었다. 동륜의 죽음과 관련된 모든
일을 불문에 부치라는 조칙이 내려지긴 했지만 진흥제의 심중을 헤아
릴 방도가 없었다. 여전히 믿고 있지만, 믿을 수밖에 없지만 군주의
사랑은 범부의 그것과 다르기에 쉽사리 판단하여 대처할 수 없었다.

어쩌면 끝이리라, 다시 돌아오지 않을 수도 있다. 그녀가 언제나
믿어 의심치 않던 하늘의 복록과 행운도 여기서 끝, 기회는 다시 오
지 않을지도 모른다. 알 수 없는 앞날을 넘겨짚어 상상하는 것만으
로도 미실은 지치고 외로웠다.

「어머니, 밤새 안녕히 주무셨습니까? 어제저녁 몸이 찌뿌드드하다
하시더니, 혹 감환에 걸리신 건 아니온지요?」

우산도 받치지 않고 뜰에 내려선 채 문안을 바치는 하종의 앞머리
가 막 소세를 마친 듯 젖어 있었다.

「봄비를 함부로 맞으면 고뿔 걸리기 십상이다. 어서 방으로 들라.」

미실은 아들에게 초췌한 몰골을 들키기 싫어 얼른 옷매무새를 가

다듬으며 말했다. 하종은 공손하게 머리를 조아리며 어미의 방으로 들었다. 이런저런 세사에 얽혀 마음을 앓는 동안, 그는 하룻볕이 무서운 봄풀처럼 부쩍 자란 것 같았다. 제법 소년의 앳된 티를 벗고 청년의 외양을 갖춰 가는 하종은 헌칠한 허우대가 갈수록 아비를 들쓴 듯했다.

'씨도둑은 못한다더니, 아무리 꿈속에 다른 정인을 품고 가졌다 하나 뿌리내리는 이치야 속일 수가 없구나!'

미실의 속마음을 읽기라도 한 듯 어미가 밀어 놓은 방석에 앉은 하종이 조심스레 입을 열었다.

「아버님이 왕경에 돌아오셨다는 소식은 들으셨습니까?」

「들었다. 화랑도의 낭정을 한시라도 비워 두고 소홀히 할 수 없으니, 어쩔 수 없는 일 아니겠느냐?」

「소자의 미련한 생각으로는, 아버님이 비록 부름을 받고 들어와 어머님이 원화에서 물러나는 것을 승인하고 다시 풍월주가 되었다고는 하나, 그 모두가 아버님의 소망과 뜻은 아니리라 사료되옵니다.」

하종은 행여 미실이 세종에게 억울하고 분한 마음을 가지고 있을까 걱정인 듯하였다. 분에 넘치는 전군의 위를 얻고 부귀와 영화를 다 누려도, 서로 사랑하지 않는 부모 사이에서 살얼음판을 걷는 듯 살아온 하종은 어느덧 조숙한 애어른이 되어 있었다. 후회란 것은 애당초 모르고 살아온 미실이지만 그런 하종에게만은 미안하고 애틋한 마음을 느꼈다. 차라리 어깃장을 놓으며 퉁겨진다면 호통이라도 치련만, 변함없이 효성스럽고 진득한 아들이 미실의 행신을 어렵게 했다. 미실은 가까스로 웃음을 지어 보이며 답했다.

「내가 어찌 전군을 원망하겠는가. 모두가 나로부터 비롯된 사단이니 나는 오로지 칩복(蟄伏)하며 조심하려 할 뿐이다…….」

미실은 마음에도 없는 말로 하종을 위로하려 애썼다. 그런데 하종의 말이 씨앗이 되었던지, 그들 모자가 겸상으로 아침 식사를 마친 직후 뜻밖의 손님이 미실을 찾아왔다.

「하종, 하종아! 여기 있느냐?」

그는 차마 미실의 이름을 부르지 못하고 떨리는 목소리로 아들의 이름을 거푸 외쳐 불렀다.

「어머니, 아버님이 오셨습니다! 아버지가요!」

어느 결에 들었는지 하종이 맨발로 뛰어나가 대문을 열었다. 아이 같이 들까부르며 달려가는 하종의 끗긋한 발이 잊고 있던 한때를 일깨웠다. 언젠가 미실은 그 발을 사랑했었다. 맨발, 한 송이 흰 꽃 같았던 그 발.

「오랜만입니다. 불편한 데는 없으십니까? 얼굴이 좀 수척해지신 듯하건만…….」

세종은 몇 년 만에 다시 만난 미실을 마주하기 두려운 듯 어깨 어름을 비껴 보며 말하였다.

「돌아오셨다는 소식은 들었습니다. 아까 조반을 들며 하종이 이야기를 꺼내기도 했지만…… 오늘 비님과 함께 방문하실 줄은 몰랐습니다.」

미실은 여전히 아름다웠다. 차라리 혼자만의 곰삭은 상상이 깨어질 만큼 늙고 추레해졌다면 좋았으련만, 상상을 뛰어넘어 훨씬 더 아름다워진 미실을 보며 세종은 슬펐다. 아직도 젊고, 아름답고, 요염한 그녀를 사랑할 수밖에 없어서 슬펐다.

「그간의 사정은 대강 들었습니다. 마음고생이 심하셨을 듯한데, 이제는 어지간히 치유하여 다스릴 만하십니까?」

「글쎄 말입니다……. 궁에서 내쳐진 것이 벌써 두 번째인데 충격과 상심만큼은 익숙해지지 않는 게 이상합니다. 마음을 다쳤지요. 세상 무엇에도 비끄러매고 버팅기기 힘들 만큼 마음이 무너졌지요. 하지만 그렇다 하여 어찌하겠습니까? 저승의 거룻배가 아직 도착하지 않았으니 어쨌든 기다리며 견뎌야 하지 않겠습니까?」

염세증을 앓는 듯 허허로운 표정을 지어 보이는 미실을 보자 세종의 마음도 더불어 무너졌다. 기실 미실이야말로 생에 대한 미련과 집착이 누구보다 질기고 강한 여인이었다. 저승의 거룻배가 강두에 닿는대도 눈 하나 깜짝하지 않고 떠날 채비를 차릴 때까진 타고 나설 수 없다 앙버틸 성질이었다. 그럼에도 미실은 진실처럼 거짓에 도취하여 지껄이었고, 세종은 감쪽같이 그것에 속아 넘어갔다. 세종은 치밀어 오르는 감정을 간신히 억누르며 말했다.

「미실! 나에게 한 번만 더 기회를 주십시오. 내가 왕경으로 한걸음에 달려온 것은 풍월주의 위가 탐나서도 아니고 변방의 거친 생활이 지겨워서도 아닙니다. 나는 당신이 명한다면 언제라도 당신의 뜻에 따라 출장입상할 수 있습니다. 당신이 원한다면 난시에는 싸움터에 나가 장군이 될 것이고 평시에는 재상이 되어 정치를 할 것입니다. 가라면 가고 오라면 올 것입니다. 잠시만이라도, 당신이 홀로 외롭고 쓸쓸한 찰나라도 당신 곁에 머물 수 있도록 허락해 주십시오. 내 소원은 그것뿐입니다.」

세종은 미실 앞에 털썩 무릎까지 꿇고 애걸하였다.

「보옥이라도 밥을 지어 배를 불릴 수는 없고, 만군을 움직이는 권력이라도 늙고 병들어 죽는 일까지 막을 수는 없지 않습니까? 당신과 나, 그리고 우리 하종…… 세 식구가 반찬 없는 거친 밥이라도 나눠 먹으며 함께 살 수 있다면, 나는 더 이상 아무것도 바라지 않겠습니다!」

한 치의 사사로움도 없는 깨끗한 마음으로 눈물을 흘리며 간언을 바치는 세종을 보자, 미실도 감동하지 않을 수가 없었다. 동륜태자의 죽음과 관련되어 추문에 시달리며 크게 체모를 잃는 지경에 이르렀지만, 세종은 지난 시절의 일을 들추어 미실을 경멸하고 비웃지 않았다. 그의 마음은 그가 뱉은 말에서 더하거나 뺄 것이 없을 터였다.

미실은 사뿟이 다가가 세종의 손을 끌어 일으켜 세웠다.

「좋은 일에는 누구나 함께할 수 있지만 나쁜 일에 함께할 수 있는 사람은 극히 드물다 하더이다. 그리하여 나쁜 일이 다 나쁘기만 하지는 않구려. 당신이 나에게 얼마나 중한 사람인지 이제 알았으니, 당신이 나에게 바친 정절을 고맙게 받아들이오리다……」

미실은 세종의 지성에 감격하여 서로 화합하기를 다짐하였다. 세종은 이미 융명과 헤어지고 오랫동안 홀로 미실만을 바라보며 살아온 터였다. 미실은 세종의 바람대로 세 식구만의 단란한 즐거움을 갖고자 해궁(海宮)으로 이사하고, 세종에게 풍월주의 위를 설원랑에게 물려주고 번잡한 세상사로부터 멀어지길 권하였다. 세종은 흔연히 미실의 권유를 받아들여 풍월주를 물리니, 등나무 잎을 삶아 그 물을 마시지 않아도 부부 사이의 오랜 갈등과 불화가 해소되어 애정이 다시 회복된 듯하였다.

극진한 효자인 하종은 부모의 화합에 기뻐하며 하루하루 살펴 모시기를 게을리 하지 않았다. 미실은 새로운 거처에서 지난 일은 모두 잊은 듯 세종과 함께 해신에게 하종의 장수를 빌며 평온한 일상을 보냈다. 산해진미에 질린 입에는 거친 밥과 소박한 찬도 때론 별맛이었다. 하지만 언제까지고 변덕스러운 미뢰(味蕾)가 싫증을 내지 않고 견뎌 줄지, 그로서도 도무지 점칠 수 없는 일이었다.

분하고 원통한 마음의 불이 사그라지자 금세 그 자리에 질척한 연민의 기운이 깃들었다. 애초에 진흥제는 미실을 다그쳐 죄를 묻고 벌을 가할 의지가 없었다. 진실을 알고 싶지도 않았고 행여 알게 될까 두렵기도 했다. 틀려 엇나갈 리 없는 예감이 진실에 적중하는 바로 그때가 미실을 잃는 순간일 것이었다. 그래서 때맞춰 스스로 몸을 낮추고 눈길을 피한 미실이 갸륵하고 미쁘게 느껴지기까지 했다.

「입은 옷 그대로 아무것도 챙겨 들지 않고 울며 나갔다 했느냐?」

「그러하나이다. 폐하를 부르며 목 놓아 우는 소리가 하도 애처로워 함께 눈물 흘리지 않은 궁인이 없었다 하나이다.」

「나를 불렀다고? 마지막까지 내 이름을?」

그 역시 평소에 미실과 회뢰(賄賂)*한 바 있는 사자는 소매 아가리로 거짓 눈물까지 찍어 내며 출궁하던 미실의 모습을 장황하게 묘사하였다.

아들의 참혹한 죽음을 겪은 후 진흥제는 쉽사리 예전의 강건함을 되찾을 수 없었다. 한동안 분노와 복수심을 의지 삼아 버텨 내기는 했지만 더 이상 시시비비를 가리지 않기로 한 그 순간부터 그는 급격히 무너져 내렸다. 삶과 죽음, 젊음과 노쇠함의 분별이 의미 없었다. 거룩하게 빛나는 영광을 좇아 하루하루를 긴장 속에 살아가는 일에도 환멸이 느껴졌다. 그리고 스스로도 어이없게 느껴질 만큼, 쓸쓸하고 허무할수록 미실이 사무치게 그리웠다. 그녀의 따뜻한 몸속으로 미끄러져 들어갈 때의 짜릿한 하강과 산봉우리에 올라서서 드넓은 평원을 내려다보듯 절정에서 느끼는 충만한 상승이 못 견디게

---

*회뢰 : 뇌물을 주고 받음.

간절했다.

　그래서 궂은일을 치른 즉후임에도 불구하고 신료들의 눈을 피해 후궁들의 처소에 출입하기도 하였다. 하지만 허겁지겁 치러지는 방사가 계속될수록 가없는 허기만 더해 갈 뿐이었다. 황제의 침전에는 미실의 유령이 횡행했다. 실체 없이, 그러나 그녀는 분명히 있었다.

　의미 없이 왕복 운동을 거듭하는 헐벗은 어깨 너머에서, 그녀는 요사스러운 눈빛을 반짝이며 때로 냉소하고 때로 엄정히 평가하였다. 황제는 교합의 상대에게 몸을 이리 뒤쳐 보라, 저리 비틀어 보라 신경질적으로 명하기도 했다. 하지만 스스로 상상하여 움직일 줄 모르는 상대들은 낯설고 불편한 동작을 흉내 내기에 급급할 뿐 좀처럼 즐겁게 합하지 못하였다.

　'깔깔깔! 그것 보시옵소서! 황제는 소녀에게서 벗어날 수 없사옵니다!'

　불현듯 미실의 드높은 교소가 귓가를 스친 듯하였다. 당황한 황제의 남성이 급격히 시들었다. 성문 꼭대기에 펄럭이는 깃발만 보고 들이닥쳤다가 정작 텅 빈 성안에 갇혀 포위당한 기분이었다. 한 번도 지는 싸움에 나서 본 적 없는 황제는 비로소 지독한 패배감이 어떤 것인가를 경험했다. 하지만 이 싸움에서 기필코 이긴다 하여 그가 얻을 수 있는 성과란 또 무언가.

　냉철한 한비자는 군주가 여악(女樂)에 빠지면 반드시 망한다 하였다. 그것은 비록 한비자만이 아니라 고왕금래의 모든 성인이 한입으로 말하는 교훈이다. 하지만 한비자는 또한 이익은 애증을 앞서며, 노자의 말을 빌려 인위적인 행위와 생각에 집착하기에 앞서 천성인 시각과 청각과 지력을 보듬어 살피라 하였다.

　「노자와 한비자가 입 모아 조복(早服)에 대해 말하길, 일찍 도를 좇는 것이야말로 사람의 도리라 하지 않았나. 화가 미칠 징조를 간파하기 전에 미리 허심탄회하게 도리에 복종해야 하나니……. 그 나쁜 여자를 좇지 않고서야 더 나빠지고 위험해질 수밖에 없다. 어쩌면 뻔히 나쁜 것을 알면서도 피하지 못하고 이끌리는 이 마음이, 군주와 필부를 다를 바 없게 하는 사내의 사랑이 아니겠는가?」

마침내 진흥제는 미실을 향한 열망을 이기지 못해 스스로 거둥하여 미실을 찾기에 이르렀다.

미실은 한시도 긴장의 끈을 늦추지 않고 살았다. 아무리 급격한 추락을 겪어도 떨어질 만큼 떨어지면 다시 밑바닥을 치고 솟아오르리라는 것을 그녀는 의심치 않았다. 오직 사랑만을 믿었다면 버티고 견뎌 내지 못했을 것이다. 완력으로도 회유로도 빼앗길 수 없는 그녀만의 아름다움과 매력, 그것을 믿었기에 미실은 쉽게 흔들리지 않을 수 있었다.

육신의 아름다움은 찰나였다. 마음을 앓고 실의에 젖으면 금세 거칠어진 피부에 잡티가 돋고 꼿꼿하던 등이 굽어지는 것이 알량한 여체의 아름다움이었다. 그러하기에 미실은 더욱 어금니를 물고 자신을 벼렸다.

선도의 수행법 중 하나인 인단법(人丹法)의 방중술에서 이른 대로 음양 교접술의 기본이 되는 자연의 기(氣)로 자신을 채우기에 몰두했다. 일광욕과 삼림욕으로 생명의 푸른 기운을 저장시키고, 경락을 알아 팔뚝을 비롯한 복사뼈 위의 삼음교(三陰交) 혈을 매만지거나 비벼 스스로 몸에 좋은 기를 많이 저장시키기를 게을리 하지 않았다. 기회는, 사랑은 예고없이 들이닥친다. 준비하지 않고서야 그 기회를 살리고 사랑을 얻을 수 없다.

진흥제의 방문을 받은 미실은 방금 전까지 자리보전을 하고 있었던 양 비실거리며 겨우 일어났다. 굳이 속이려 들지 않아도 속고자 하는 사람은 반드시 속게 되어 있다. 여전히 복사꽃처럼 불그레한 안색을 하고도 곧 쓰러질 듯 비틀거리며 병자연하는 미실을 보자 제는 당황하여 안절부절못하였다.

「강왕하던 전주가 어찌 이리 약해졌는가? 정녕 몸을 거누기에 힘이 부칠 정도인가?」

황제의 마음이 약해져 흔들리는 기색을 알아챈 미실은 주저 없이 바닥에 배를 깔고 엎드려 읍소하기 시작했다. 눈치놀음에 그녀만큼 명민하고 교활한 자는 다시없었다.

「소녀를 죽여 주시옵소서! 소녀는 숱한 추문으로 원화의 위를 더럽힌 일을 감당하기 힘들어 허락도 없이 궁을 빠져나오는 불충을 저질렀나이다. 제의 하명으로 얻은 원화의 위가 얼마나 거룩한가를 모르는 바 아니오나, 명예를 훼손하고 이름을 더럽히기보다는 차라리 적신(賊臣)으로 벌을 받는 편이 낫다고 생각하였나이다……」

「그래, 전주의 마음을 이해한다. 나 역시 상명지통을 견뎌 내고 평상심을 유지할 만큼 감능하지 못하였느니라.」

「못난 소녀와 아우 미생은 다만 태자의 쾌심사를 위해 흥취를 돋우기에 열심이었을 뿐, 그 결과가 이처럼 자닝한 참화를 가져오게 될 줄은 미처 알지 못하였나이다. 충모(忠謀) 없이 미욱했던 소녀에게 참시의 벌을 내리신대도 달갑게 그것을 받겠나이다……」

미실이 눈물을 사방에 흩뿌리며 사죄를 바치니, 제는 마침내 무릎걸음으로 다가가 울며 엎드린 그녀를 손수 일으켜 세우기에 이르렀다.

「모두가 지난 일이다. 이토록 진심갈력으로 용서를 비는 전주에게 내가 어찌 죄과를 따지겠는가? 부디 몸을 보존하고 마음을 다스려

기려(綺麗)한 모습을 지키도록 하라!」

「성은이 망극하여이다! 소녀는 출궁하며 스스로 다짐하길 목숨이 붙어 있는 날까지 태자의 극락왕생을 비는 염불로써 정업(淨業)에 몸을 바치기로 하였나이다. 오늘 비로소 황제의 은광으로 더러운 몸과 마음을 씻으니, 어찌 이 약속을 값없이 어길 수 있으리까?」

진정 어린 낯빛으로 지어 바치는 미실의 고백에 제는 불쑥 치솟는 애정을 제어하지 못하였다. 당장에라도 입궁하라 명을 내려 미실과 함께 환차하고 싶었다. 하지만 이미 세종이 지방으로부터 소환되어 왕경에 있으니 섣부른 처신으로 신의를 잃을까 염려스럽고, 태자가 잠든 무덤의 떼가 뿌리를 내리기도 전에 미실을 다시 전주로 삼는다면 중망이 흉하게 들썩일 듯하여 차마 거행하지 못하고 말았다.

그러나 미실이 세종과 다시 합하여 해궁으로 이사했다는 소식을 들었을 때, 진흥제는 정인을 빼앗긴 평범한 사내가 그러하듯 솟치는 질투를 견딜 수 없었다. 가까스로 마음을 다스려 참았지만, 그는 세상 만물을 다 자기 것으로 믿고 살아온 군주였다. 소유욕은 그의 본능이었고 존재의 근거였다.

다행히 진흥제와 미실 사이에는 끊어 낼 수 없는 인연이 남아 있었다. 미실은 출궁할 당시 하종과 함께 수종전군을 데리고 나왔다. 아직 나이 어린 막둥이를 어미 품에서 떼어 내는 것은 너무 모진 처사라는 이유였다. 물론 수종의 낯가림이 유별난 것은 사실이었다. 하지만 미실의 심중에는 모성을 뛰어넘은 계산이 있었다. 황제의 위신을 해치지 않으면서 남볼썽 사납잖게 접촉을 시도하려면 치마꼬리를 잡고 늘어지는 늦둥이의 역할이 지대하였다. 아무리 명분을 중시하는 신료들과 말꾸러기 백성들이라도 혈육이 서로 끌리는 자연의 이치를 트집 잡지는 못할 것이었다.

부러 수기에 시참(詩讖)*을 지어 적지 않아도, 미실의 예상은 적중하였다. 진흥제는 수종전군을 본다는 핑계로 몇 번이고 미실을 궁으로 불러들이려 하였다. 하지만 정업을 맹세하며 자복하기까지 했던 미실은 무슨 엄부력을 부리려는지 하명을 받고도 냉큼 입궁하지 않았다. 장황스레 자기의 죄를 늘어놓은 글을 올려 바치고는, 글 끝에 수종이 고뿔에 걸렸다, 밤낮이 바뀌었다, 낮가림이 심해 황제의 심기를 불편하게 할까 두렵다, 밀막는 변명도 갖가지였다.

그럴수록 황제의 마음은 바싹바싹 타들어 갔다. 한여름의 서석골에서 처음 보았을 때 그의 등뼈를 훑어 내리던 저릿한 위험의 예감은 빗나가지 않았다. 하지만 그와 동시에 이를 거부할 수 없으리라는 것마저 알아 버리지 않았던가. 황제의 눈에는 마른 들을 휩쓰는 매몰찬 야화가 붉은 혀를 빼물고 널름거리는 듯하였다. 그는 이 황홀한 재앙을 어떻게 수습해야 할지 알 수 없었다.

＊

부부의 사랑이란 서로를 향해 들썽들썽 달뜬 남녀의 사랑과 엄연히 달랐다. 가장 큰 차이라면 부부의 사랑이야말로 비밀 없이 마음을 열고 희로애락 일체를 함께 나누는 친밀감을 바탕으로 한다는 것이었다. 은밀한 꿈과 음험한 두려움, 묘연한 희망과 뜨거운 열망까지도 함께할 때에만 남편과 아내는 끊이지 않고 잇대어 사랑할 힘을 얻었다. 타인에게 때로 위험한 빌미가 되는 비밀까지도 공유할 수 있는 유일한 상대가 피 한 방울 섞이지 않고도 가장 가까운 가족, 부

---

*시참 : 자기가 지은 시가 우연히 자신의 미래를 예언한 것과 같이 되는 일.

부였다.

물론 세종에게 미실은 그런 아내였다. 하지만 미실에게 세종은 끝내 그러할 수 없었다. 미실의 비밀은, 비밀스러운 꿈은 세종이 자기 깜냥으로 감당해 낼 수 있는 경지 너머에 있었다. 다만 세종은 사실을 인정하지 않으려 버텼고, 미실은 그 안타까운 억지와 강짜를 때로 수용하고 때로 이용할 뿐이었다. 같은 자리에 누워 서로 다른 꿈을 꾸는 그들은 악인연으로 얽힌 야릇한 조합의 부부였다.

미실은 제가 친히 거둥하여 사죄를 받아들이고 간 순간부터 이 불안한 원앙 놀음이 오래 지속되지 않으리라 예감했다. 그녀는 이미 공을 상대에게 넘겼고, 그것을 어떻게 다루느냐는 온전히 상대의 몫이었다. 황제는 자기 자신과 싸우고 있을 터였다. 그를 평생 길들인 도의와 명분이 오직 한 방향으로밖에 뻗을 줄 모르는 가열한 욕망과 치열한 쟁투를 벌이고 있을 터였다. 승부는 곧 끝날 것이었다. 그리고 그녀는 반드시 이길 수밖에 없었다.

세종은 조심조심 귀물을 다루는 양 미실을 어루만졌다. 그에게 그녀는 익숙하고도 새로웠다. 출정을 나가 변경에 머무를 때에도 그는 감히 행음(行淫)을 꿈꾸지 않았다. 크고 작은 전투를 거듭하며 하루하루 긴장의 나날을 보내다 보면 기쁨과 슬픔과 노여움과 즐거움의 자연스러운 감정은 다소 무뎌지기 마련이었다. 그럼에도 삶의 징표처럼 뜻밖에 오롯해지는 것, 그것은 바로 육욕이었다. 요새에 고립된 채 배를 곯고 졸음에 시달리면서도 새벽이면 우뚝하게 발기하여 꺼드럭대는 양물이 놀랍고도 서러웠다. 하지만 세종의 눈에는 주변에서 낭도들을 받드는 아리따운 유화들이나 성내의 아낙들이 들어차지 않았다. 눈짓 한 번 손짓 하나에 욕구를 달랠 상대가 대령할 것임에도 그는 눈을 깔고 주먹을 부르쥐며 자신을 다스렸다.

「나는 종일 보루 위에서 적을 기다렸지요. 적이 침공하지 않는 안녕한 오늘을 간절히 바라면서도 언제든 적이 성큼 다가오기를 기다렸지요. 하지만 가장 오랜 시간 나의 시야를 채운 것은 무장한 적병이 아니라 울창한 숲이었답니다. 숲은 짐승의 아가리처럼 어둡고, 나무와 나무 사이를 훑고 빠져나오는 바람 소리는 마치 포획의 공포에 질린 잔짐승들의 비명 같았지요…….」

세종은 박속처럼 희뿌연 미실의 앙가슴에 얼굴을 묻고 토설하듯 지껄이었다.

「젊은 낭도들은 두고두고 스스로에게 다짐하곤 하지요. 이름 없는 호민으로, 변방의 장수로 생을 마칠 수는 없다고. 그래서 그들에게는 두려움이 없습니다. 미숙하기 그지없는 약관의 나이이지만, 그때만큼 세상을 다 안 것도 같고 송두리째 흔들 수 있을 것도 같은 때는 생에 다시없을 테지요. 내가 언젠가 그러했듯 말입니다.」

미실은 세종과의 잠자리에서까지 열음을 토해 내며 방사의 기교를 부리고 싶지 않았다. 그녀는 짐짓 미욱하고 부끄럼 많은 촌부처럼 잠자코 남편의 손길에 자기 몸을 맡겨 두고 있었다.

「부러 금욕하려 했던 것은 아닙니다. 나는 경건한 사문들처럼 속태를 벗고 살아갈 재주가 없는 범부일 따름입니다. 다만 검은 숲 위로 뭇별이 내릴 즈음엔 어김없이 당신이 뇌리에 떠오르더이다. 꼭 당신뿐이었습니다. 당신밖에는 누구도 떠올려 낼 재주가 없었습니다. 그러다 보면 어느덧 꿈길에 당신이 찾아와 나를 만나 주시더군요. 얼마나 고맙고 반가웠는지 모릅니다.」

「호호. 전군의 객몽에까지 내가 출현하였다고요?」

미실이 재미있다는 듯 입을 자그막게 벌려 웃으며 물었다. 그래도 여전히 세종은 진지한 어조로 답했다.

「그럼요! 당신은 내가 그리워하는 유일한 여인입니다. 그때도 못 견디게 그리웠고, 지금도 여전히 그립습니다……」

미실이 세종에게 완전히 솔직해질 수 없는 이유도, 그렇지만 그를 끝내 밀어낼 수 없는 이유도 여기에 있었다. 그는 지나치게 진실하고 드레진 사내였다. 장난처럼 세종의 말을 흘려들으면서도 그녀는 조금씩 슬퍼졌다. 그에게서 지난 생에 못다 받은 빚은 얼마쯤이나 남아 있을까. 세종은 반드시 그 모든 부채를 갚고야 말리라 싶었다.

'나는 전군에게 더 받고자 하는 것이 없습니다. 지금으로도 충분합니다.'

미실은 입 밖으로 그 말을 내뱉지는 않았다. 이번 생에 결국 그를 사랑하지 못한 채 떠나더라도 그의 사랑을 받아들이는 역할까지 뿌리치지는 못할 테다. 그것은 부부애도 도덕도 무엇도 아니었다. 그저 기나긴 시간을 함께 나눠 온 상대, 어쩌면 못난 모습까지도 거울 속 경상(鏡像)처럼 익숙하게 들여다보이는 오랜 벗에 대한 예의일지도 모른다.

미실은 별다른 감흥을 자아내지 못하는 세종의 붉은 몸을 가만가만 어루만져 보았다. 마치 자기 육신을 더듬을 때처럼 자리자리한 간지럼마저 없었다. 세월은 타인의 피부에 대한 이물감마저 벗겨 낼 정도로 거칠게 그들 사이를 스쳐 지났다. 음탐이 과하여 자극에 지나치게 자신을 노출한 탓도 있을 것이었다. 하지만 후회막급 뉘우친 대도 돌이킬 수 없는, 이미 흘러 버린 시간이었다. 거침없이 몰아쳐 변하는 세월 속에 인아(人我)*를 믿고 고집한다는 것은 어리석은 일이었다. 나는 없다, 명백히 있고도 없다…….

---

*인아 : 사람의 몸 안에 늘 변하지 않는 본체가 있다는 미혹한 생각.

미실은 이 서럽고도 구차한 정사를 오래 끌고 싶지 않았다. 그녀는 힘껏 곡도를 조여 옥문 안으로 진입한 세종을 가두었다. 그는 작고 무력한 사람이 되어 그녀 안에 갇혔다. 세종이 허리를 비틀며 헉하고 짧은 신음을 내질렀다. 극도로 감각이 날카로운 미실의 몸 안으로 세종이 내쏜 음액이 뜨뜻미지근하게 퍼지는 듯하였다.

순간 미실의 입 안에 역한 노린내가 괴었다. 언젠가 동륜태자의 씨앗을 잉태한 채 세종이 잡아 온 노루의 가죽을 벗겨 피가 뚝뚝 떨어지는 육회를 마구 먹었다. 앞다리에서 목에 이르는 부위의 연한 살은 비리고도 고소했다. 포악한 식탐 끝에 입덧이 멈추고 살이 오르기 시작했다. 그때 미실이 정신없이 삼킨 붉은 고기는 세종의 살덩이였는지도 모른다. 그는 사랑으로 그녀에게 먹힌다. 그의 사랑이 그녀를 식인귀로 만든다. 그날 밤 이미 미실은 자신이 여섯 번째 아이를 임신했음을 깨달았다.

진흥제가 졌다. 결코 이길 수 없는 싸움에서 당연히 패배했다. 그는 어떤 어리석고 부박한 사내에게라도 일생에 한번쯤 찾아오고야 마는 진실한 사랑에 포박되었다. 실로 어리석고 부박하여 자신이 가진 지위와 명예에 집착하였다가는 놓쳐 버릴 수도 있는 기회였다. 삼한을 통합하겠다는 소망보다, 세속의 전륜왕이 되겠다는 염원보다 덜 우아할지는 모르나 더 절박한 단 하나의 바람에 진흥제는 자기 전부를 걸었다.

황제는 마치 신괴한 것에 홀리고 들린 양 정신없이 해궁을 향해 달렸다. 그녀에게 가까워질수록 그는 점점 가벼워졌다. 머리에 들쓴 금관과 귓불에 드리운 귀고리, 주렁주렁 요대에 매달린 보옥들이 의미를 잃고 그를 떠났다. 세상에 처음 날 때처럼 벌거숭이 모습으로 가벼워진 그의 귓전에는 오직 한 여자의 간드러진 웃음소리, 벌름거리는 코에는 과육처럼 달콤한 몸내, 흐릿한 눈앞에는 영혼마저 옥죄는 듯 형형한 눈빛이 아른거리고 있었다.

「미실! 수종! 미실! 나는 너희 없이 살 수가 없다. 너 없이는 살고도 죽은 목숨이다. 일국의 황제를 더 이상 처참한 지경에 놓아두지 마라.」

가전별초(駕前別抄)*를 거느릴 요량도 없이 해궁까지 한달음에 달려온 진흥제는 미실을 보자마자 대뜸 성음을 높였다. 적이 놀라고 당황한 미실이 서둘러 좌우를 물리치고 독대하자 황제는 미실의 손을 덥뻑 움켜잡고 눈물까지 글썽이었다.

「어찌하여 이러십니까? 일국의 군주로서 체모를 지키셔야 하지 않습니까? 여기는 소녀와 전군이 함께 기거하는 사가이옵니다.」

미실의 나긋하고도 단호한 대꾸에 뜨거운 열망으로 빛나는 진흥제의 두 눈에서 그만 성루가 주르르 흘러내렸다.

「네가 정녕 내 마음을 몰라 하는 말이더냐? 너는 이미 내 심중을 낱낱이 꿰뚫어 헤아리지 않느냐? 네 사랑 없이는 사바의 광영이 모두 헛되고 부귀공명이 봉사가 쳐들고 가는 등불처럼 무의미하도다. 나와 이 나라 신라에는 반드시 너, 미실이 필요하다. 세종과 맺은 부부연이 문제더냐? 그러면 세종과 함께 입궁하라. 내 너희 부부를 위해 신궁을 짓고 이곳에서와 다름없이 정애(情愛)로 살도록 허락하리라.」

때는 바야흐로 가파른 삼국의 항쟁기, 변경을 둘러싼 밀고 당기는 각축전이 시시각각 진행되고 있었다. 고구려와 백제 그리고 신라, 개이빨처럼 서로 엇물린 세 나라 사이에는 영원한 친구도 영원한 원수

---

*가전별초: 임금이 행차할 때, 그 수레 앞에 서던 시위병 이외에 따로 앞서던 군대.

도 없었다. 오직 생존의 본능을 따라 움직이는 개미 떼처럼 더 이롭고 간편하고 안전한 길을 부지런히 좇을 뿐이었다. 그러나 지속되어 온 위험한 공존의 상태도 기어이 그 종막을 향해 치달아 갔다. 전쟁에 지친 백성들의 피폐해진 살림 형편도 그러하려니와 자신의 꼬리를 집어삼키는 뱀처럼 언제까지나 복수를 빌미로 피의 소모전을 벌일 수는 없는 노릇이었다. 진흥제는 이 혼탁한 환란 속에서 더욱 또렷해지는 자신의 책무를 알고 있었다.

신라가 내세우는 신국의 도는 사후 세계의 안녕보다 현세의 행복을 우선으로 쳤다. 그것은 분명히 명교(名教)나 심학과 달랐으나, 신라를 그 무엇과도 다른 신라이게 했다. 죽은 후에 옥식(玉食)을 먹고 광상(匡牀)에서 잠들어 봐야 무슨 소용인가? 길지도 않은 지상의 삶, 육의 아름다움을 찬미하여 영의 지고함을 드높이며 보내기에도 너무 짧지 아니한가? 남과 여는 기꺼이 소리 높여 교합하고, 아름다운 육신을 가진 이는 마음껏 단장하여 뽐내고, 노래하고 춤추며 생을 찬미하는 일이 신명이 바라는 바로 그것이리라.

진흥제는 전왕인 법흥제에 이어 불심에 가득 찬 전륜성왕으로서 세상의 수레바퀴를 돌리고자 하나, 실상 그의 의지와 기개는 단연코 정력에 넘친 신국의 도에 뿌리를 두고 있었다. 그러므로 미실이 없고서야 한 사내의 사랑을 넘어 신라의 보존에도 위험이 되리라는 진흥제의 주장은 아주 무리한 것이 아니었다. 아름다움이야말로 힘이었다. 아름다운 힘이었다.

미실은 황제의 눈물에 마음이 요동치는 것을 느끼면서도 끝까지 따져 다짐받아야 할 바에 집중하였다.

「하나, 이미 소녀는 전군의 자식을 태내에 두었나이다. 황제의 총애가 아무리 극진하다 할지라도 어찌 남의 씨앗에게까지 관대하길 바라겠나이까?」

기실 미실의 망설임과 두려움은 그것이었다.

금수들조차 그러하다. 씨를 뿌리는 수컷들은 의심과 불안의 숙명을 지고 있다. 자기 영역을 강탈당하여 암컷들을 잃은 수컷에게는 오로지 두 갈래의 길이 남아 있다. 그 하나는 도태에 가까운 자멸, 그것이 아니라면 스스로도 믿을 수 없는 괴력을 발휘하여 시시각각 영역을 되찾을 꿈에 시달리는 것이다. 다시금 자기를 내쫓았던 수컷을 몰아내고 영역으로 돌아온 수컷에게 남은 일이란 자기가 부재했던 동안 자기의 암컷이 생산한 남의 씨앗들을 모조리 물어 죽이는 살육의 행사뿐이다. 암컷이 목숨을 걸고 가로막아도 소용없는 일이다. 그들의 분노는 배신을 넘어서고 체념을 가차 없이 무찌른다. 가혹한 사실은 개체의 보존이 절실한 고등의 존재일수록, 그 본능이 가열하고 집요하다는 것이다.

하지만 진흥제는 그조차 무방하다 하였다. 한시바삐 미실을 곁에 두어야 한 사내로서의 자신이 살고 신국 신라가 보존될 것임에, 미실이 누구의 자식을 가져 낳는대도 문제 삼을 수 없다는 것이었다.

황제의 뜻이 하도 완강하기에 미실은 마침내 제를 따라 입궁하기로 결심했다. 그러나 이미 복중의 아이가 수개월을 자랐으니 해산을 한 후 입궁하겠노라 청하였다. 진흥제는 그마저도 허락하지 않았다. 당장, 한순간이라도 지체하면 숨이 말려 넘어가고 결창이 꼬여 버릴 것만 같았다.

하는 수 없이 미실은 하종과 수종, 세종까지 모두 거느리고 불룩한 배를 내민 채 왕성으로 들어갔다. 그 기묘하고도 당당한 환궁에 차마 누구도 방정맞은 말질을 할 수가 없었다.

진흥제는 모든 약속을 철저히 지켰다. 황제는 세종을 병부우령으로 삼고, 약속대로 황후궁 좌원에 신궁을 지어 위로하였다. 입궁한 지 얼마 지나지 않아 미실이 세종의 아들 옥종을 낳으니, 진흥제는 옥종을 자신의 마복자로 삼아 친자식처럼 기르기를 마다하지 않았다.

모든 것은 변하고도 변하지 않았다. 성총은 예전과 다름없이 지극하였고 미실은 잃었던 전부를 다시 얻었다. 미실은 흩어졌던 심복들을 모두 끌어 모아 요직에 앉혔고, 잠시 포기한 듯 체념한 체하였던 다대한 욕망을 가동하기에 이르렀다. 신명은 여전히 아름답고 냉혹한 그녀의 편이었다.

*

화랑 문노는 가야의 자손이었다. 그의 어머니는 법흥제가 가야 북국에 사신으로 보냈던 호조공의 첩 문화공주였다. 문화공주는 첩실의 몸으로 신라에 들어와 살다 비조부공과 몰래 통하여 문노를 낳으니, 문노는 스스로를 가야의 자손이라 칭하며 권력으로부터의 소외를 자청하였다.

문노는 어려서부터 격검을 잘하고 의기를 좋아했다. 모든 일상의 기준을 정의와 의리에 두고, 젊어서 지극히 방정하고 빈틈이 없었다. 문노의 남성미를 흠모한 낭도들과 폐국 가야의 혈통을 이은 낭도들이 자연히 주위에 모여들어, 그는 자신의 일도(一徒)를 가야파로 칭하며 이끌었다. 가야파 문노는 일정한 소속이 없이 필요에 따라 아군을 지원하고 적군을 공격하는 별파유군(別派遊軍)으로 활동했다. 비록 일정 부서를 맡지는 못했으나 문노의 공은 자못 혁혁하였다.

개국 4년(554) 열일곱 살의 나이로 무력 장군을 따라 백제를 쳤고, 이듬해에는 한수 이북에 나가 고구려를 쳤으며, 7년에는 국원에 나가 북가야를 치고 공을 세웠다. 하지만 곡학아세(曲學阿世)를 경멸하고 권세를 부리는 데 흥미를 느끼지 못하는 문노는 권력가들에게 껄끄럽고 뇌꼴스러운 존재였다. 목숨을 걸고 앞장서 싸웠으나 아무 보답도 받지 못하자 부하들 중에는 공공연히 불평을 털어놓는 자도 있었다. 하지만 문노의 대꾸는 한결같았다.

「대저 상벌이란 소인배들의 일이다. 그대들은 이미 나를 우두머리로 삼았는데 어찌 나의 마음을 그대들의 마음으로 삼아 가지지 못하는가?」

이처럼 세상에 내세우지 않아도 가진 품성이 암향(暗香)을 그윽이 풍기니, 정도를 걷기 즐기는 자들에겐 문노만큼 화랑다운 화랑이 다시없었다.

세종이 풍월주가 되어 화랑을 통솔할 때, 세종은 문노의 기개를 높이 사 친히 문노의 집을 찾아갔다.

「나는 감히 그대를 신하로 삼을 수 없소. 청컨대 나의 형이 되어 부족한 나를 도와주시오.」

세종 또한 성품이 건정한 사내로 자기보다 격이 높은 자를 따르기에 부끄러움이 없으니, 그 요청이 실로 간절하고 곡진했다. 문노는 세종의 묘품을 단박에 알아보았다.

「하늘의 자손인 전군께서 어찌 천골인 저를 형이라 칭하나이까? 비록 부족하기 이를 데 없는 무부(武夫)이오나 풍월주가 소용대로 쓰실 곳이 있다면 기꺼이 나아가 충성을 바치겠나이다.」

문노는 허리를 굽혀 세종을 섬기겠노라 맹세하였다. 세종은 과연 소문대로 문노가 화랑의 모범이 될 만한 자질이 있다고 생각하였다. 그래서 진흥제 앞에 나아가 문노를 정당하게 논공행상해 주십사 간청했다.

「비조부의 아들 문노는 고구려와 백제를 치는 데 여러 번 공이 있
었으나 어미로 인해 영달하지 못했으니 참으로 아까운 일입니다.
부디 공에 걸맞은 벼슬을 내리어 나라를 위해 긴요하게 쓰소서.」
　황제는 세종의 말을 듣고 과연 그러하다 하여 문노에게 급찬의 위
를 내리기로 결정하였다. 하지만 지극히 강직하고 욕심이 없는 문노
는 분에 넘치는 벼슬이라 하여 사양하며 뿌리쳤다. 그럴수록 세종은
더욱 문노를 사랑하며 존경하게 되었다.
　어떤 식으로든 보상해 주고 싶어 애가 끓던 세종에게 마침내 기회
가 왔다. 문노 개인의 일은 아니었으나 그가 자신의 몸처럼 아끼고
돌보는 낭도들과 관련된 사건이 일어난 것이었다.
　어느 날 낭도들끼리 사사로운 다툼을 벌이다 우격다짐이 몸싸움
으로 번져, 한 낭도가 다른 낭도의 목숨을 앗는 사건이 벌어지고야
말았다. 사람을 죽이는 중죄를 저질렀으니 조정의 형벌이 내려질 것
이 자명하였다. 그때 세종이 바람막이를 자청하고 나섰다.
　「살인죄야말로 중한 벌로 다스려야 옳겠으나, 그 일의 내막을 들
추어 보면 반드시 따지어 가릴 바가 있사옵니다. 금번의 사건은
결국 의리 때문에 일어난 일이니, 화랑도의 기풍은 스스로 마땅히
보살피고 남과 더불어 지키는 도리로부터 비롯되나이다. 명예를
저버리고 막되게 군 낭도를 가르치는 와중에 뜻하지 않게 빚어진
사건이니, 상은 가하나 벌은 불가하다 사료되옵니다.」
　풍월주 세종의 의견이 그러하고 일의 속내 또한 정상을 참작할 바
가 있어, 제는 대다수 화랑들이 소망하는 대로 사건을 종결시켰다.
이 일이 결정적인 계기가 되어 문노의 일도는 세종에게 귀의하였
고, 문노는 처음처럼 목숨이 다하는 날까지 세종을 섬기기로 다짐
하였다.

육신의 아름다움이 삶의 꽃이라면 정신의 아름다움은 굳건한 뿌리와 같아, 문노를 기리며 탐내는 이들이 더욱 많아졌다. 사도황후 역시 문노의 명성에 감탄하여 뒤로 몰래 그를 도우며 자기편으로 만들기 위해 공을 들였다. 용인술(用人術)에 탁월한 재능을 가지고 있는 미실 또한 문노에게 눈독을 들였다. 그는 작은 정성으로 큰 이익을 가져올 수 있는 인물임이 틀림없었다.

하지만 문노는 다른 모든 사내들과 확연히 달랐다. 그가 목적을 두고 구하는 바는 세간에서 귀히 여기는 것들과는 엄밀히 구분되었다. 문노에게는 출세의 욕망도 부귀영화의 바람도 없었다. 그는 다만 이름을 귀히 여기며 존엄과 품위를 지키기 위해 끝없이 자신을 단련시켜 나갈 뿐이었다.

그런 데다 문노는 애당초 미실을 좋아하지 않았다. 아름다운 여자가 친절까지 베푼다면 어느 사내도 이성을 유지하며 공정하게 굴기 어려운 법인데, 문노는 도리어 그러한 시험을 불쾌하게 여기며 배척하였다.

미실이 문노를 알기 전부터 문노는 미실을 알고 있었다. 이미 문노는 여러 번 미실의 간계를 목도하여 요사스럽고 망령된 속성을 파악하였다. 문노는 미실의 초련(初戀)인 사다함이 스승으로 여기어 의리를 다해 좇던 화랑이었다. 사다함이 가야 정벌에 나서기 전 문노에게 함께 참전할 것을 청하니, 문노는 '어찌 어미의 아들로서 외조의 백성들을 괴롭히겠는가?' 하며 원정을 거절하였다. 그럼에도 충직한 사다함은 문노를 의인이라 칭하며 뭇사람들의 비난으로부터 그를 보호하고, 가야에 들어가서도 군사들에게 함부로 민인을 죽이지 말도록 주의를 주었다. 그런 사다함이었지만 미실에게는 터무니없이 약하고 편벽되었다.

미실은 사다함의 애정을 등에 업고 겨우 열두 살이 된 자기 동생 미생을 화랑도에 편입시켰는데, 그 미생이란 아이의 간능(幹能)이 문노의 눈에는 참으로 가소롭기 그지없었다. 화랑의 낭도라 불리는 녀석이 혼자 힘으로 말 등에도 기어오르지 못하니 뭇입에 오르내리지 않을 방도가 없었다. 문노는 보다 못해 사다함을 엄중히 꾸짖었다.

「무릇 낭도가 말에 오르지 못하고 검을 사용하지 못한다면, 하루 아침에 일이 생겼을 때 대체 어디에 쓸 것인가?」

백옥같이 희고 눈부신 사다함의 낯빛이 부끄럼으로 시뻘겋게 달아올랐다. 하지만 사다함은 당장 미생을 내쫓기는커녕 생전 보이지 않던 비굴한 모습까지 지어 바치며 용서를 비는 것이었다.

「그 아이는 내가 사랑하는 사람의 아우입니다. 비록 말달리기와 격검에는 소질이 없으나 얼굴이 아름답고 춤을 잘 추어 여러 사람을 위로할 수 있으니, 그 재주를 높이 사 받아들일 수 있지 않겠습니까?」

강직한 소성을 갖춘 사다함의 굴신에 문노는 어처구니없었다. 그러나 문노는 사다함을 아끼는 마음으로 다시 그 문제를 끄집어내어 따지지 않았다. 부족한 만큼 더 성실하게 노력한다면 사다함도 낯날 일이련만 미생은 끝내 검을 싫어하여 무예 훈련에 불참하고 빠질거리기 일쑤였다. 그런 데다 타고난 성질이 교만하여 책망을 들어야 할 처지에 있으면서도 도리어 상대를 책망하는 아가사창(我歌査唱)의 지경이었다. 미생은 문노가 자기를 밉보는 것을 알고 꺼려 하여 경의를 표하지 않기에 이르니, 사다함은 문노를 볼 때마다 민망하고 곤란하여 쩔쩔매기까지 하였다.

문노가 판단하기에 미실은 사내를 망치는 요녀임이 틀림없었다. 사다함의 뒤를 이어 풍월주의 위에 오른 세종은 엄연히 미실의 본남편임에도 미실에게는 눈에 없는 존재나 다름없었다. 그 모습이 하도 방자하고 꼴사납기에 문노는 세종이 풍월주가 되어 미생을 전방화랑으로 삼아 미실의 마음을 기쁘게 해주려 할 때도, 적극 간하여 그 뜻을 이룰 수 없게 하였다. 그럼에도 미실은 포기하지 않고 낭도들에게 뇌물을 주어 미생의 지위를 일으키고자 하니, 화랑도에 요변스러운 사기는 다 그들 남매로부터 비롯되는 듯하였다.

미실이 진흥제의 총애를 입어 세종이 출정하게 되자, 문노는 차라리 잘된 일이다 싶었다. 이대로 왕경에서 눈꼴틀린 꼬락서니를 보며 마음을 끓이느니 적과 아가 맹렬하게 대치하는 변방에서 비바람을 벗 삼아 지내는 것이 나을 터였다.

문노는 세종과 함께 북한산에 나아가 고구려 병사를 여러 번 무찌르고 공을 세웠다. 그때 내정을 장악한 미실이 문노를 불러 봉사로 삼겠다는 뜻을 전해 왔으나, 문노는 완강히 그 청을 뿌리쳤다. 그는 휘어지기보다 차라리 꺾이고자 하였다.

그런데 문노로서는 아무리 알고자 해도 알 수 없는 것이 있었다. 맹장 이사부의 아들로 의협을 타고난 세종은 왕궁의 귀동자로 자랐음에도 문노의 존경을 받기에 손색없는 장수였다. 무엇보다 그는 싸울 줄 알았고 마땅히 이길 줄 알았다. 부하를 가르쳐 다룰 줄 알았으며 다정함을 바탕으로 하고도 추상같은 군율을 유지하였다. 참으로 인간이 지켜야 할 효와 우애와 충성과 신의의 네 가지 덕을 고루 갖춘 군자라 칭송하지 않을 수 없었다.

세종은 제법 황막한 변경의 생활에 잘 적응하는 듯하였다. 문노가 경멸하는 책상물림들처럼 초기엔 자기 감상에 겨워 경망하게 꺼불다가 차츰 지루하고 사나운 일상을 견디지 못해 우울병을 앓는 따위의 경박한 모습은 보이지 않았다. 하지만 세종의 얼굴에는 언제나 깊고 어두운 그늘이 드리워져 있었다. 승리를 자축하는 주연에서조차 그는 흔쾌히 요대를 늦추고 즐기지 못했으며, 때로는 홀로 먼 산을 바라보며 끔찍한 치통을 참는 듯 체머리를 떨기도 하였다.

언젠가 문노가 세종과 함께 한수 강변을 거닐 때였다. 문득 세종이 쪼그리고 앉아 손바닥을 모아 푸른 강물을 가득 담더니 그 속에 자기가 찾는 무엇이 들어 있는 양 그윽이 들여다보는 것이었다. 침묵 속에서 그의 넓고 펀펀한 등이 대신 웅변하고 있었다. 어쩌면 부질없는 집착이었는지도 모른다. 어쩌면 어린아이 같은 억지였는지도 모른다. 어쩌면 허영, 어쩌면 오기, 어쩌면 덧없는 발버둥이었는지도 모른다…….

「물이 참 좋구나!」

강변에서 고기를 잡던 어옹이 세종의 혼잣말을 들었는지 알은체를 해왔다.

「정말 그러하지요? 이 아리수(阿利水) 물은 한 달을 질그릇에 담아 두어도 이끼가 앉지 않는다오. 성안에서 제일 좋다는 우물물도 퍼 담아 두면 한 달을 못 가 이끼가 끼어 마실 수 없는데……. 이게 다 성은에 감읍할 일이지요.」

노인은 세종의 신분을 눈치 채지 못한 채 잔입을 놀렸다. 세종은 대꾸 없이 그저 쓸쓸하게 미소만 지을 뿐이었다. 손가락 사이로 새어 나가는 물은 마셔 볼 틈도 없이 사라져, 그는 어느새 빈손이었다.

세종은 문노와 더불어 부아악에 올랐다. 지금은 폐허가 된 위례성을 세우기 위해 부여에서 망명한 온조가 열 명의 신하들을 이끌고 함께 걷던 그 산길이었다. 수목은 다가올 계절을 준비하며 잎을 떨어뜨려 제 몸을 가볍게 비우고 조용히 붉고 누런 마지막 인사를 건네고 있었다. 이미 떨어진 낙엽 위에 또 잎이 떨어져, 융단처럼 푹신한 숲길이 세종과 문노의 낮은 발소리를 지웠다. 세종은 한 번도 쉬지 않고 오직 앞으로 나아가기에 열중했다. 홀린 듯이 오르고 들린 듯이 걷다 보니 조금씩 몸과 마음이 가벼워지는 느낌이었다. 고통과 슬픔과 수치심과 분노도 지나온 길에 흘린 듯 비워져 그의 흉중은 점차로 맑갛고 투명한 충만감에 가득 찼다.

산정에서는 백제의 시조 온조가 축조했던 하남 위례성의 잔흔과 곡식으로 출렁이는 농토들이 까마득히 보였다. 비록 적국이지만 한때 왕성으로 추앙받던 그곳 역시 멀리서 지켜보니 한 점에 지나지 않았다. 결국 점 하나를 찍기 위해, 모래알 하나를 흘리기 위해 세상에 왔다 가는 것이 삶이런가.

「참으로 좋은 지형입니다. 북으로는 한수를 띠처럼 두르고, 동으로는 높은 산악에 의지해 있으며, 남으로는 비옥한 들판이 바라보이고, 서로는 큰 바다에 막혀 있으니, 이 같은 천험(天險)의 요새를 놓고 삼국이 쟁투함은 지당한 일입니다.」

문노가 허리에 차고 온 수병을 기울여 목을 축이며 말하였다.

「과연 소서노의 높은 안목에 족히 들 만큼 하남의 땅은 금성탕지(金城湯池)*와 같은 곳이로다. 우리가 삼국의 통합을 위해 목숨을 걸고 이곳을 사수해야 할 이유가 명백하도다.」

세종은 비단 수건을 꺼내어 이마에 맺힌 땀을 훔쳤다. 그의 흰 이마가 불쑥 솟은 봉우리만큼이나 눈부셨다.

「그런데 민인들에게 듣기로는 여기서 온조의 형 비류가 목을 매고 죽었다 하더이다. 미추홀에 세웠던 소국이 폐망하자 수치심을 이기지 못해 홀로 여기 와서 자살하였다지요. 참 못난 사내입니다.」

---

*금성탕지 : 방어 시설이 아주 견고한 성.

문노는 세종의 흉중에 어떤 생각이 떠도는지를 알지 못한 채 지껄이었다.

「그게 단지 수치심 때문이었겠는가?」

나직한 세종의 대꾸가 허허로운 바람결에 묻어 돌아왔다.

「그럼 무엇이겠습니까? 사내가 스스로 세운 뜻을 이루지 못했으니 그만한 치욕이 또 있겠습니까?」

「비류란 자는 어리석고 나약했겠지. 현실이 꿈을 저버리는 것을 견디지 못했겠지. 생과 사가 자연과의 투쟁으로 점철된 거친 시기에 비류처럼 섬약하고 번민에 가득 찬 자가 견뎌 낼 자리는 많지 않았을 거야. 하지만 적어도 그는 꿈꾸던 사람이었던 거야. 소금기 어린 미추홀에서도 그는 갈증을 씻어 낼 한 움큼 정한 물을 간절히 그리워했던 것이고. 부끄러움보다는 더 이상 그리워할 수 없기에 목을 매었겠지. 아무것도 그리워하지 못한다면, 차라리 죽는 편이 낫다고.」

세종은 자살을 결심하고 동아줄을 든 채 산을 오르는 비류의 모습을 떠올렸다. 마음이 절로 싸했다. 지금은 먼지가 되어 과거 속으로 흩어진 비류의 옷자락에는 그가 꿈꾸던 바다의 바람 소리와 짜고 비린 냄새가 올올이 묻어 있을 터이다.

문노는 적국의 왕자를 추모하는 듯한 세종이 비위에 거슬렸다. 문노는 삶은 뜨거운 불덩이와 다름없다고, 살과 뼈가 녹도록 으스러지게 껴안아야 비로소 알아지는 것이라고 믿는 사내였다. 그러하기에 세종의 서늘한 허무와 그리움 따위가 이해될 리 없었다. 아니, 이해하고 싶지도 않았다. 이러쿵저러쿵해도 세종의 이룰 수 없는 꿈이란 결국엔 미실, 아름다운 육신을 무기 삼아 전횡하는 그 요사스러운 여자에게 닿아 있을 터였다.

문노는 남녀 간의 사랑을 믿지 않았다. 사랑이라는 감정의 장난질이 빚어내는 어리석은 일들을 혐오했다. 그는 비록 외가에 정의를 지키기 위해 가야 원정을 거부했지만, 기실 마음 깊숙한 곳에서 살모의 죄를 저지르며 자랐다. 아버지 비조부는 호조공으로부터 가야의 사신이라는 직책과 함께 첩실까지 물려받은 셈이었다.

머리로는 어미의 재가가 큰 흠일 수 없다는 사실을 이해했다. 중국에서는 예로부터 아버지의 교훈을 중시하여 여성의 정조를 강조했으나, 신라뿐 아니라 삼국에는 그런 식의 차별이 없었다. 부여나 고구려에서는 형사취수(兄死娶嫂)의 관습이 행해져 어제까지 아우였던 이가 오늘부터 형수의 계부이자 숙질의 의부가 되는 일도 공공연했다. 비류와 온조의 어미인 소서노 역시 주몽왕에게 재가하였다하나, 도덕이나 제도보다 지혜가 존중받고 무조건적인 충성보다 슬기로운 봉사가 칭송받던 풍토에서 볼 때 소서노는 절개 없는 여자라기보다 정치적으로 능했던 여장부임이 틀림없었다.

문노와 비류는 결국 같은 어머니의 덫에 사로잡혀 있는 셈이었다. 어머니는 언제나 정숙하고 고결하고 자애로워야 한다. 비류는 결국 어머니의 사랑을 갈구하다가 자진했다. 그럼에도 문노는 비류를 욕하며 비웃고 있었다. 자신이 사랑을 믿지 않기에 앞서 사랑이란 걸 아예 모른다는 사실을, 문노는 아직 깨닫지 못하고 있었다.

살아 있는 귀신

아름다움은 마치 높고 날카로운 삶의 비명과 같다. 아름다운 것들은 처음부터 조용히 자신을 묻고 숨어 살 수 없다. 늠름하게 잘생긴 소나무, 난연하게 활짝 핀 꽃, 깃털이 다채롭고 울음소리 고운 새, 미모의 남녀가 모두 그러하다. 따라서 사람들이 그들에게 끌려 축원을 바치고 신명을 찬양함은 배워 익혀 그리된 것이 아니다. 사람이 아름다움을 염원하고 추구하는 것은 단 한 가지 이유 때문이다. 아름다움 그 자체, 설명할 수 없고 이해할 필요도 없이 그저 받아들이기에 족한 절대의 가치.

그러나 비명을 지르다 보면 표적이 되기 쉽다. 베이고, 꺾이고, 잡혀 갇힌 채 완상(玩賞)의 대상이 되기 십상이다. 미실은 조롱 속 새의 지저귐이 노래가 아니라 울음이라는 것을 알았다. 궁원의 기묘 화초들이 일찍 꽃을 틔우고 쉽게 이울어 가는 이치를 깨달았다. 그들은 아름다움을 견디지 못해 자진한다. 빨리 이번 생을 떠나 암흑 속에 몸을 숨기고픈 것이다. 광명 속에 가리산지리산 헤매기보다는 어둠에 침잠하는 편을 택하는 것이다. 아름다움이 세상을 구원할지 언정, 그 아름다움을 구원하는 것은 오직 자유뿐이다.

성애에 대한 미실의 욕망과 상상력은 자유를 향한 갈구에서 비롯되었다. 미실은 성애를 통해 성애로부터 점차 자유로워졌다. 어떤 상대라도 상관없었다. 심지어 상대를 두지 않고도 스스로 젖꼭지를 세우고 음부를 적시어 절정을 느낄 수 있었다. 홀연히 높은 경지에 올라 무엇에도 거치적거리지 않는 무애의 경지에 다다랐다. 더럽거나 깨끗하고, 낮거나 높고, 천하거나 고상한 세상만사가 모두 성애 안에 있었다. 성애 자체가 하나의 완전한 세상이었다.

「오오, 당신이야말로 신명의 편애를 받은 여인이오. 어찌하여 아름다움을 한 몸에 다 지닐 수 있단 말이오?」

미실의 풍만한 품 안에서 또 한 사내가 열락에 겨워 뜨거운 숨을 게우고 있었다.

「세상에는 아직 정해지지 않은 것보다 미리 정해진 것들이 훨씬 많지요. 애초에 신명은 공평하지 않아요.」

미실은 헐떡이는 사내를 다독이며 서서히 정점을 향해 나아갔다. 육신을 가둔 옷을 떨치고 알몸으로 만나는 상대는 오직 그녀의 벗, 신분의 귀천과 지위 고하는 아무 의미가 없었다. 그들은 다만 뽕밭과 갈대밭에서 뒤엉키는 갑남을녀처럼 서로 탐하고 누리기에 몰두할 뿐이었다.

「내 어찌 세상에 이 좋은 것을 누리지 못하고 살았을까. 무지를 깨쳐 기쁘오! 삶의 위락(慰樂)을 깨달아 기쁘오!」

미실의 요나한 몸을 타고 앉아 언거번거하게 지껄이고 있는 사내는 바로 금륜, 죽은 동륜을 이어 태자의 위에 오른 진흥제의 둘째 아들이었다. 그들은 이미 미실이 세종과 함께 해궁에 머물 때부터 몰래 내통해 온 사이였다. 미실은 출궁하여 깨끗하게 살 것을 공언했으나, 뒤로는 금륜태자와 더불어 후사를 약속하며 교합하였다.

금륜태자가 미실을 오래도록 사모해 왔다는 사실을 처음 귀띔한 사람은 다름 아닌 미생이었다. 누이의 조언으로 동륜과 더불어 어색을 함께하며 삿된 우정을 다져 온 미생은 동륜이 죽자 누구보다도 놀라고 당황하였다. 물론 그것은 우정이나 슬픔과 같은 고상한 감정이 아니었다. 행여 불똥이 자기에게 튈까 겁내는 비겁함, 공들여 쌓아 온 탑의 밑돌이 빠져 우르르 무너져 버린 듯한 허탈감, 삽시간에 바람막이를 잃어버린 두려움 따위가 마구 엉킨 복잡한 심경이었다.

다행히 미실의 기지로 간신히 바람 앞의 촛불 꼴을 면하자, 또다시 미생의 교활함이 새로운 바람막이를 찾아 나설 것을 부추겼다. 그때 금륜이 은근히 미실과 만나기를 요청해 왔고, 꿩이 아니면 닭이라고 동륜에게 바랐던 것을 대신 이뤄 줄 유일한 사람이 금륜태자라는 사실에 미생의 눈이 돌았다.

미생이 아는 것을 미실이 모를 리 없었다. 그녀는 곧 천하만사가 금륜의 몫이 될 것임을 간파하였다. 그리하여 설원랑과 미생을 방외우(方外友)*로 삼고 접근해 오는 금륜태자를 뿌리치지 않고 받아들였다.

진흥제는 자신이 가진 열정을 다 끌어내 미실을 환궁시켰으나, 기력과 의지가 예전 같지 않았다. 천하의 진흥제라고 진시황제도 펼쳐 보지 못한 하늘의 도참(圖讖)*을 엿보았을 리 없었다. 한 해 두 해 왔다 가는 시절을 쫓다 보니 그 역시 늙어 가는 것은 필부와 다를 바 없었다. 제는 젊은 시절에 비해 많이 달라졌다. 동륜을 어이없이 잃

---

* 방외우 : 신분을 떠난 친구.
* 도참 : 미래의 길흉에 관하여 예언하는 술법을 적은 책.

고 나서는 그 변화가 더욱 역력하여, 안석에 기대어 눈을 감고 깊은 생각에 빠져든 제의 모습을 종종 볼 수 있었다.

예전과 확연히 달라진 황제의 불안한 눈빛과 변덕스러운 행동을 어찌 인생의 쇠퇴기에 다다른 자의 번민 탓으로 돌릴 수 있겠는가. 그는 노인이라고 하기엔 너무 이른 창창한 장년의 나이였다. 하지만 작금에 이르러 황제의 전 생애는 위태롭게 흔들리고 있었다. 언제나 한 치의 흔들림도 없던 신금이 어지럽고 산란하게 흩어져 가고 있었다.

그리고 언제부터인가, 진흥제의 용안에 슬픈 빛이 스며들기 시작했다. 애초에 그것은 열화와 같은 화증이나 소소한 뼛성 따위로 나타났다. 사자들에게 걸핏하면 벌을 내리고 가까운 공신들까지 내치기가 여러 번이었다. 이윽고 격렬히 부대끼는 언동보다 더 나쁜 증상이 이어져 나타났다. 며칠이고 곡기를 끊고 침전에 틀어박혀 거동하지 않는가 하면, 해괴하게도 시녀들을 붙잡고 통곡하며 눈물을 흘리곤 하였다. 그는 언제나 피곤한 기색이었으나 쉬이 잠들지 못했다. 핏발이 선 눈을 희번덕이며 무언가를 간절히 찾는 듯하다가, 마치 어미라도 잃어버린 아이처럼 갑자기 기력을 잃고 자기 속으로 깊숙이 침잠해 드는 것이었다.

「내 죄로다! 모든 게 다 내 업보이도다! 이제는 벌을 받는 일만 남았도다. 나는 결국 아무것도 이루지 못했도다. 아무것도……. 졌다. 내가 졌도다. 철저히 패배했노라. 날 바라보지 마라. 내 처참한 꼴을 비웃지 마라. 모두 물러가라. 모두 날 버리고 떠나 버려라. 맹수들이 우글대는 산중에 이 쓰레기 같은 육신을 내팽개쳐 두어라!」

울부짖으며 몸부림치는 황제의 모습을 지켜보던 사자와 대신들은 모두 울었다. 평생을 싸움 속에서 스스로 물러서지 않던 군주가 한 인간으로 돌아오는 과정은 처절하였다. 한바탕 광란과 소요의 눈물 바다 속에서 비로소 주군과 종자들은 인간으로 평등해졌다.

「염세증이다. 바람병의 징조이다. 황제는 세상을 염오하고 있도다!」

미실만은 눈물을 흘리지 않고 말했다. 미실의 말을 전해 들은 사도황후와 황제의 측근들이 더 큰 충격을 받았다.

미실은 흔들리지 않았다. 미실은 염세증에 걸려 세상의 일을 기피하고 자기 속으로 파고드는 진흥제가 더 이상 의지처가 될 수 없다는 사실을 인정하면서부터 더욱 냉정하고 강인해졌다.

홍제(鴻濟) 3년(574) 춘삼월에 아육왕이 보낸 황철과 황금으로 만든 장륙존상이 완성되어 황룡사에 모셔졌다. 구리쇠 삼만 오천일곱 근, 도금한 황금의 중량만 일만 백아흔여덟 푼중에 달하는 거대한 불상이었다. 진흥제는 동축사에 두었던 삼존까지 옮겨 와 황룡사 안에 모시고, 성대한 예불을 올려 나라의 번성과 모든 영혼의 정토왕생을 빌었다. 그해는 오동나무 꽃이 붉은빛으로 먼저 피었고 유난히 흑자색 가지 꽃이 흐드러졌다.

그리고 이듬해 봄과 여름이 가물더니, 황룡사의 장륙상이 눈물을 흘려 발끝까지 젖어들었다는 소문이 떠돌기 시작했다. 신실한 사문들이 비단 수건이 다 젖도록 아무리 닦고 닦아도, 물기가 좀처럼 가시지 않는다 하였다.

그 신통한 부처의 예고에 이름 불린 듯, 어느 날 낮수라를 비운 진흥제가 정전으로 나아가던 중 내원 한가운데서 갑자기 쓰러졌다. 내의가 온갖 비방을 바쳐 간신히 만사여생(萬死餘生)*을 보존하기는 했으나, 황제는 끝내 자리를 떨치고 일어나지 못했다. 병명은 풍질이

---

* 만사여생 : 죽을 고비를 넘기고 살게 된 목숨.

라 하였다. 한생을 뜨겁게 살았던 시대의 풍운아 진흥제가 병마에 손발이 묶인 것은 고작 불혹을 바로 넘어선 장년의 나이. 어둔한 입으로 그가 가장 또렷이 부른 이름은 미실, 오직 그녀뿐이라 하였다.

*

병석에 누운 진흥제는 더 이상 황제의 구실을 하지 못하는 지경에 이르렀다. 하늘의 해가 둘일 수 없듯, 살아 있는 황제를 두고 공공연히 왕위 계승을 논할 수는 없었다. 어떻게든 내외 정사를 돌보아 정치의 공백을 메워야 했다. 미실의 행보가 바빠졌다.

쟁쟁한 신료들이 눈을 부릅뜨고 있다지만 미실만큼 왕정의 형편에 도통한 이는 없었다. 황제의 지밀에서부터 화랑도의 풍류황권(風流黃卷)*에 이르기까지 그녀의 손이 닿지 않는 곳이 없었다. 그녀만큼 세를 모아 힘을 발휘할 자도 없었다. 낭도들이야말로 병부와 긴밀한 관계를 맺고 있으니, 화랑도에 지반을 두고 병부우령 세종을 등에 업은 미실은 단번에 권력을 손아귀에 틀어쥐었다. 미실은 밖으로 세종과 설원, 미생을 부려 외정을 다스리고 안으로 사도황후와 함께 내정을 장악하였다.

질병의 고통에 시달리며 나날이 사위어 가는 진흥제는 마치 아이 같았다. 보채면 달래고 울면 안아 주면 그만이었다. 양제(良劑)라고 알려진 중초약을 모두 대령하였으나 아무런 효과도 보지 못하였다. 매일 쓰디쓴 탕제를 올리고 침을 놓고 뜸을 뜨는 일마저 환자를 위한 것이 아니라 병구완하는 자들의 자족에 다름 아닌 듯했다.

---

*풍류황권 : 화랑도의 명부.

「떨어진 꽃은 나뭇가지에 다시 올라 피지 못한다더니, 한번 지나간 청춘은 돌이킬 수가 없구나! 곧 자리를 박차고 일어나 씩씩하게 천하를 호령하시리라 하였더니, 이젠 저무는 생애를 위로하며 돌보는 수밖에 무슨 방도가 더 남아 있으랴…….」

사도황후는 눈물을 훔쳐 내며 이제는 살붙이인 양 다밭은 지아비를 안타깝게 바라보았다.

「황후의 의중이 그러하시다면 마지막 비방을 쓸 도리밖에요.」

「미실, 너에게 무슨 비밀한 약방문이 있다더냐?」

「소녀 비록 기술을 쓸 기회는 얻지 못하였으나 틈틈이 편작(扁鵲)의 학(學)을 배워 익혔습니다. 신경의 탈로 생긴 병을 완치하는 데는 무리가 있겠사오나, 다만 원기를 보존하고 수명을 연장하기로 한다면 아예 방법이 없지는 않습니다.」

「그게 무엇이더냐? 임종을 늦추고 최후를 복되게 하는 일이라면 어떤 방법을 동원해도 무방하지 않겠는가?」

사도황후는 매달리는 심정으로 미실에게 방법을 구했다.

「일찍이 한족에게 도교를 전수한 장도릉이 민중의 질병을 고칠 때 널리 현소(玄小)를 적용했다는 기록이 있사옵니다. 도교에서는 수련의 방법으로 음력 초하루와 보름날 중기진술(中氣眞術)*과 합기(合氣)의 의식을 거행하기도 했는데, 그 모두가 죄를 용서하기 위한 목적이었습니다.」

죄를 용서한다……. 사도황후는 그 쓸쓸하고 서러운 말을 곱씹어 보았다. 살아 죽지 못하는 죄, 죽기를 피해 살고자 하는 죄, 바야흐로 살아가는 죄.

＊중기진술 : 집단적인 성행위 방법.

「그 의식은 어떻게 거행하는가?」

「의식을 거행하기에 앞서 남녀 모두 삼 일간 목욕재계를 하고, 본 의식에서는 음악에 맞춰 춤을 춘 후 남녀가 서로 짝을 이루어 합기를 하나이다. 하루 온종일 성교로써 음과 양의 기를 합하고 나누니, 장도릉의 의식에 따라 병을 고친 민중들은 모두 그를 '장천사'라 불렀다 합니다.」

미실이 노자를 교주로 받들고 《도덕경》을 주요 경전으로 삼은 도교를 들고 나오자 대꾸할 말이 없긴 했으나, 사도황후는 그 교합의 의식이 아무래도 해괴하여 덥석 받아들일 엄두가 나지 않았다. 그런 황후의 마음을 읽기라도 한 듯 미실이 덧붙여 말하고 나섰다.

「위나라의 무제 조조는 도교의 방사(方士)*를 가장 열성으로 불러 모은 사람입니다. 조조 때의 유명한 방사로는 호흡법인 합기술과 힘줄, 뼈, 관절을 움직여 하는 도인술(導引術)에 능한 감시와 여자와 성교하는 가운데 양생하면서 기를 보존하는 방중술에 통달한 좌자, 곡식을 먹지 않는 수련까지도 능통한 극검이 있었는데, 이들 모두가 이백 살까지 산 사람들이라 일컬어지옵니다. 무제는 이들을 자기 나라에 모아 두고 방중술을 배우며 효과를 경험했다 하옵니다. 바야흐로 지금이 폐하를 위하여 금단과 미약을 모두 써야 할 때라 사료되옵니다.」

기실 쇠하여 가는 황제를 두고도 아무 처방을 내리지 못해 뒷짐을 지고 선 형국이니, 미실의 비방이 설령 기괴망측하다고 해도 물리칠 길이 없었다.

이로부터 진흥제는 사도황후와 미실을 비롯한 보명, 옥리, 월화 다

---

* 방사 : 신선의 술법을 닦는 사람.

섯 궁주와 즐거움을 탐닉하며 여생을 보내기에 이르렀다. 정사(政事)는 모두 사도황후와 미실로부터 나왔고, 황제가 평생에 걸쳐 진력을 다해 구축한 질서와 체계가 굳건하니 나라가 흔들리고 상하의 분별이 없어지는 환난만은 피할 수 있었다.

　다만 아무리 합기로써 사마의 방문을 늦춘다 하나 진흥제는 엄연한 병자였기에 상대 여인의 욕망을 만족시킬 수는 없었다. 미실은 아무래도 사도황후가 마음에 걸렸다. 일평생 지아비를 바라보며 정절을 지켜 온 황후는 아들이 죽는 참혹한 불행에 이어 남편까지 잃을 환과고독(鰥寡孤獨)의 처지에 직면해 있었다. 날로 깊어지는 그녀의 우울증은 방치하여 두고 볼 수준이 아니었다.

　어느 날 미실은 궁원에서 홀로 꽃그늘 아래 쪼그리고 앉아 있는 사도를 보았다. 황제의 정실로 하늘 아래 둘도 없이 귀할 여인이련만 사도의 얼굴엔 사랑받지 못하는 여자의 건조하고 냉랭한 기미가 새카맣게 뒤덮여 있었다. 미실이 가만히 다가가 그녀 곁에 앉았다.

　「여기서 무얼 하시나이까?」

　「꽃을 보고 있었느니라.」

　「여기 구경감이 될 만한 꽃이 어디 있습니까? 이 꽃들은 다 이울어 떨어지고 있지 않습니까?」

　미실은 자신의 말이 행여 힐문으로 들릴라 조심하면서 나긋이 웃으며 대꾸하였다. 언제나 온순하고 부드럽던 사도황후의 얼굴에 한 줄기 바람처럼 쓸쓸한 미소가 스쳐 지났다.

　「민간에 이런 속언이 있더구나. 반만 여윈 꽃이라고……. 내 나이 벌써 서른 중반이니 바야흐로 그 말이 나를 가리키는 듯하구나. 그래서 나는 시들시들 말라 가는 이것들이 낯설지 않아 아무도 눈여겨보지 않는 초라한 손짓에 이끌려 이리 앉았구나…….」

「무슨 말씀이십니까? 소녀가 그 말을 듣고 깨닫기론 반은 시들었으되 반은 남아 있으니, 아직 잔류한 젊음과 아름다움을 칭송한 뜻이라 생각합니다.」

「날 위로하려 할 것 없다. 너는 아직 모를 것이다. 꽃도 십일홍이면 오던 나비도 아니 오고, 매화도 한철 국화도 한철이라고 했느니라. 늙는다는 건 슬픈 일이다. 늙는 것보다 늙어 혼자되는 게 더욱 두려운 일이다.」

미실은 황후의 심기증(心氣症)을 호강병이라 치부하며 소홀히 넘기고 싶지 않았다. 사람은 저마다 져야 할 짐이 따로 있다. 전생의 업보에 의해 각자 감당해야 할 무게가 다르려니와 자기 짐을 남에게 떠넘기고 남의 짐을 자기가 대신 짊어질 방도도 없다. 무겁기는 매한가지다. 평생토록 맨손으로 흙을 파는 촌부나 비단을 휘감고 보옥화 휘늘어진 관을 쓴 황후나 봄꿈처럼 짧은 차안을 허덕이며 스쳐가긴 마찬가지다. 누구에게나 삶은 사치스럽고도 궁핍하다. 누리는 복락은 천양지판 차이가 난다 하여도 그 내밀한 이치는 상하 귀천의 분별 없이 공평할 따름이다.

미실은 세상의 동정을 받지 못하는 이 외로운 여인을 위로하고 싶었다. 아무도 용서치 않을 그녀의 내밀한 가난을 보상해 주고 싶었다. 물론 사도황후야말로 미실이 앞으로 권력을 행사하는 데 가장 강력한 후원자가 될 것이 분명하였다. 하지만 그 사실을 넘어서 전생과 현생, 후생의 삼생을 하나같이 살고자 약속한 벗으로서 당장의 간난(艱難)을 두고 볼 수 없었다.

미실은 은밀히 세종을 불렀다. 이 해속(駭俗)*한 위무의 방식을 이

*해속 : 세상 사람이 놀랄 만큼 풍속이 어그러짐.

해하고 용납할 사람이라곤 세종뿐이었다. 다른 누구도 아닌 세종이
라면 가능할 것이었다.

「전군이 도와주시오. 색을 통하여 황후를 위로하고 삶의 기쁨을
누리도록 이끌어 주시오.」

미실의 말에 세종은 경악을 금치 못하고 펄쩍 뛰었다.

「도, 도대체 무슨 말씀이십니까? 그것이 어찌 가당키나 한 일이옵
니까?」

미실은 세종의 반응을 충분히 예상했다는 듯 차분차분 설명하여
타이르기 시작했다.

「황후께 지금 가장 필요한 것은 사랑을 베풀어 나눌 상대요. 마음
속에 고여 몸 밖으로 빠져나오지 못하는 사랑이야말로 자기를 해
치고 남까지도 상하게 할 치명적인 독소가 될 것이오. 전군이 아
시다시피 우리는 삼생의 벗이 되기로 약속한 사이로, 황후는 나
요, 나는 황후이리다. 세상의 모든 여인이 미실이요, 미실은 사랑
하고자 하는 세상의 모든 여인과 다르지 않소. 부디 전군이 내 마
음을 헤아려 간곡한 청원을 받아 주시길 비나이다.」

세종은 자신이 아무리 거절해도 미실의 청을 거부할 수 없으리라
는 것을 알았다. 어리석음은 이미 정해진 숙명이다. 그녀가 지게 가
득 갈비를 지고 산화 속에 뛰어들라 하면 그는 반드시 그리했을 것이
다. 사로잡힌 이에게 탈출의 길이란 없다. 결딴이 나서 없어지거나,
죽거나, 끝장나거나, 그보다 더 나아질 방도는 없는 것이다.

세종은 결국 미실의 뜻대로 사도황후와 통하여 그녀의 괴로움을
어루만지기에 이르렀다. 그들의 정사는 뜻밖에도 격렬했다. 그들이
핥고, 빨고, 깨물고, 더듬는 것은 상대의 몸이 아니라 자신의 비루한
생애인 듯하였다. 그들은 몸을 함부로 다루었다. 혀가 따끔거리고

입술이 부르트고 가슴과 등에 뻘건 생채기가 부풀어 돋을 때까지, 그들은 마치 맹수처럼 으르렁거리며 서로 깊이 즐겼다.

어쩌면 온화하고 진중하고 의로운 행실이 꼭 닮은 그들이었다. 하지만 다투듯 맞붙어 얼키설키 어우러지는 가운데 그들은 가슴속에 손발톱을 옹크리고 숨은 낯선 짐승을 보았다. 그들은 그것을 살리기 위해, 죽이기 위해 필사적으로 다투었다. 마침내 한바탕 회오리바람이 지난 후, 그들은 등을 돌리고 소리 죽여 울음을 삼켰다. 후회나 자책감이 생기지 않는 것은 기묘한 일이었다. 그들은 품속에서 몰래 키운 그 짐승에게 끈덕진 살의를 느껴 왔음이 분명했다. 마침내 짐승은 가슴을 뚫고 나와 죽었다. 후련했다.

그들은 물기가 번들대는 얼굴로 흐르륵 낄낄 우는 듯 웃으며 다시 한 번 음탕하게 뒤엉키기 시작했다.

*

수나라에 유학을 갔던 안홍 법사가 서역의 승려 비마라 등과 함께 돌아왔다. 진흥제는 안홍이 바친 《능가승만경》과 부처의 뼈를 소중히 받아 든 채 모든 세사를 뿌리치고 발심을 내어 머리를 깎았다. 구지레한 분진(粉塵)을 들쓰며 누항(陋巷)을 헤매다 마침내 불가의 말석에 자리를 잡은 신삭(新削)*은 비록 몸은 불편했지만 얼굴만은 한없이 맑았다. 법명은 법운, 그가 스스로 선택한 마지막은 행복해 보였다.

홍제 5년 병신년(576) 계월(음력 팔월), 진흥제가 붕(崩)했다. 지

---

*신삭 : 막 승려가 된 사람.

난한 투병의 경과와는 달리 임종의 순간은 조용하고 평화로웠다. 황제는 홀로 잠들었다 그대로 꿈길을 걸어 적멸하였다. 새벽녘에 시신을 처음 발견한 사람은 사도황후였다. 황후는 경망스럽게 울고불고 곡하는 대신, 신속히 미실을 들라 연락하였다. 이미 예행을 거친 양 미실 역시 상황의 급박함을 파악하고 세종과 미생을 거느리고 나타났다.

「앞으로의 일을 어찌할 것인가?」

그들은 우주가 진동하여 질서를 바꾸는 격동의 한가운데 있었다. 계위(繼位)의 절차는 조심스럽고 자못 신중해야 할 터였다.

「금륜이 태자의 위를 이어받았다 하나 그는 아직 대통을 이을 재목인지 검증받지 못한 처지다. 행여 일을 급하게 처리했다간 신왕이 간신배들의 아첨에 혹하여 지금껏 신국의 도를 기반으로 쌓아 온 모든 것을 물거품으로 만들 공산도 없지 않다. 무엇보다 먼저 금륜태자를 장악할 일이다. 누가 그 일을 감당하겠는가?」

사도황후의 말에 방중에 모여 앉은 사람들의 시선이 일제히 미실을 향했다. 그들은 가파른 세력 관계의 변화 속에 얻고 잃을 것을 재빨리 계산하였다. 잃지 않기 위해, 더 많은 것을 얻기 위해선 미실을 승부사로 내세울 수밖에 없었다. 숱한 위기를 기회로 만들며 권세와 이익을 지켜 온 미실이야말로 이 일을 능히 수행할 유일한 인물이었다.

미동도 하지 않고 앉아 있던 미실이 침착하게 대답하였다.

「좋습니다. 소녀가 금륜태자와 접촉하겠습니다. 태자와 통하여 다른 마음을 갖지 않기로 약속하고, 그 후에 태자를 왕위에 책봉하는 의식을 거행함이 옳을 줄 아옵니다.」

「나도 미실궁주가 마땅히 이 일에 나서 줄 걸로 알았다. 그것이야말로 모두가 함께 사는 일이다. 붕어한 전왕께서도 응당 기뻐하시리라.」

그들은 당장 국상을 선포하는 대신에 이 일을 비밀에 부칠 것을 한마음으로 다짐하였다.

때는 바야흐로 음력 팔월, 아침저녁 가을바람이 제법 소슬하였지만 아직 늦더위가 가시지 않은 시절이었다. 시취(屍臭)가 왕궁 밖으로 퍼져 나가기 전에 서둘러 마무리 지어야만 할 일이었다.

미실은 곧장 미생을 시켜 태자를 미실궁으로 납시라 전갈을 넣었다. 아무 낌새도 맡지 못한 금륜으로서야 이게 웬 떡이냐 싶어 해가 지기가 무섭게 한달음에 미실을 찾았다. 남의 눈을 피해 해궁을 드나들며 미실과 정을 통해 온 금륜은 미실이 입궁한 후 먼발치에서 그녀를 지켜보면서도 함부로 다가갈 수 없는 처지라 한껏 몸과 마음이 달뜬 상태였다.

그런데 막상 금륜을 맞아들인 미실의 행동거지는 평소와 사뭇 달랐다. 미실은 호롱불 아래 정좌한 채 조용히 경전을 읽고 있었다. 질펀한 일장 농탕을 기대하고 온 금륜은 묵직한 아랫도리가 스르르 풀리는 기분이었다. 태연히 읽던 자리에 궁궁이 잎을 끼워 두고 서책을 덮은 미실이 벌겋게 달아오른 금륜의 얼굴을 물끄러미 바라보며 물었다.

「태자는 한 나라의 제왕이 갖추어야 할 가장 중요한 덕목이 무엇이라 생각하십니까?」

돌연한 미실의 질문에 금륜은 어리벙벙하여 즉각 대꾸하지 못했다. 미실이 대답을 기다리는 대신, 다짐하듯 미리 준비한 해답을 내놓았다.

「신불(神佛)에 감응하고 만인을 이끌기 위해선 무엇보다 신의가 우선이겠지요. 믿음과 의리는 일개 필부에서부터 황제에 이르기까지 그를 사내답게 하는 가장 소중한 도리이리라 사료되옵니다.」

「과연 그러하오. 그런데 갑자기 궁주는 왜 나에게 그런 말을 하시오?」

금륜은 여전히 문답이 오가는 영문을 모르는 채 대꾸하였다. 미실이 문득 우수에 찬 눈망울로 뚫어져라 금륜을 바라보았다. 칠흑같이 깊고 맑은 눈매를 마주하자 금륜은 그녀에게 압기당하는 느낌이었다.

「태자는 곧 황제가 되실 몸입니다. 하지만 보탑에 오르기 전과 오른 후의 마음이 다르다면 어찌 함부로 정을 나누오리까? 사랑을 잃고 버림받은 여인이야말로 죽어 묻힌 여인보다 더 가련하나이다. 소녀가 혼연히 태자와 운우지락을 나누지 못하는 이유가 바로 이 두려움 때문이옵니다.」

갈쌍갈쌍한 홍루를 머금고 애원하듯 바라보는 미실 앞에서 금륜은 짜릿한 쾌감을 맛보았다. 그녀를 취하는 것이 곧 천하를 얻는 것이라 일컬어지는 신국 최고의 여인이었다. 그런 그녀가 지금 자신의 사랑을 갈구하며 운다. 그녀는 자신이 곧 얻게 될 세상의 상서이리라. 금륜태자는 오연(傲然)한 기분과 함께 불쑥 동하는 욕정을 느꼈다. 권력에 대한 욕망은 마치 정욕처럼 홧홧하였다.

「궁주는 걱정하지 마시오.」

짐짓 목소리를 깔고 무게를 잡으며 금륜은 자기가 당장에 황제라도 된 양 우쭐하여 말하였다.

「나는 국사에 길이 빛날 최고의 성군이 될 것이오! 그러기 위해선 내조지현(內助之賢)으로 나를 받들 훌륭한 황후가 필요하오. 궁주는 학식이 풍부한 경험가이니 능히 황후의 위를 감당할 만하지 않겠소?」

금륜이 돌아가는 사정도 모르고 자기 기분에 취해 마구발방으로 지껄이는 소리에 미실은 깜짝 놀란 듯 고개를 쳐들면서도 속으로 쾌재를 불렀다. 동륜이 죽자마자 급하게 태자 위에 오른 금륜에게는 아직 정해진 적실이 없었다. 국상 중에 태자비를 간택할 정황이 없으니 황후의 자리는 무주공산이나 마찬가지였다. 그런데 천지 분간을 못하는 금륜이 미실의 호감을 얻기 위해 자기 입으로 황후의 책봉을 약속하니 이보다 더한 길보가 없을 터였다.

흡족한 언약을 받은 미실은 색욕으로 가득한 이 어리석은 젊은이에게 지금껏 배워 익힌 모든 기교를 베풀었다. 밤을 꼬박 지새우고 새벽빛이 훤하도록 음종한 색사가 거듭거듭 이어지니, 정오를 알리는 오고(午鼓)가 울릴 때까지도 미실궁의 혼야(昏夜)는 끝을 볼 줄 몰랐다.

사도황후는 미실의 비밀한 통고를 받고서야 비로소 진흥제가 붕하였음을 내외에 공표하였다. 금륜이 신왕이 되어 제위에 올랐으나 실제로 권력은 사도와 미실에게 있는 것과 다름없었다. 그들은 신왕을 통제하고 실권을 행사하였다. 정권이 교체되는 시기에는 무엇보다 중망을 잘 다스려야 했다. 뭇사람들로부터 신용과 인망을 받지 못한다면 아무리 성자신손이라도 권력을 지탱하여 나갈 수 없는 법이었다.

미실은 중망을 누르기 위해 황종, 거칠부를 상대등(上大等)으로 삼을 것을 적극 간하였다. 황종은 《국사》를 편찬한 바 있는 명신으로 어려서부터 사람을 잘 추천하였는데, 지나치게 정에 치우치는 일이 없어 두루 인망이 있었다. 물론 미실이 기질과 됨됨이만을 따져 황종을 상대등이라는 막강한 자리에 천거한 것은 아니었다.

황종의 딸 윤궁은 미실의 고종제이면서 신실한 심복이었고, 둘째 딸 윤옥은 미생의 첩이었으며, 윤궁과 윤옥의 남동생인 윤황은 사도 황후의 딸 월륜공주의 남편이었다. 그런 데다 아무리 총기 있고 후덕한 황종이라지만 이미 그 나이가 많아 홀로 나랏일을 감당하기에 어려움이 있으니, 대등(大等)인 노리부와 노동이 거의 모든 일을 대신 맡아 미실의 결재 속에 처리해 나가야만 하는 처지였다. 미실로서야 중망을 두려워할 일도, 권세를 잃을 일도 없이 명분과 실리를 동시에 얻는 결정이었다.

　권력은 냉혹하였고 권력을 좇는 자들은 더욱 무자비하였다. 왕토의 경계를 넓히고 수많은 순수비를 세운 절세의 영웅 진흥제는 무덤 속에서 서서히 잊혀 갔다. 죽음이란 결국 그가 귀의한 불가에서 이르는 대로, 타오르던 잉걸불이 꺼져 재만이 분분히 흩어지는 형상에 다름이 아니었다.

　살아 있는 자들이 신왕을 찬양하고 축복하는 가운데 진흥제의 총애를 잊지 않은 자는 따로 있었다. 그는 매번 생일과 기일이면 낭도들을 거느리고 애공사 북쪽 봉우리 능침(陵寢)에 나아가 눈물을 흘리며 황제의 은덕을 추억하였다.

「언젠가 소자가 애송공주를 따라 목이 쉬도록 울 때, 황제께서는 애송보다 소자를 먼저 끌어안고 어루만져 주시었습니다. 넓고 평편한 가슴, 따뜻한 체온, 여린 살갗에 가시처럼 따끔하던 용수(龍鬚)까지도…… 소자는 잊지 못하고 있사옵니다. 황제는 소자의 아버지였습니다. 무섭고 외롭던 소자의 어린 날을 비추던 한 줄기 따뜻한 불빛이었습니다…….」

티끌세상의 티끌과도 같은 인연, 그리하여 추억도 티끌처럼 작고 가벼웠다. 하종은 진흥제가 세상에 베푼 은덕 중에 가장 자그마한

호의를 가장 크게 받아들인 사람이었다. 바람이 불고 비가 내려도 하종의 정성 어린 제사는 변함없이 이어졌다. 그리하여 진흥제는 죽어서도 행복한 왕이었다.

*

금륜은 진지제가 되어 제위에 오르면서 약속대로 미실을 황후의 자리에 앉히고자 하였다. 하지만 세상의 여론이 만만치 않았다. 대원신통을 이은 진지제가 즉위한 데다 인통의 종(宗)인 사도태후의 심복 미실이 황후가 된다면 모든 권세가 대원신통에 돌아가 진골정통은 수세에 몰릴 수밖에 없을 터였다. 권력가들의 의심과 경계에 덧붙여 민심의 흐름 또한 미실에게 유리하지 않았다.

숫백성들은 미실이 전왕을 섬겼을 뿐만 아니라 세종전군의 아내로서 온당치 못한 품행을 보여 왔기에 국모가 될 자질이 없다고 생각하였다. 바야흐로 진흥제가 애써 눌렀던 동륜태자의 죽음과 관련된 추문까지도 악사천리(惡事千里)로 도랑창을 들춘 듯 쾨쾨하게 퍼져 나가기 시작했다.

진지제는 이러한 중망의 압박에 아쉬울 바가 없었다. 측간에 들기 전과 나온 후가 다르다더니 옛사람들의 말이 틀리지 않았다. 막상 황제가 되고 보니 굳이 미실의 사랑을 구하기 위해 애면글면 애쓸 필요가 없었다. 나라 안의 모든 백성이 자기를 우러르고 갓 핀 꽃들이 천지에 만발한데 구태여 서른 살도 넘은 여섯 아이의 어미에게 목을 맬 이유가 없었던 것이다.

이러구러 중망을 탓하며 시간을 끌던 끝에, 마침내 황후의 자리는 엉뚱한 여인에게 돌아가고 말았다. 그 행운의 주인공은 다름 아닌

지도였다.

지도는 처음에 동륜태자궁에 들어갔으나 도리어 금륜과 눈이 맞아 사통하기 시작했다. 그러다 동륜이 죽자 금륜의 총애가 더욱 도타워져 금륜태자궁으로 거처를 옮긴 사연 많은 여인이었다. 형의 여자를 아우가 물려받는 것은 놀랍지 않은 일이었다. 배륜과 비도덕보다는 사람의 본성을 억압하고 일생을 혈혈하게 사는 일이 더 나쁘다 여겨지던 시절이었다.

난데없는 복병의 등장에 미실은 충격을 받았다. 굴러 온 돌이 박힌 돌을 뺀다더니, 미실은 뜻밖의 여인에게 정인을 빼앗기는 궁상스러운 꼴이 되고야 말았다. 스스로에 대한 긍지와 자부심이야말로 태산과 비등할 미실이런만, 그녀는 그만 마음을 크게 다치고 말았다.

더구나 지도는 문노의 종형제인 기오공의 딸이었다. 미실에게 반대하는 문노를 따르고 섬기는 지도가 황후가 된다면 미실파는 대단한 적수를 맞게 되는 셈이었다. 미실은 청천벽력과도 같은 소식을 듣고 부들부들 떨며 어금니를 악물었다. 모욕을 참으며 분노를 곱씹는 그녀의 모습은 가시 돋친 꽃처럼 매서웠다.

'보침을 베고 누워 나눈 금석맹약(金石盟約)을 저버리겠다고? 좋다. 나와의 언약을 어기고 얼마나 영화를 누리는지 보리라. 그 끝이 어떠할는지 두고 보리라!'

미실은 생전 처음 당하는 배신의 충격에 전율을 금치 못했다. 그녀에게 도전하는 것은 곧 신명에 도전하는 것이다. 어리석어서도 아니다. 겁이 없어서도 아니다. 오직 어리석은 동시에 겁이 없는 인간만이 신명에 도전한다. 폭풍우를 두려워하지 않는 인간만이 바다를 얕보고 낙뢰를 모르는 인간만이 맨몸으로 들판에 나선다. 신명은 잔인한 방식으로 그들을 가르친다. 순응하는 자에게 한없이 자애로운 신명도 어리석고 겁 없는 자에게는 가차 없이 잔혹할 따름이다.

미실은 당장 행동에 나서지 않았다. 짐짓 황명에 순순히 복종하는 듯 다소곳한 태도를 지어 보였다. 미실의 의중을 알지 못하는 세종과 설원 등에게는 맡은 직분에 충실하며 때를 기다리라 하명하였다.

진지제의 즉위 후 백제의 저항이 유독 거칠어졌다. 백제의 왕 부여창은 아비인 명농이 관산성 전투에서 매복해 있던 신라군에 의해 죽은 후 복수심에 불타 여러 번 신라의 변경을 침범하였다. 명농은 백제의 정복 군주인 근초고왕 대의 영광을 재현하려는 열망을 가지고 있었다. 그래서 근초고왕이 태자 근구수를 데리고 출전했던 것처럼 부여창을 장수로 키워 전쟁의 많은 부분을 맡겨 왔다. 왕이 된 창은 고구려와 신라를 상대로 맹렬하게 싸웠다. 하지만 이미 기울기 시작한 백제의 국세는 거듭된 전쟁으로 점차 쇠하여 갈 뿐이었다.

진지제가 즉위한 이듬해 세종은 서쪽 변경의 주군(主郡)을 침범한 백제군을 치기 위해 출정하였다. 미실은 버들가지를 꺾어 던지며 세종이 큰 공을 세우고 돌아오길 축원했다. 세종은 미실과의 약속을 어겨 본 적이 없는 사내였다. 그는 일선 땅 북쪽에서 크게 백제군을 격파하고 수급(首級) 삼천칠백 개를 가지고 돌아왔다.

문노도 세종과 함께 출정하였다 돌아왔는데, 이때를 틈타 지도황후는 일을 꾸미어 문노에게 일길찬(一吉湌)을 내리고자 하였다. 비록 강직한 문노가 그 또한 과상이라며 거절하였기에 성사되지 못하였으나, 사도태후와 미실을 견제하려는 시도는 더욱 거세어졌다. 하지만 그들은 미처 알지 못했다. 미실의 입지가 좁아질수록 복수의 때가 가까워져 간다는 사실을.

진지제는 죽은 동륜 못지않게 근엄한 아버지의 억압을 받은 아들이었다. 더구나 동륜이 비명횡사하기 전까지 차자(次子)로서 있는 듯 없는 듯 소외되어 왔기에 그 내밀한 상처는 한층 크고 깊었다. 미실을 통해 색사에 눈뜬 진지제는 황제의 보위에 오른 후 거칠 바 없이 음종해졌다. 사자를 움직여 왕토 곳곳의 숨은 미인을 직접 가려 뽑는가 하면, 한 번 동침한 여인은 두 번 돌아보지 않고 훌뿌리는 망종을 보이기도 하였다.

그때 사량부의 민가에 얼굴이 고와 사람들에게 도화라 불리는 여인이 있었다. 본디 도화나무는 염염한 분홍 꽃 빛 때문에 집 안에 심으면 부녀자의 치마폭 안에 봄바람이 일어난다 하여 심기 꺼리는 수종이었다. 그런 도화를 이름으로 지닌 여인이라니, 소문을 들은 진지제는 몸이 화끈 달아올라 그 요염한 여인을 당장 입궁시키라 명을 내렸다.

「과연 소문대로 자용염미(姿容艶美)한 여인이로구나. 복숭아꽃처럼 어여쁜 젊은 여인이니, 한눈에 남자를 유혹할 만큼 아리따운 요도로구나!」

불그스레한 홍조를 띤 얼굴에 온몸으로 질퍽질퍽한 음기를 뿜어내는 도화녀를 보자 진지제는 음심이 동하여 단박에 관계를 맺고자 덤벼들었다. 하지만 이 여인은 외양과 사뭇 다른 바가 있었다. 도화녀는 진지제의 접근에 돌연 몸을 피하여 물러서며 뇌까리었다.

「신하 된 자 두 임금을 섬기지 않는 법이라면, 여자로 태어나 마땅히 지켜야 할 도리는 하늘 아래 두 남편을 섬기지 않는 것이옵니다. 설령 천자(天子)의 위엄이 있다 하여도, 엄연히 남편이 있는 몸으로 다른 사람에게 갈 수는 없을 것이옵니다.」

알고 보니 도화녀는 이미 남편이 있는 여인이었다. 그렇다고 뽑은 칼을 휘둘러 보지도 못하고 도로 칼집에 넣을 수는 없는 일이었다. 진지제는 일부러 성난 듯 눈을 부릅뜨고 을러대었다.

「무엄하다! 어느 안전이라고 감히 도리를 내세워 가르치려 드는
고? 네가 황제를 거부하고도 살아 돌아가길 바라느냐? 내가 여기
서 너를 죽이고자 한다면 그때도 일부종사를 주장하며 버티겠는
가?」

도화녀는 타고난 모습과는 달리 제법 기개가 꿋꿋하였다. 그녀는
새치름히 눈을 내리깐 채 죽기를 각오한 듯 비장하게 대답하였다.

「어찌하겠나이까? 천자께서 저를 죽이시겠다면 죽지 않고 피할 방
도가 있겠습니까? 남편을 배신하여 아내의 도리를 저버릴 바에야
차라리 저자에서 죽어 딴마음이 없기만을 바랄 뿐이옵니다…….」

생긴 것은 개구멍서방을 여럿쯤 거느릴 모양인데 하는 짓은 음전
한 열녀의 행태이니, 진지제는 내심 도화녀가 함부로 다루지 못할 여
인이라는 데 감탄하며 흡족했다. 진지제는 희롱하듯 빙글빙글 웃으
며 물었다.

「그래? 네가 나를 거부하는 것이 유부녀라는 이유뿐이라면, 만약
너에게 남편이 없다면 그때는 상관이 없다는 말이냐?」

가랑비에 젖은 복숭아꽃처럼 요염한 도화녀가 한숨을 포옥 내쉬
며 답했다.

「그때야 어찌 거부하겠습니까?」

복숭아나무는 사타구니에 끼고 앉아 밤을 새우면 성력을 강하게
해준다 하여 나무 서방이라고도 불리는데, 또 이 야릇한 물건은 귀신
을 물리치고 나쁜 기운을 소멸시킬 목적으로 주구(呪具)를 만드는
데 쓰이기도 한다. 한편으로 음황하면서 한편으로 상서로운 별물이
라! 진지제는 아무래도 그녀와의 인연이 예사롭지 않게 느껴졌다.

진지제는 더 이상 미련을 부려 도화녀를 겁탈하려 하지 않고 집으
로 돌려보냈다. 하지만 제왕이 된 자가 여염집 부인을 넘보아 궁 안

으로 끌어들였다는 소문이 금세 왕경 안에 짝자그르 퍼졌다. 국상이 난 지 얼마 지나지 않은 데다 이웃 나라의 도발로 전운이 저미하게 감도는 가운데 황제가 색탐으로 정치를 도외시한다는 사실은 백성 모두를 불안하게 하였다. 민심이 이렇게 신왕을 불신하는 쪽으로 기울어 가니 미실이 기다리던 그때가 서서히 다가오고 있었다.

마지막 패는 사도태후가 쥐고 있었다. 사도는 전왕의 부인이자 신왕의 어머니로 순조로운 정권 이양에 가장 큰 영향력을 미칠 수 있는 인물이었다. 하지만 진지제는 이미 어머니의 눈치를 보지 않았다. 황제는 원하는 모든 것을 가질 수 있지만 때로는 원하지 않는 것까지 마땅히 어루만져야만 했다. 진지제는 자신이 가진 것들을 시험하며 누리는 일에만 도취되어 그것을 지키기 위해 얼마나 큰 노력을 기울여야 하는지를 알지 못했다.

사도태후는 신라의 혼도에 따라 막내딸인 은륜공주를 진지제와 합하게 했다. 하지만 골품을 믿고 방탕하게 구는 철부지 누이가 진지제의 눈에 찰 리 없었다. 진지제가 도화에게 흠뻑 빠진 것은 비록 이름 없는 필부의 아내이지만 목숨을 걸고 스스로 정절을 지키려는 순정함, 그 깨끗하고 사심 없는 마음에 반한 탓이었다.

진지제의 총애를 잃은 철딱서니 없는 어린 공주는 울며불며 어머니에게 달려와 사실을 고해바쳤다. 꿀을 빨듯 달콤해야 할 밀월에, 날이면 날마다 찬 원앙금 속에서 팔다리를 오그리고 울며 잠든다는 딸의 하소연을 듣자, 사도태후는 점잖은 체모에도 불구하고 분하여 펄펄 뛰었다.

「이럴 수는 없다! 삼십칠 년간 재위하신 부왕도 단 한 번 어긋남 없이 지킨 제왕의 도리를 즉위한 지 얼마나 되었다고 헌신짝처럼 저버린단 말인가? 무릇 제왕은 애정의 편벽됨이 없이 적첩을 고루 어루만져 백자천손을 퍼뜨릴 의무를 지니고 있도다. 그런데 초장부터 이렇게 편단함을 드러내니 곧 패도를 걷지 않으리라 누가 장담할 수 있단 말인가?」

사도태후가 진지제를 욕하며 편을 들어주자 은륜공주는 대궁으로 돌아가지 않겠다고 앙탈을 부리며 버티기에 이르렀다. 미실이 이 틈을 타 난처해진 사도를 거들고 나섰다.

「사람이 행복을 좇는 데 대의명분이 다 무슨 소용이랍니까? 은륜공주께서 굳이 황제를 모시지 않겠다면 다른 방책을 찾아봄이 옳은 줄로 아옵니다.」

「다른 방책? 그것이 무엇일꼬?」

「소녀의 아들 하종은 형세를 살펴 잘 따르는 충직한 자이옵니다. 비록 하종이 이미 설원의 딸 미모를 아내로 맞아들인 바 있으나 능히 은륜공주를 받아들여 대원신통의 혈통을 이을 수 있을 줄로 아옵니다.」

「하종이 과연 그리하마 하겠는가?」

「그건 걱정하지 마시옵소서. 하종은 저의 말을 한 번도 거스른 적이 없는 자식입니다.」

미실은 하종까지 끌어들여 배수진을 쳤다. 강을 등지고 진을 쳤으니 이제는 물러설 곳이 없다. 널름널름한 물의 혓바닥에 삼켜지지 않으려면 있는 힘을 다하여 맞서 싸우는 수밖에.

예상대로 하종은 미실의 명에 저항하지 못했다. 은륜공주는 훗날 하종의 자식 셋을 낳고도 추저분한 행실을 고치지 못했다. 하종은 꼭 세종이 미실을 대하는 것처럼 한결같이 공주를 모시며 숱한 추문을 불문에 부쳤다. 은륜의 언니 태양공주 역시 방종하기가 다른 형제들 못지않았다. 태양은 하종의 가족과 더불어 가까이 살며 하종을 심하게 꾀곤 하였는데, 하종은 단 한 번도 유혹에 넘어가 그녀의 처소에 발을 들여놓는 일을 하지 않았다. 하종의 청렴과 지조가 이와 같으니 뭇사람들은 미실이 악처일지는 모르나 현모임은 분명하다고 입 모아 말하곤 했다.

마침내 거사를 치러 낼 시점이었다. 미실은 생애 전부를 건 마지막 도박판에 나섰다. 상대의 패는 모두 읽고 있다. 그런 데다 상대는 자기가 궁지에 몰렸다는 사실조차 깨닫지 못하고 있다. 미실은 오랫동안 벼려 온 칼을 흉중에서 꺼내 들었다. 잘 벼린 칼보다는 무딘 칼이 위험하다. 무딘 칼이야말로 상대가 아닌 나를 해할 수 있기 때문이다. 위중한 일일수록 빠르고 정확하게 처리되어야 할 것이었다.

미실은 거사에 앞서 화랑도를 새롭게 정비하는 일에 정성을 쏟았다. 설원과 미생을 통해 낭도를 움직이는 것은 수월하지만 문노의 불복이 걱정이었다. 그때 화랑도의 풍월주는 설원랑이었으나 이를 따르지 않은 문노가 스스로 일문을 세우니 낭도들은 두 파로 분열된 상태였다. 설원랑파는 자기네가 정통이라고 하고 문노파는 청의(淸議)가 자기들에게 있다 하며 상하를 다투니, 미실이 세종에게 화합하도록 설득하라 하였으나 쉽게 이루지 못하고 있었다.

진지제는 즉위하면서 문노를 국선(國仙)으로 삼고 비보랑을 부제로 삼아 문노의 지위를 한층 격상시켰다. 문노의 낭도들은 무사를 좋아하고 호탕한 기질이 많아 호국선(護國仙)이라 일컬어지는 반면, 설원랑의 낭도들은 향가를 잘하고 속세를 떠나 유람을 즐겨 하니 운상인(雲上人)이라 불리곤 하였다. 각 파의 기질과 성향에 따라 골품이 있는 사람들은 설도를 따르고 초택의 사람들은 문도를 따르니, 두 개의 도를 합쳐 하나로 만들지 않고서야 화랑도를 움직여 병권을 장악하기는 힘들 것이었다.

미실은 사전에 사도태후의 명을 빌려 두 개의 도(徒)를 합쳐 하나로 만들도록 하였다. 그리고 자신이 다시 원화의 위에 올라 통솔하고, 세종을 상선(上仙)으로, 문노를 아선(亞仙)으로, 설원과 비보를 각기 좌우 봉사랑으로 삼았다. 미생도 그 와중에 한자리를 차지했다. 미생은 전방봉사랑이 되어 각 파를 오가며 조율하고 진정시키는 일을 맡았다.

마침내 때가 무르익었다. 사도태후는 세종에게 밀조를 내려 문노를 설득하여 일에 합류시킬 것을 명했다. 세종은 은밀히 문노를 불러 작금의 사태에 대해 의논하였다.

「신왕이 즉위한 후 정치가 어지러워지고 음란한 행실이 민인의 지탄이 되니, 바야흐로 나라의 형편이 누란지세(累卵之勢)의 지경이다. 이에 태후께서 백년대계를 위해 결단을 내려 왕을 폐위하고자 하시니, 나와 공이 함께 도와야 거사가 반드시 성공할 것이다. 공은 어찌하겠는가?」

문노의 미간이 근심과 갈등으로 사납게 찌푸려졌다. 굳게 다문 문노의 입은 좀처럼 열리지 않았다. 세종이 다시 한 번 간곡히 설득하였다.

「물론 공이 신왕의 은혜로 국선이 되고, 비록 스스로 물러쳐 성사되지는 않았으나 신왕이 즉위 후 위에 발탁해 등용한 은혜를 입은 줄 알고 있다. 또 황후와 공은 더불어 근친 관계에 있으니 쉽게 동조할 수 없는 처지를 이해한다. 하지만 나라의 어른인 태후로부터 받은 명을 물리칠 수 없으니, 어떻게 하면 좋겠는가?」

세종은 문노의 불편한 입장을 이해한다 하여 건넨 말이었는데, 오히려 그것이 문노를 자극했다. 문노는 나랏일에 공사를 구분하지 못하는 행태를 가장 경멸하고 경계해 온 터였다. 세종의 의도와 상관없이 자존심을 다친 문노는 힘주어 대답했다.

「신은 오로지 전군의 명으로 움직이고 행할 뿐입니다. 어찌 감히
사사로운 정을 돌아보겠습니까?」

문노의 합류로 거사는 완성되었다. 사도태후의 오라비인 아찬(阿飡)
노리부가 앞장서 일을 맡았다. 밤을 지배하기에 급급해 실권을 장악하
지 못한 진지제는 하루아침에 폐위되어 대궁에서 내쳐졌다. 두 해를
못다 채운 짧은 재위 기간 동안 매일 황홀을 즐기기에 밤이 짧았던 금
륜에겐 생에 가장 길고 잔인한 밤이었다.

*

금륜은 폐위되어 유궁(幽宮)에 갇혔다. 왕성 내 가장 외지고 음습
한 곳에 지어진 작은 궁이 그가 죽는 날까지 벗어날 수 없는 감옥 아
닌 감옥이었다.

헛되고 덧없으니 일장춘몽이라, 삶이란 결국 깨고 나면 기억마저
희미한 한바탕의 봄꿈임이 틀림없었다. 모든 것이 하루아침에 달라
졌다. 산해진미가 그득하던 식탁엔 거친 푸성귀뿐이니 깔깔한 입 안
에서 구르는 잡곡을 삼키며 금륜은 구차한 생을 오래오래 곱씹어야
했다. 전왕의 예우로 제공되는 특혜라고는 아무것도 없었다. 도리어
패륜하여 내쳐진 자라 하여 시중을 드는 사자들까지 야유하는 눈총
을 보내기 예사였다.

가슴을 쥐어뜯으며 울부짖어도 소용없었다. 머리를 풀고 발광하
며 발버둥질을 한대도 돌아보는 이가 없었다. 잃어버린 권력에 대한
회한보다 더 끔찍한 것은 그 없이도 세상은 한 치의 착오 없이 착착
돌아간다는 사실이었다.

어느 날 잔시중을 들던 늙은 사자에게서 지도황후가 사도태상태후(太上太后)의 명으로 신왕을 섬기게 되었다는 소식을 전해 들었다. 그렇다고 그녀의 배반을 탓할 수 있겠는가. 이 사단이 무엇에서 비롯되었는지는 금륜이 더 잘 알고 있었다.

불현듯 미실의 차갑고 날카로운 미소가 금륜의 뇌리에 스쳐 지났다. 모욕당한 여인보다 더 노여움에 치떠는 자는 없나니, 그녀의 앙갚음이야말로 철저하고 잔인했다.

미실의 눈을 피해 가끔 모후가 보명을 보내 잠자리를 돌보게 했다. 하지만 단조로운 감옥살이는 들끓던 욕망마저 희석시켰다. 주는 대로 먹고 되는 대로 잠들었다 깨어나는 의미 없는 나날이 두 해에 이르자 시간이 어떻게 흐르는지, 계절은 또 어떻게 스쳐 지나는지 알 수 없는 지경에 이르렀다. 금륜은 유령처럼 점차 실체를 잃고 희미해졌다. 마음속에는 분노도 수치심도 억울함도 복수심도 없었다. 사는 일이 이토록 시시하다면 죽음도 별반 두렵지 않을 것 같았다. 공허한 눈으로 하염없이 천장만 바라보고 누운 금륜의 모습은 아직 숨이 떨어지지 않은 망혼, 구천에 들지 못해 세상을 떠도는 죽은 넋이나 다름없었다.

그때 미생이 이슥한 밤을 틈타 아무도 거들떠보지 않는 금륜을 찾았다. 어쨌거나 동륜, 금륜과 더불어 어린 날을 함께 보낸 미생은 징역살이나 다를 바 없는 생활을 하는 한때의 벗이 안쓰럽고 불쌍하게 느껴졌다.

「얼마나 고통이 심하십니까? 심학에서 이르는 삼고(三苦) 중의 하나가 괴고(壞苦)*이니, 그것이야말로 몸과 마음을 모두 괴롭히는

---

*괴고 : 사랑하거나 즐기는 대상이 없어졌을 때 느끼는 고통.

모진 것이 아니겠습니까?」

　미생은 싸들고 온 미주 가효를 풀어 놓고 밤새 옛이야기나 하며 금륜을 위로하고자 했다. 하지만 금륜은 미생을 제대로 알아보지도 못하는 지경이었다. 금륜의 텅 빈 눈길은 이미 미생의 어깨 너머, 끝 간 데 없이 멀고 아득한 곳을 향해 있었다. 당황한 미생이 급히 술잔을 채워 금륜에게 건넸다.

　「드십시오. 쭉 비우십시오. 술에 취해 얼근해지면 몸도 마음도 새 털처럼 가벼워지지 않습니까? 무거운 것 다 비워 버리고 신선처럼 훨훨 날아 봅시다. 까마득한 천상에서 보면 사람 세상이 좁쌀처럼 작게만 보인다 하더이다.」

　미생의 너스레에도 아무 반응을 보이지 않던 금륜이 문득 신음 같은 말을 흘렸다.

　「요, 용수, 용춘이…….」

　「네? 무엇 말씀이십니까? 좀 더 크게 말해 보십시오.」

　「내 아들들…… 용수와 용춘이는……?」

　가칠하게 야윈 금륜의 마른입에서 새어 나온 것은 다름 아닌 지도와의 사이에서 낳은 아들들의 이름이었다. 형 용수전군은 동륜의 아들인지 금륜의 아들인지 알 수 없는 아이였지만 한창 지도와 금륜의 금실이 좋았을 때에 낳은 아이라 금륜의 사랑이 깊었다. 또 동생 용춘은 진지제가 폐위될 무렵 태어난 아이로 아직 어려서 아비의 얼굴조차 모르니, 금륜은 참담한 처지에도 불구하고 아이들을 그리워하며 걱정하고 있는 것이었다.

　「전군들은…… 모두 강녕하십니다. 걱정하지 마십시오. 신왕께서도 용춘을 가엾게 여기어 친자처럼 총애하신다 하더이다…….」

　호색하고 간사한 미생이지만 뜻밖에도 마음 약한 구석이 있었다.

미생은 수많은 폐첩(嬖妾)을 거느려 그들로부터 얻은 자식들이 많았는데, 자기 자식을 사랑하는 정은 다른 사람의 곱절을 넘는다 하였다. 작은 잘못은 일일이 나무라지 않고 감싸 주며 각자 타고난 성격에 따라 이해하고 보살피니, 심지어 바깥 용무를 볼 때에도 아이들을 거느리고 나가 종일 즐겁게 더불어 놀곤 하여 사람들에게서 '호아령(護兒令)'이라는 별명까지 얻을 정도였다.

미생은 매번 명절에 자식들을 거느리고 어미 묘도를 방문하곤 하였는데, 묘도는 그때마다 늘어난 아이들과 그들의 어미를 모두 구별하지 못하였다. 묘도는 미생과 닮지 않은 아이가 보이면 '그 아이의 어디가 너와 닮았느냐?' 하고 힐난하였다. 그러면 미생은 번번이, 오뚝한 코가 저와 꼭 같지 않습니까, 정강이가 불뚝 튀어나온 모양이 저와 닮았습니다, 하며 감싸 주니, 여러 아이들이 미생을 사모하여 따르지 않는 자가 없었다.

미생은 금륜의 안타까운 부정에 뭉클하여 어떻게든 그의 괴로움을 어루만져 잊게 하고 싶었다. 술 몇 잔이 오간 끝에 가까스로 금륜의 혈색이 돌아올 무렵, 미생은 문득 무릎을 치며 외쳤다.

「아, 도화! 그 여인을 기억하십니까?」

「도, 도화라면……?」

「네. 제위에 계시던 마지막 해 은혜를 베풀어 돌려보내신 사량부의 미녀 말입니다. 그 여인의 남편이 며칠 전 지병으로 죽었다는 소문을 들었습니다. 이제야 차곡차곡 개켜 두었던 묵은 약속을 지킬 때가 되었습죠.」

미생은 금륜의 몰골을 보고 여생이 그리 길지 않으리라는 예감을 받았다. 그래서 더욱 급하게 마지막 소망을 풀어 주고 싶었다. 미생은 유궁의 사자를 매수하여 단단히 입막음하고 금륜을 왕성 밖으로 빼돌렸다.

남편이 죽은 지 열흘 남짓 된 밤, 도화녀 앞에 돌연 귀신이 나타났다. 민간에는 보위에 오르기 무섭게 돌연한 죽음으로 세상을 등졌다고 알려진 진지제가 생전과 꼭 같은 모습으로 도화 앞에 등장한 것이었다. 귀신은 자못 그윽한 음성으로 물었다.

「지난번 했던 약속은 잊지 않고 있겠지? 이제 네 남편이 죽었으니 바야흐로 그 약속을 지킬 때가 아닌가?」

도화는 귀신의 출몰에 벌벌 떨며 차마 눈조차 맞추지 못했다. 그녀는 옷고름을 잡는 금륜의 차갑고 흰 손에 오싹하면서 정신없이 지껄였다.

「자, 잠깐만, 여유를 주십시오. 이제 저는 본가로 돌아왔으니 부모의 허락을 구하지 않고서야 어찌 황제를 모시겠나이까?」

한밤중에 속곳 차림으로 황망히 모여 앉은 도화녀의 식솔들은 이 사태를 어찌 해결할 것인가를 의논했다. 도화의 아버지가 이 꿈 아닌 꿈을 감당하고자 간신히 정신을 추슬러 말했다.

「귀신을 함부로 다루고서야 어찌 산매에 들리는 횡액을 면할 수 있겠는가? 더구나 약속을 지키고자 찾아온 전왕의 영혼이니 마땅히 위로하여 돌려보내는 것이 옳다. 죽은 제의 명일지라도 어떻게 피할 수 있겠는가?」

도화녀는 마침내 귀신과 합방했다. 귀신의 살갗은 가칠하고 서늘했다. 얼음이 박힌 듯 차가운 손끝이 닿을 때마다 도화는 쾌감보다 더한 공포로 몸서리치곤 했다. 귀신의 양물이 몸을 파고들 때 그녀는 몰칵 매캐한 곰팡내를 맡았다. 그녀는 귀신과 함께 몇 번이고 죽었다 깨어났다. 무섭고도 슬픈 귀교는 일곱 밤 동안 이어졌다. 귀신이 머무르는 동안 도화의 본가에는 오색구름이 지붕을 감싸고 방 안에 오묘한 향기가 가득하였다.

귀신은 이레 후 갑자기 종적을 감추었다. 유궁으로 돌아간 귀신 아닌 귀신 금륜은 흡족한 듯 웃으며 절명하였다. 그는 한 번 태어나 두 번 죽은, 누구도 흉내 내기 어려운 비운의 주인공이었다.

도화녀는 귀신의 아이를 잉태했다. 귀신에 홀린 듯 어우러져 교합하긴 했으나 자궁에서 꿈틀거리는 생명은 분명 사람의 자식이었다. 도화녀의 배가 만월처럼 부풀어 오르면서 이레 동안 머물렀다 온데간데없이 사라진 귀신에 대한 소문도 무성해졌다. 누구도 이 혼란을 설명하지 못하였으나 부러 설명하려 들지도 않았다. 귀신을 내치며 삶을 주장하기 이전에 귀신의 도움을 받아서라도 삶의 무궁(無窮)을 꾀하고자 하는 소박한 민인들은 무릇 비밀을 소중히 지키고자 하였다.

마술의 시대가 진동하여 비형을 낳았다. 귀신의 아들이 아니고서야 천한 도화녀의 몸을 빌려 난 아이가 용봉의 자태와 태양의 위양을 보일 리 만무했다. 사람들은 출생의 비밀을 가진 이 신비한 아이의 일거수일투족에 비상한 관심을 보였고, 마침내 소문이 왕성 안으로까지 흘러들었다.

사도태상태후는 긴밀히 신왕 진평제를 움직여 아이를 데려와 궁중에서 기르도록 하였다. 비형은 금륜의 아들인 용춘과 그 행색이 꼭 닮아 있었다. 용춘은 비형을 서제(庶弟)로 여겨 함께 힘써 낭도를 모으니 날로 그 세가 커지고 대중들이 따르기 시작했다. 비형은 열다섯 살에 집사(執事) 벼슬을 얻었다.

그러나 자신이 본디 온 바를 알지 못하는 비형에겐 삶이 전부 헛것인 듯하였다. 자신을 볼 때마다 두려움에 질린 얼굴로 비루하게 두 손을 모아 바치는 사람들에게도 짜증이 났다. 그는 매일 밤 미복(微服)하고 월성을 넘어 달아나 서쪽 황천 언덕 위에서 꼭 제 처지처럼 정처 없이 떠도는 난도들과 어울려 밤새 귀신 놀음을 하고 놀았다.

소문을 들은 진평제가 날쌘 병사 오십 명으로 하여금 지키게 하였으나 한밤중의 기괴한 축제는 끊임없이 이어졌다. 그들은 머리를 풀고 옷을 찢으며 미치광이처럼 춤추고 울부짖듯 노래하다가 새벽녘 사찰의 종소리가 울려 퍼질 즈음 인사도 없이 미명 속으로 흩어져 사라지곤 하였다.

진평제가 비형을 불러 물었다.

「요즘도 밤중에 나가는 버릇을 고치지 못했느냐? 네가 정녕 소문대로 귀신들을 거느리고 논다는 것이 사실이냐?」

비형의 입가에 문득 실소가 스쳐 지났다. 더운 살덩이와 붉은 피를 가지고 헐떡헐떡 숨을 쉬어도 살아 있는 한 떨칠 수 없는 망령의 낙인이라니! 또다시 발을 딛고 선 땅이 아득하게 멀어지는 듯했다. 평생을 뜬것으로 살아야 하는 운명 앞에 비형은 웃었다. 미치지 않기 위해서는 오직 키득키득 낄낄 요망하게 웃을 수밖에 없었다.

「그러하옵니다. 소자의 친구들은 귀신이옵니다. 귀신의 아들이 귀신들과 어울려 노는 것이 어찌 흠이 되겠사옵니까?」

진평제는 깍듯이 예를 갖추면서도 왠지 빈정거리는 듯한 비형의 말투가 귀에 거슬렸다. 옳거니, 어디 한번 황제를 농락한 벌을 받아보게 하리라 마음먹었다.

「그렇다면 네가 귀신들을 시켜 신원사 북쪽 시내에 다리를 놓아보아라! 한낱 사람이 아닌 신령한 귀신들이 하는 일이라면 하룻밤이라도 짧다 하지 못하리라.」

비형은 난도들을 모았다. 세상에서 거부당한 자들, 삶을 믿지 못해 귀신처럼 헤매는 잡배들을 끌어 모았다. 그들은 춤추며 흙을 파고 노래하며 돌을 옮겼다. 부당한 목숨만큼이나 그들의 노동은 가열했다. 사람 일만이 입을 모아 노래하면 천지가 움직이고 신명 또한 감응한다 하였다. 놀랍게도 그들은 단 하루 만에 큰 다리를 놓았다. 사람들은 그것을 귀교(鬼橋)라 불렀다. 비형은 진실로 귀신의 아들, 여우로 둔갑해 도망친 헛것도 능히 잡아내고 이름만으로 잡귀들을 을러 쫓을 수 있다는 소문이 자자하게 퍼졌다.

언제부터인가 뭇사람들의 입에 한 자락 기묘한 노래가 오르내리기 시작했다. 살아서도 살지 못하고 죽어서도 죽지 못한 모진 복수의 제물, 진지제와 그의 유복자를 기리는 선량한 민인들의 만가(輓歌)였다.

성스러운 임금의 넋이 아들을 낳았으니
비형랑의 집이 여기로세
날뛰는 온갖 귀신들이여
이곳에는 함부로 머물지 마라.

만추

어린 날 목검을 들던 때부터 그를 마주 보고 오래 버틸 수 있는 상대는 별로 없었다. 그는 상대의 빈틈을 정확히 보았고 자신의 빈틈을 상대에게 들키지 않았다. 그래서 처음 진검을 손에 쥐었을 때에도 칼끝을 겨누어 앞을 똑바로 바라보는 일이 두렵지 않았다. 팽팽하게 날이 선 그것이 꼭 자기 몸을 뚫고 솟구친 가지인 것만 같아, 그는 어떤 이물감도 느낄 수 없었다. 적수가 없을 만큼 그는 강했지만, 강할수록 그를 둘러싼 껍질은 단단해졌다.

어머니는 자주 앓았다. 계절이 바뀔 때마다, 꽃가루가 날릴 때마다, 비가 오고 눈이 내릴 때마다 조금씩 다른 방식으로 아팠다. 가슴을 움켜쥐고 기침하기도 하고, 하루 종일 쉬지 않고 눈물과 콧물을 흘리기도 하고, 메밀 베개가 뜨거워지도록 열병을 앓기도 했다. 어머니는 그 모두를 회향병(懷鄕病)이라고 불렀다. 그는 언제고 '지금 머무는 바로 이곳'보다 '머물고 싶은 그곳'을 그리는 어머니의 버릇이 싫었다. 늘 두고 온 고향 쪽으로 머리를 뉘고 잠드는 어미는 강한 아들을 회향병만큼이나 두려워했다. 근본 없는 아이라는 한마디 말을 듣지 않기 위해 버팀대도 없이 꼿꼿해지는 동안, 그는 어느덧 자신이 움켜쥔 칼과 한 몸이 되었다.

칼은 세상을 베기 위해 있다. 하지만 그 전에 칼은 스스로를 지키기 위해 있다. 칼과 칼이 맞부딪치면 불꽃이 튄다. 새파란 불꽃이 삶과 죽음의 경계에서 날카롭게 반짝인다. 그렇지만 칼로써 칼을 막아 세워도 어쩔 수 없이 베이는 것이 있다. 흐르는 시간에 기억이 저미고 무심한 한마디의 말과 눈빛에 가슴이 뭉텅 끊겨 나간다.

싸움이 끝나고 꺼내 들었던 검을 도로 집어넣을 때, 문노는 불현듯 아픔을 느끼곤 했다. 누구보다도 빠르고 예리한 검을 가진 그이지만 상처 하나 없이 피 홀리는 마음만은 어쩔 수 없었다. 외로움 때문이다. 쓸쓸함 때문이다. 그가 가장 경멸하고 업신여기는 감정의 낭비, 일생을 걸고 부정해 온 그 값어치 없고 희떠운 감상 탓이다.

문노는 문장에 능한 한편 싸움터에서 물러서는 일 없이 용맹하고 아랫사람을 자기 몸처럼 사랑하는 타고난 무사였다. 귀의하는 자를 모두 어루만지니 그 명성이 하늘을 찔러 낭도들이 앞 다투어 죽음으로써 충성을 바치는 천하의 장부였다. 화랑도의 사풍이 이로써 일어나 꽃피었고, 삼한 통일의 중추가 될 어진 재상과 충신과 좋은 장수와 날랜 군사가 모두 이로부터 비롯되었다.

하지만 불혹을 향해 가는 문노는 어느덧 미혹(迷惑)에 든 자신을 발견하지 않을 수 없었다. 단 한 번도 취해 흐트러진 모습을 보인 적 없는 그에게 없던 술버릇도 생겨났다. 언젠가 불 꺼진 방에 홀로 들어섰을 때, 그는 홀연 당황하였다. 장식 없는 벽, 싸늘한 공기. 이 넓은 세상에 오로지 혼자라는 증거는 주위에 널려 있었다. 검술로 다져진 딱딱한 손바닥을 넓게 펴 다탁(茶卓) 위를 문질러 보았다. 먼지는 결코 약속을 어기지 않는 방문자처럼 고독한 시간의 두께로 내려앉아 쌓여 있었다.

문득 코피처럼 주르륵 눈물이 흘렀다. 전사한 사졸들을 위해 열린 팔관회에서 일곱 낮 일곱 밤을 목 놓아 울었던 그이지만 정작 자신을 위해 단 한 번도 울어 보지 못한 터였다. 피와 눈물은 정녕 다른 성질의 진액인가? 그는 갑자기 자기가 보고 듣고 겪은 모든 일이 몽매(夢寐)처럼 느껴졌다.

그는 울고 있는 낯선 사내를 바라보며 울었다. 덩치 큰 사내의 울음소리는 힘겹게 끌고 온 세월만큼 깊고 길었다. 산이 운다면 꼭 그런 소리를 낼 것이었다. 사람의 발이 닿지 않은 골짜기 몇 개쯤 비밀처럼 간직하고 있는 산이라면 꺼이꺼이 쉽게 터져 나오지 않는 속울음을 울 것이었다.

미실은 보통 사람들이 보지 못하는 것을 보았다. 막아 세울 수 없는 도저한 시간의 흐름, 그 속에서 고독은 어떤 예외도 없이 깊어지기 마련이었다. 석가모니가 깨닫고 간 것, 공자와 숱한 성인들이 가르친 것들도 종내는 그 간명한 이치에 닿아 있었다. 어떠한 공적과 위업을 쌓은 영웅호걸일지라도 삶은 바닥을 드러내며 소모되기 마련이라는 것. 인간은 홀로 났다 홀로 떠날지나 살아 숨 쉬는 마지막 날까지 한 줌의 위로를 갈구하는 나약한 존재라는 것.

그때 미실은 진지제를 폐위시키고자 하는 의도를 흉중에 품고 문노를 끌어들일 방법을 찾기 위해 암중모색하던 중이었다. 미실은 당장의 일뿐이 아니라 장차 모사할 모든 것을 이루는 데 문노의 역할이 중차대함을 알고 있었다. 재물과 명예로도 꺾어 넘길 수 없는 고집통이를 돌려세울 가장 유효한 방법은 무엇인가? 강제로 쓰러뜨릴 수 없다면 스스로 쓰러지도록 만드는 길뿐이다. 경험하지 못한 자의 단

호함은 경험한 자의 자만심을 넘어서지 못한다. 미실은 이미 머릿속에 그려진 세밀한 계획을 떠올리며 만족스러운 웃음을 싱긋 지었다.

미실은 문노와 함께 출정했다 돌아온 세종에게 넌지시 윤궁의 재가를 의논했다.

「동륜태자가 죽은 지 벌써 다섯 해가 지났소. 그런데도 윤궁은 여태 윤실공주를 기르는 데에만 힘을 쏟으며 청상과부로 수절하고 있소이다. 죽은 동륜의 장인 진종전군이 거두어 보살핀다고는 하나 늙은 새가 갓 핀 꽃을 어루만지기엔 한도가 명확하니, 어찌 하늘이 내린 본성을 거스르며 살겠소? 하루바삐 짝을 찾아 음양의 이치대로 사는 것이 옳지 않겠소?」

「궁주의 말씀이 옳습니다. 하면, 윤궁의 짝으로 염두에 두신 자가 있사옵니까?」

「전군이 거느리고 있는 화랑 문노가 오랫동안 독신으로 살고 있다 들었는데, 그것이 사실이오?」

「그러하옵니다. 그러잖아도 저 역시 홀몸으로 지내는 문노가 아무래도 걱정이었습니다.」

「문노, 문노……. 그에게 나의 동생 윤궁이 어울리긴 하겠으나 지위가 낮은 것이 걱정이로다.」

미실은 문노가 자신을 반대하는 자라는 사실을 아예 모른다는 듯 의뭉스럽게 운을 떼었다. 미실은 이미 문노의 짝으로 고종제인 윤궁만큼 적합한 여인이 없다고 확신하고 있었다. 윤궁이라면 사심 없이 문노의 고독을 어루만져 능히 그의 외곬을 돌려세울 수 있는 여인이었다. 과연 윤궁은 미실이 원하던 답을 꺼내 주었다.

「사람이 좋다면 어찌 위품을 논하겠습니까? 소녀의 가련한 처지를 돌보아 주신 처사 두고두고 감읍할 일이옵니다.」

발 없이도 한달음에 천 리를 가는 것이 사람의 말이었다.

윤궁의 말을 전해 들은 문노는 그 욕심 없고 공명한 여인에게 답 삭 감동하였다. 여인네라면 당연 미실처럼 달차근한 요기를 풍기기 마련이라 믿었는데, 이처럼 삽상(颯爽)한 풍미를 가진 여인이라면 동혈의 벗으로 평생을 바쳐도 좋으리라 생각하였다. 곁에서 부지런 히 뜽기어 훈수를 두는 이도 여럿이었다. 문노의 부제인 동시에 윤 궁과 종형제 지간인 비보랑 역시 양쪽을 바삐 오가며 이 결혼을 성 사시키기 위해 애썼다.

비보는 설원과 함께 화랑도에서 노래와 피리를 배웠으나 그 재주 가 설원에 미치지 못했다. 하지만 문노에게 검을 배워 마침내 가장 뛰어난 부하가 되어 문노를 보좌하기에 이르렀다. 그에게는 열여덟 어린 나이에 얻은 첩 유지가 있었는데, 비보와 유지의 연분은 자못 기이하기 그지없었다.

유지는 검술에 뛰어난 여인이었다. 하지만 천한 신분을 가진 그녀 는 정처 없이 떠돌아다니던 끝에 난도를 끌어 모아 소요를 일으키기 에 이르렀다. 조정에서 군사를 보내 잡으려 했으나 유지가 이끄는 난도는 쉽게 진정되지 않았다. 이때 비보랑이 홀연히 수병을 거느리 고 유지의 소굴을 급습하였다.

난도들은 거칠고 포악했지만 훈련되지 않은 오합지졸이었다. 비 보는 선봉에 서서 그들을 교란시켜 진압했다. 마침내 유지가 들어앉 은 굴 앞에 이르러 비보는 갈비를 모아 불을 지피고 연기를 안으로 흘러들게 했다. 사람 가죽을 쓴 너구리들이 매운 연기를 이기지 못 해 기침을 토하며 도망쳐 나왔다. 하지만 난도의 우두머리인 유지만 은 타 죽기를 각오한 듯 끝내 모습을 드러내지 않았다. 비보가 모닥 불을 끄게 하고 동굴 안을 향해 소리쳤다.

「나는 신국의 화랑 비보이다! 네 그릇된 행동으로 황제의 성려(聖慮)와 백성의 근심이 크니 어찌 너희 무리를 그냥 두고 볼 수 있겠는가? 어서 동굴에서 나와 죄를 자복하고 반성의 절을 올리도록 하라! 네 스스로 그리한다면 목숨만은 살려 주리라!」

그 소리를 들은 유지는 동굴에서 나오지 않은 채 독기 어린 목소리로 대꾸했다.

「나의 무리가 이미 화랑도의 칼 아래 목숨을 잃었는데, 나 혼자 살겠다고 기어 나가 굴복하겠는가? 어서 다시 불을 지펴라! 나는 목숨을 구걸하기 위해 신의를 버리느니 차라리 불에 타서 죽기를 원한다!」

「나를 무장시킨 무기는 칼과 창이 아니라 부처님의 자비심이다! 나라를 혼란에 빠트린 난도라 하여 어찌 함부로 숨탄것의 목숨을 빼앗겠는가? 네 무리들은 모두 내 칼등에 맞아 쓰러져 기절한 것이다. 네가 직접 나와 확인해 보라!」

동굴의 어둠이 한동안 미묘한 망설임으로 일렁였다. 잠시 후 유지가 모습을 드러냈다. 짐승 가죽을 벗겨 지은 옷을 입고 산발한 머리에 검댕으로 얼룩진 모습을 하고 있었지만 공포와 의심으로 흔들리는 큰 눈은 자못 고혹적이었다.

유지와 비보의 눈빛이 일 합을 겨루듯 공중에서 맞부딪쳤다. 하지만 그 소리 없는 대결은 곧 비보의 승리로 끝나고 말았다. 일찍 부모를 여의고 천둥벌거숭이로 자라나 잡초처럼 거칠게 살아온 유지였지만 비보와 눈이 마주치는 순간 난생처음 부끄러움을 느꼈던 것이다. 유지는 벼락처럼 자기가 여자라는 사실을 깨달았다.

「정녕…… 내 무리들을 죽이지 않았는가?」

유지의 목소리는 이미 한풀 꺾여 있었다.

「물을 떠다 뿌려 보라. 그들은 반드시 일어날 것이다.」

비보의 말대로 칼을 맞고 쓰러졌던 난도들이 하나 둘 목덜미나 허리춤을 잡고 일어나기 시작했다. 정확히 칼등으로 급소를 가격하였기에 그들은 잠시 죽은 듯 기절하였던 것이었다. 유지는 온몸에 스르르 맥이 풀려 주저앉았다. 비보랑은 마침내 유지를 생포했다.

훗날 저자에 퍼진 소문으로는, 물론 비보랑의 무술이 뛰어나기도 했으나 품은 뜻이 큰 미모의 여걸 유지가 비보랑의 높은 풍모를 보고 스스로 항복했다는 설이 많았다. 비보랑은 유지에게 다시는 소요를 일으켜 나라를 어지럽히지 않겠다는 다짐을 받고 모든 난도를 풀어 주었다. 하지만 유지는 홀로 가지 않고 비보랑을 따르겠노라 간청하였다. 거칠고 독하기가 다북쑥 같으나 한 사내를 사모하는 마음은 어느 여염집 처자와 다를 바 없었다. 유지는 자신을 토벌하러 온 소년장수 앞에 무릎을 꿇고 말하였다.

「다만 그대를 좇아 죽기를 원할 뿐, 다른 곳으로 도망가 그대를 잊고 살기를 원치 않소이다. 나를 받아 주시오. 그대와 이생을 함께할 수 있다면 천첩의 신분이라도 마다하리까?」

사랑은 그런 때에 온다. 별것 있겠느냐 빈손을 내보이며 능청을 떨 때, 아무것도 기대하지 않는다며 풀 죽은 시늉을 할 때 삶의 목덜미를 왁살스레 물어뜯으며 사랑이 온다. 아무 때나 어떤 길에서나 복병처럼 느닷없이 나타난다. 그러니까 사랑은 살아가는 한 언제고 온다.

비보는 자신의 경험에 미루어 음과 양이 서로 어울려 사는 즐거움을 포기하지 말라고 설득했다. 하지만 윤궁은 막상 혼담이 오가자 문노를 계부로 받아들일 수 없는 다섯 가지 불의(不義)를 주장하였다.

「그 첫 번째 불의는 세상이 다 알다시피 문노의 위가 낮은 것이다.

내가 지금껏 받아 누린 것이 모두 내 것만은 아닐지니, 어찌 내 마음이 움직이는 대로 혼도를 저버릴 수 있겠는가? 두 번째 불의란 내가 만약 위가 낮은 문노와 혼인을 할 경우, 내 딸 윤실과 부모 자식의 인연을 끊어야 한다는 것이다. 또한 세 번째 불의란 삼대의 영석에서 나를 총애하는 진종전군을 거절하고 다른 사람에게로 가는 것이다. 지금은 늙어 사랑할 만한 것이 없다 하나 누차 사람을 시켜 나를 부르는 정군(貞君)을 두고 재가한다면 그 의리의 끊어짐을 어찌 무참하다 하지 않겠는가? 네 번째 불의라면 재상의 신분으로 나를 마땅히 신분이 높은 사람에게 시집보내려는 아버지 황종의 부명을 거스르는 것이며, 다섯 번째 불의는 금륜태자가 동륜태자의 총애를 이으려는 데 이를 거부하고 다른 곳으로 가는 것이다. 이 다섯 가지를 풀지 않고서야 어찌 문노에게 갈 수 있겠는가?」

윤궁은 마음을 다스려 고독을 견디며 스스로 만족할 줄 아는 여인이었다. 비보는 이러한 윤궁의 의지를 문노에게 전했다. 문노 역시 윤궁의 지조와 슬기에 크게 감탄하며 말했다.

「낭주의 말씀이 옳다. 나는 기다릴 것이다. 다섯 가지 불의가 다섯 이상의 정의가 될 때까지, 우리가 꼭 만나야만 할 인연이라면 살아 있는 어느 날엔가는 반드시 이 모두가 풀리지 않겠는가?」

오래지 않아 그때가 왔다. 이름과 이름의 향기만으로 서로 그리워하던 문노와 윤궁은 미실의 궁에서 처음 대면했다. 미실은 그들의 만남을 축하하기 위해 자신의 분벽사창(粉壁紗窓)*을 기꺼이 내주었다. 꽃 들판을 통째로 떠와 방을 꾸밀까 궁리도 하였으나 미실은 도리어 반대의 방법을 취하였다.

---

* 분벽사창 : 희게 바른 벽과 깁을 바른 창. 아름다운 여자가 거처하는 방.

미실은 윤궁을 불러 밥을 짓게 하였다. 향긋한 산나물과 자반으로 소박한 밥상을 꾸미었다. 그리고 문노와 윤궁을 마주 앉히고 친히 소매를 걷어 술잔을 채워 주며 말하였다.

「지금이야말로 다섯 가지 불의가 모두 해소된 아름다운 때로다. 진종전군이 세상을 떠나 사절(四節)의 의리가 끊어졌고, 문노공이 국선으로 장차 크게 기용될 것이니 살피고 꺼릴 것이 더 있겠는 가? 멀리서 지켜보며 그리는 마음이야말로 꽃보다 향기롭고 가향 주보다 달콤하니, 그대들은 꽃과 나비처럼 무람없이 어울려도 좋 으리라.」

미실은 그윽이 하사하고 자리를 비켜 주었다. 외로이 홀로 늙은 총 각과 몇 번쯤 삶의 파고를 넘어 고단한 과부는 차마 마주 보기 어려 워 한동안 밥알만 헤아리고 있었다. 하지만 그때 이미 문노는 따뜻하 고 구수한 밥과 구운 생선의 비린내에 마음이 훈훈히 풀린 터였다.

「신(臣)을 위해 낭주께서 직접 요리를 하셨다 들었습니다. 이토록 과분한 대접을 받으니 차마 몸 둘 곳을 모르겠습니다.」

「솜씨 없이 차린 쥐코밥상*입니다. 맛있게 잡수신다면 더 바랄 것 이 있겠습니까?」

「신이 생선을 즐긴다는 것은 어찌 아셨습니까? 가야 출신으로 갯 가에서 나고 자란 신의 어머니가 차려 주시던 밥상이 꼭 이러했습 니다. 참으로 감격스럽기 그지없는 맛입니다……」

그제야 마침내 문노와 윤궁이 눈을 맞추어 서로를 확인했다. 윤궁 은 웃을 때마다 처진 눈초리에 파문처럼 물결이 주름 져 순해 보이 는 여인이었다. 하지만 하관이 넓어 제법 강단져 보였고 입매 또한

---

*쥐코밥상 : 밥 한 그릇과 반찬 한두 가지만으로 아주 간단히 차린 밥상.

야무졌다. 아무러면 어떤 용모라도 상관없었다. 따뜻한 밥, 향긋한 나물, 괜찮다 걱정 말라는 듯한 눈빛에 문노의 서늘한 가슴은 녹아들고 있었다.

윤궁 또한 상상 속에 그린 것과 영락없는 문노의 억실억실한 모습에 친근감을 느꼈다. 동륜의 절명으로 끝이 난 불행한 결혼 생활을 생각하면 윤궁은 도무지 어떤 사내도 마음에 들일 수 없을 것만 같았다. 하지만 문노는 다르리라, 세상의 여느 사내들과는 다르게 자신을 배반하지 않으리라는 확신이 생겼다.

문노는 윤궁에게, 윤궁은 문노에게 꼭 그런 사람이었다. 진즉에 만났어야 할 사람, 오랫동안 눈 뜬 봉사처럼 어둠 속을 헤매다 발끝이 저릴 즈음 기어이 찾은 한 점 불빛, 사람으로 태어나기 전부터 만나 사랑하기로 약속된 사람.

「윤궁낭주! 낭주가 아닌 선모(仙母)*는 상상할 수도 없습니다. 선모가 없다면 나는 국선에 나갈 수 없고, 나라의 부르심에 옳게 응할 수 없나이다. 부디 나를 안에서 도와 이끌어 주십시오!」

문노의 고백에 윤궁은 기다렸다는 듯 화답하였다.

「나 역시 군(君)을 그리워한 지 오래되어 창자가 이미 끊어졌습니다. 비록 골을 더럽힌다 할지라도 마땅히 사모하는 마음으로 따르고자 할진대, 하물며 선모의 귀함을 받잡고서 어찌 거절할 수 있겠소이까?」

음전한 윤궁의 자태에 감동한 문노는 언 땅이 녹아 튼실한 뿌리가 단번에 솟구치는 느낌이었다. 그는 기쁨을 억누르지 못한 채 소리쳤다.

---

*선모: 국선의 부인.

「사람들은 모두 나에게 국선의 위가 얼마나 영예로운가를 말하지만, 나는 오로지 선모를 모시는 영예에 기뻐할 뿐입니다!」

웃음이 담장을 넘는 남의 집 앞을 어슬렁거리며 열린 대문 틈새를 흘끔흘끔 들여다보던 외로운 소년은 더 이상 없었다. 들끓는 열기를 이기지 못해 우산도 없이 한비를 맞으며 온몸으로 훈김을 뭉게뭉게 지펴 올리던 고독한 젊은이도 이제 없었다. 걸어 들어갈수록 서늘한 삶의 속내, 그 갈피 어디쯤에서 이토록 따뜻한 여인을 만날 수 있었는지! 문노는 만월을 향해 손을 뻗듯 윤궁을 얼싸안고 어화둥둥 간간(衎衎)히 어우러졌다.

그녀의 매끈한 어깨를 꽉 잡았다 놓을 때, 그는 비로소 목숨 덩저리를 더듬은 듯하였다. 아홉 개의 몸 구멍에서 풍기는 단내, 땀내, 갖가지 인내가 풋콩을 씹듯 배리고 구수하다는 것도 처음 알았다. 사람의 향기, 사람의 온기, 사람과 사람의 부대낌이야말로 무엇으로도 대신할 수 없는 위안이었다.

문노는 가쁜 숨을 시근거리며 윤궁에게로 천천히 미끄러져 들어갔다. 그들은 서로 서러운 기억을 단단히 깍지 껴 끌어안았다. 마침내 넓고 따뜻한 그곳에 닿아 이르자 목덜미부터 등과 엉덩이와 허벅지와 종아리까지 오스스 소름이 돋았다. 문노는 상처 입은 짐승처럼 엎드려 울며 몸을 떨었다. 태어나서 처음 맛본 짜릿한 삶의 전율이었다.

이로부터 문노와 윤궁은 한 지붕 아래 몸을 의지해 살게 되었다. 윤궁은 탁월한 미모를 갖추지는 못했지만 내조에 뛰어난 지혜로운 여인이었다. 미실의 간계가 아니더라도, 화해하고 타협하길 좋아하는 그녀는 문노가 미실을 꺼린다는 사실을 적이 불편하게 여겼다. 윤궁은 문노를 다독이며 충고했다.

「군은 세종전군의 신하 된 몸일진대 미실궁주를 반대함은 옳지 않습니다. 전군이 궁주를 자기 목숨처럼 여기는 것은 군이 나를 목숨처럼 여기는 것과 같습니다. 만약 군의 낭도들이 나를 그르다 책망한다면 군의 심경은 어떠하겠습니까?」

윤궁의 말에 문노는 짐짓 어기대며 답했다.

「선모와 궁주를 어찌 같은 여인이라 하겠습니까? 선모는 궁주와 같은 잘못이 없으니 낭도들이 비난할 리도 없지 않습니까?」

「사람에게 누구나 장단과 과실이 있는 것은 부득이한 형편 때문입니다. 군이 오랫동안 전쟁터에서 오직 강철 같은 심장만을 법으로 삼고 처자의 즐거움을 갖지 못한 것은, 이처럼 갖가지 사연과 곡절이 넘치는 세상과 통하지 못했기 때문입니다. 내가 지금 군의 아들을 복중에 가졌는데, 군이 뜻을 굳게 지키고자 권문(權門)에 거스르는 처신을 한다면 배 속의 이 아이는 장차 어떤 처지에 놓이겠습니까? 아이에게 좋은 아버지가 되기 위해서는 내 말을 새겨들어야 할 것입니다.」

문노는 쉽게 윤궁의 말을 저버릴 수 없었다. 백 말의 공경은 한 되의 사랑만 못하다고 하더니, 윤궁을 얻고서야 비로소 안정을 찾고 참된 행복을 맛보던 문노였다. 빗은 머리 위로 비죽 나온 새치를 그녀가 손끝으로 야무지게 꼬아 잡고 톡 하고 뽑아낼 때, 단단하게 곱걸어 꿰맨 의지의 실밥 또한 투둑 끊기지 아니하던가. 일상은 백 마디 다짐과 천 번의 맹세보다 더 억세고 단단했다.

문노는 곧 아버지가 될 터였다. 한 생명의 아비가 된다는 것은 사사로운 호오와 선악까지도 단번에 뛰어넘는 사명이었다. 싸움터에서는 이름만으로도 적의 사기를 꺾는 맹장이요 용장이지만, 한 여자의 남편이자 한 아이의 아비로서 문노는 터무니없이 약하고 왜소했다.

문노는 자신의 두수 없는 처지를 탄식하며 말했다.

「나는 선모를 사랑하여 받들지만 그 사랑의 근본은 의지와 기개에 있습니다. 그런데 선모가 처세를 말하며 나를 감싸는 것은 사뭇 사사로움 때문이라 할 수밖에 없습니다. 정이 사사로이 행해지면 의리가 감추어지기 마련입니다. 이미 선모는 신에게 몸과 마음을 허락하였고, 신 역시 선모를 거스르지 않기로 죽음으로써 맹세했습니다. 그렇다면 신과 선모가 함께 나누는 정이 사사로운 인정입니까, 의리입니까? 우리는 어떻게 해야 한길을 갈 수 있단 말입니까?」

옆과 뒤를 돌아보지 않고 오로지 앞만 보며 달려온 강건한 사내는 정에 굴복하는 것이 나약하고 비겁하게만 느껴져 분통을 터뜨렸다. 하지만 윤궁은 문노가 화를 내도 놀라거나 두려워하지 않았다. 그녀는 안온한 얼굴로 웃으며 답했다.

「정이 아니면 군과 내가 어찌 서로 범할 수 있겠습니까? 무릇 의(義)는 정(情)에서 나오고 정은 지(志)에서 나오니, 이 세 가지는 서로 반대되거나 충돌하지 않습니다. 그러므로 큰 정은 의가 되고, 큰 사사로움은 공(公)이 된다고 했습니다. 만약 무리에게 사사롭지 않으면 무리를 거둘 방법이 없습니다. 군이 일찍이 무리를 다스릴 때에도 어찌 일절 사사로움이 없었다고 하겠습니까? 군과 더불어 동침한 밤에 나는 꿈을 꾸었습니다. 쇠로 만든 커다란 소가 내 품으로 들어왔습니다. 나는 반드시 호랑이 새끼를 낳을 것입니다. 세상을 움직일 영웅의 아들을.」

둥근 배를 쓰다듬으며 흡족한 미소를 짓는 윤궁의 모습은 거룩한 모신(母神)의 현현인 양하였다. 그 야릇하고 신비한 모성의 빛에 압도되어 문노는 더 이상 아무 대꾸도 할 수 없었다. 윤궁은 어루만지듯 선포하듯 나긋하고도 단호히 말했다.

320

「대중 또한 사람의 자식입니다. 남의 자식은 소중하게 여기고 자기 자식을 소중하게 여기지 않는 것은 진정한 의가 아닙니다. 자기를 손상시켜 명예를 지키는 것 역시 사사로움에서 나옵니다. 군과 더불어 내가 서로 사랑하는 것은 순수한 정에 의한 것입니다. 무리들이 군에게 의지하는 것은 정이 발현되기 때문입니다. 청컨대 내 아이의 좋은 아버지가 되어 주십시오. 내가 아는 세상의 진실은 오직 그것뿐입니다.」

문노는 윤궁의 말에 크게 깨닫고 무릎을 꿇으며 말했다.

「선모는 진실로 성인입니다! 신은 다만 어리석을 뿐입니다…….」

세상 만물을 낳아 기른 모신의 도저한 기운은 그녀가 품은 모든 누추하고 보잘것없는 세사를 성스럽고 위대하게 만든다. 꽃은 칼을 이긴다. 살고자 하는 의지는 반드시 죽음의 충동을 넘어선다. 신라의 영웅은 드디어 어머니에게 투항했다.

문노는 진지제의 폐위에 참여한 공으로 선화(仙花)가 되고 관위가 아찬에 이르니 비로소 골품을 얻게 되었다. 미실은 진평제에게 청하여 윤궁을 문노의 정처로 삼도록 하였다. 혼인하던 날 미실을 비롯한 진평제와 세종전군이 친히 포석사에 나와 축하했다. 윤궁은 다툼이 없고 검소하여 문노의 무리를 자기 형제처럼 사랑하니, 손수 옷을 지어 낭도들에게 하사하고 문노가 종양을 앓을 때 입으로 빨아 낫게 하였다.

그리하여 뭇사람들이 부부에 대해 말할 때, '지아비를 택하는 데는 마땅히 문노선화 같아야 하고, 처를 얻는 데는 마땅히 윤궁낭주와 같아야 한다'고 입을 모았다. 문노는 윤궁의 조언에 따라 몸을 굽혀 미실을 섬기고 설원을 받아들였다. 미실이, 윤궁이, 세상의 약하고 부드러운 것들이 마침내 이겼다.

타래진 머리를 풀어 얼레빗으로 쓸어내리다 미실은 문득 보았다. 속절없이 손아귀에 한 움큼 잡힌 머리카락, 그것은 마치 분분히 사라져 간 젊음이 채 거두지 못하고 흘린 파편 같았다. 손을 펴 매작지근한 방바닥을 훑어 보았다. 거기에서도 여지없이 빠진 머리칼이 손에 잡혔다. 한 오라기 한 오라기 걸어 올려 살펴보니 모근에서부터 허옇게 센 것들도 몇 개 섞여 있었다. 바람에 나부끼는 버들가지처럼 길고 부드럽고 윤기 나던 유발(柳髮)도 왁살스러운 세월 앞엔 무력하였다. 머리가 세어 빠지기 시작한 것이 먼저였을까, 시력이 약해져 구석에 구르기 시작한 몽당이를 헤어 보지 못한 것이 먼저였을까.

미실은 더럭 의심하듯 저고리 아래 쌍봉을 움켜쥐었다. 바스락거리는 비단옷 아래 아직 탱탱한 탄력을 과시하는 그것들, 갓 서른은 오달진 나이였다. 하고 싶은 일을 반드시 이루기에 앞서 하기 싫은 일을 마땅히 피할 수 있는 시기. 그만큼의 자유와 힘을 갖고자 미실은 여태껏 헐떡이며 온 힘을 다해 달려왔다.

그녀는 마음속에서 오락가락하는 상념을 떨치려 면경 앞으로 바싹 다가앉았다. 그곳에 맹렬한 기세로 세상을 쥐락펴락하는 아름다운 권력자가 있었다. 서둘러 분을 치고 연지를 찍었다. 불안은 여자의 화장을 두꺼워지게 했다. 번쩍이는 청동 거울 속에서 아름다움을 끝까지 포기하지 않으리라 다짐하는 여인이 눈썹을 추켜올리며 요염하게 웃고 있었다.

「지밀로 모셔 갈 사자가 대령했나이다!」

바깥에서 미실을 재촉하는 소리가 들려왔다.

「곧 끝난다. 잠시만 기다리라.」

삼주의 맹세, 삼대에 걸쳐 황제에게 색공을 할 신하의 소명은 끝나지 않았다. 미실은 오늘 신왕 진평제를 도(導)할 막중한 사명을 받은 터였다.

진평제로 즉위한 백정은 고작 열세 살이었다. 하지만 어린 나이에도 불구하고 기골이 장대하며 힘이 넘쳤다. 색사로 인해 제통을 이을 자식들을 연이어 잃은 사도태상태후는 진평제만은 올바른 돈륜으로 이끌고자 하였다. 색에도 마땅히 길이 있으니 황제를 옳은 도리로 이끌어 다스리고 통하여 열어 주는 일은 색공지신의 본래 책무였다.

사도태상태후는 애초에 보명과 미실에게 진평제를 도할 임무를 맡겼다. 보명은 부드럽고 향기가 있어 동륜태자의 죽음에 연루되었음에도 총애를 잃지 않고 미실과 마찬가지로 세 명의 황제를 섬겨 온 터였다. 미실은 자신이 보명보다 위가 낮고 골이 천하다는 이유로 보명에게 상도(上導)를 양보하였다. 하지만 보명은 그때 검은 까마귀 꿈을 꾸고 진지제의 유복녀 석명을 임신한 상태였다. 보명은 회임한 지 삼 개월밖에 되지 않았다는 것을 이유로 진평제를 받아들이는 일을 사양하였다. 그리하여 하는 수 없이 미실이 진평제의 동정(童貞)을 다스리는 중책을 맡게 된 것이었다.

진평제는 어린 나이에도 의지가 굳고 식견이 명철했다. 그는 죽은 태자 동륜과 만호부인 사이에서 난 자식으로 날 때부터 얼굴이 기이하고 풍신이 우람했다. 성군이 도래할 조짐은 여러 곳에서 나타났다. 진평제는 즉위하던 해 궁원 뜰에서 천사(天使)를 만나 상황(上皇)이 내린 옥대를 전해 받았다. 전륜왕으로 세상의 수레바퀴를 돌리고자 하였던 진흥제의 염원이 어린 손자에게까지 전해진 것이다. 진평제는 이것을 신물(神物)로 받들며 소중히 여겨 큰 제사에는 반드시 이 옥대를 매곤 했다.

어느 하루는 진평제가 천주사 내제석궁에 행차하여 섬돌을 밟는 순간, 돌 두 개가 한꺼번에 부서지는 기이한 현상이 일어났다. 곁에 있던 신하들이 깨진 돌을 수습하려 하자 진평제가 말리며 명하였다.

「이 돌을 옮기지 말고 후세 사람들에게 보여라!」

곧 세간에는 신왕의 신장이 십일 척에 달한다는 소문이 짜르게 퍼졌다. 하늘과 가까이서 벗하는 거인의 등장이야말로 소박한 민인들을 감격시키는 길조였다. 진평제는 전왕이 폐위되고 신왕이 옹립되는 뒤숭숭한 정세를 말 그대로 온몸으로 헤쳐 나가고자 하였다. 실로 자를 세워 잰 십일 척의 키가 아니더라도 백성들의 불안한 마음속에 그는 우뚝한 기둥으로 자기를 곧추세웠다.

진평제는 성품이 어질고 효성스러워 세 명의 태후를 깍듯이 모셨다. 궁중의 삼태후란 진흥제의 황후인 사도태상태후와 진평제의 어머니 만호태후, 진지제의 왕비 지도태후를 일컬었는데, 진평제가 어른들의 명을 극진히 받들어 따랐기에 낭도 중에 승진하기를 좋아하는 자들은 모두 태후궁에 붙는다는 말이 나올 정도였다.

하지만 미실의 눈에 그는 다만 열세 살의 뜨겁고도 깨끗한 소년이었다. 문득 큰 덩치를 웅숭그리며 멋쩍고 쑥스러운 마음을 드러내 보이는 모양이 지난 한때 만난 소년과 꼭 닮아 있어, 미실은 자기도 모르게 밭은 숨을 들이켰다.

'오오, 기린이여!'

사내들은 아무것도 남기지 않고 떠났다. 뜨거운 숨결도 달뜬 몸짓도 순간이 지나면 가뭇없이 사라졌다. 다만 그 씨앗이 움터 새 숲을 이루고 또 떨어져 거름으로 썩어 간다. 미실은 두 팔을 크게 벌렸다. 오직 드넓은 대지만이 사라지지 않고 기억한다. 살아 있는 모든 것들은 지워지지 않는 땅의 추억이다. 미실보다 머리 하나는 더 큰 새싹이 그녀의 좁은 품을 파고들었다.

「제는 색이 무엇에서 비롯된다고 생각하십니까?」

미실의 물음에 진평제는 고개를 갸웃거렸다.

「육신이 있기에 색욕이 있지 않겠는가?」

「물론 육신이 없고서야 어찌 색이 발현되겠습니까? 하지만 무릇 색이란 육신보다 마음에 근본을 두고 있다 할 것입니다. 마음이 열리지 않고서야 몸이 열릴 리 없고, 진정으로 사모하고 갈구하지 않는다면 남녀의 합함에 득보다 실이 더 많을 것이옵니다.」

미실은 태어나 지금까지 한 번도 의심해 본 적 없는 음양의 바른 이치를 차근차근 설파하였다.

「장창화미(張敞畵眉)의 고사가 가르치나이다. 한나라 시대 평양 사람 장창이 선제를 받들어 경조윤으로 일할 때, 도시에는 도둑이 없고 시골에는 걸인이 없었다고 합니다. 그런 장창은 유독 부부간의 정이 돈독해 아내를 위해 직접 눈썹을 그려 주곤 했답니다. 그리하여 장안에 장경조가 부인의 눈썹을 어루만진다는 이야기가 흥인 듯 샘인 듯 떠돌았습니다. 임금이 불러 그 이유를 물었습니다. 그때 장창이 무어라 대답했겠사옵니까?」

소년 왕은 미실이 고사를 들먹이는 영문을 모르는 듯 고개를 갸웃거렸다. 소년의 여린 속살과 간니로 겨우 들어찬 깨끗한 입속에선 희미하게 수밀도 냄새가 났다. 도원(桃園)의 분홍 향기가 이와 흡사하리라. 미실은 불현듯 돈오(頓悟)하였다. 내가 죽어 떠난 후에도 그는 남아 살아가리라. 그는 미실이 사라진 다음 세상의 주인이었다. 미실은 어금니 사이로 미래세(未來世)의 공포를 꼭 물고 빠르게 말했다.

「장창이 말했답니다. '규방에서 일어나는 부부 관계는 눈썹을 그리는 정도에 그치지 않습니다'라고. 현명한 선제는 더 이상 그를 꾸짖지 않고 돌려보냈지요. 황제가 앞으로 배울 침실 생활과 방중술의 법도가 무릇 이러합니다. 놀라지 마시고, 꺼리지도 마시고, 마음을 열고 음양의 이치에 순응하소서…….」

미실은 천천히 어린 황제의 보체(寶體)를 보듬어 교육하였다.

성교는 생활이면서 철학이었다. 햇살이 비치는 곳에 양이 있고 등진 곳에 음이 있으니, 이로부터 덥고 추운 날씨가 있고 정(正)과 반(反)의 속성이 있다. 음과 양은 대립하면서도 서로 의존하니, '하나의 음'과 '하나의 양'은 모두 자연의 법칙에 위반되어 인간의 건강을 해하기 마련이었다. 그리하여 고대의 성학자들은 색사가 일상에 즐거움을 주면서도 또한 크나큰 재액이 될 수 있음을 경계하여 양생의 방법인 방중술을 중요시 여겨 강조했던 것이다.

짧은 생을 덧없다 하기에 밤은 한정 없이 길었다. 미실은 알몸뚱이로 광대무변한 어둠의 공간을 달렸다. 달릴수록 그녀는 가벼워졌다. 달릴수록 젊어지고, 달릴수록 아름다워지고, 달릴수록 자유로워졌다. 어둠 속에서 별꽃처럼 빛나는 초록이 말을 걸어왔다. 나무와 사슴과 깨금발로 물 위를 걷는 소금쟁이가 속닥속닥 귀엣말을 건네왔다. 그녀의 겨드랑이와 사타구니에서 연록 잎이 피었다. 소년이 옹굴처럼 깊은 입을 벌려 수액을 빨았다. 살아 있는 찰나가 시원했다. 천지가 한 번 개벽하고 다시 개벽할 때까지의 겁파(劫簸)와도 바꿀 수 없는, 순간은 달콤했다.

「남자의 속성은 불이요, 여자의 속성은 물이옵니다. 불과 물은 상극이로되 오직 물만이 불을 다스려 끌 수 있습니다. 하지만 거듭 불꽃을 지펴 올리기 위해서는 물에 잠식되어서는 안 될 것입니다. 음기를 거두어 기력이 백배 좋아지고 지혜가 날로 새로워지는 경지를 꾀하십시오. 양기의 보강에 집착하지 말고 한껏 음기를 기쁘게 만들어 쾌락의 기운이 뇌를 보양하도록 하십시오. 질병이 사라지고 청춘이 지속될 것입니다. 마침내 영원히 죽지 않고 살 수 있을 것입니다.」

몸을 구부렸다 펴고, 고개를 숙였다 쳐들고, 양물이 음문으로 얕고 깊게 나갔다 들어오는 방식도 다양하여, 어녀술(御女術)을 전수하는 미실의 수업은 하루가 지나고 이틀을 넘어 이어졌다.《소녀경》의 구법(九法)과《합음양》의 십절(十節),《통현자》의 서른 가지 교합법이 모두 동원되었다. 진평제는 미실이 이끄는 대로 거침없이 자신의 본능을 따라 행하였다. 모든 학습이 끝날 즈음, 미실은 자기 아들보다도 어린 제자에게 다짐하듯 말하였다.

「마음껏 사랑하십시오. 후회 없이 아끼고 돌보십시오. 사랑의 상대는 마음의 길을 따라 바뀌겠지만 순간의 진정만은 잊지 마십시오.《소녀경》에서 남녀 쌍방이 반드시 먼저 사랑한 후에 행위할 것을 강조한 이유가 여기에 있습니다. 색사는 서로 느껴 함께 응대하는 것입니다. 양이 음을 얻지 못하면 기쁘지 않고 음이 양을 얻지 못하면 사랑의 감정이 싹트지 않습니다. 색사에서 가장 꺼려야 할 것은 음종함보다 두려운 무감과 난폭함입니다. 제는 부디 여스승의 말을 잊지 마소서.」

「사랑? 사랑이라! 궁주는 과연 색을 나눈 모든 사내를 사랑하였소?」

진평제의 물음에 미실은 잠시도 멈칫거리지 않고 답했다.

「마땅히 그리하옵니다. 소녀는 뭇별들처럼 수많은 사랑을 가졌습니다. 그리고 단 한 번도 그 사랑을 후회해 본 적 없사옵니다……」

황제의 지밀을 뒤로하고 나오는 길에 미실은 현기증을 느끼며 잠시 기둥에 이마를 기대고 섰다. 색공을 하고 돌아서는 길에 다리가 후들거리고 미열이 돋는 것은 더 이상 젊지 않다는 증거일 것이다. 진평제에게 한 다짐은 결국 그녀 자신을 위한 것이었다. 그녀 생애의 몇 밤이 또다시 사랑으로 졌다. 미실은 사랑으로 탕진한 시간을 결코 후회하지 않으리라 다짐했다.

미실의 가르침으로 양기가 통하게 된 진평제는 스스로 보명을 찾아가 도할 것을 요구했다. 보명은 감히 황제의 명을 어길 수 없어 기꺼이 옥체를 받아들였다. 이해 술월 진평제는 보명을 좌후(左后)로 미실을 우후(右后)로 삼아, 어머니처럼 손위 누이처럼 사랑하였다. 큰 사랑은 공경하기를 신(神)같이 하고 작은 사랑은 희롱하기를 옥같이 하나니, 황제의 여스승으로 신국의 도를 널리 펴 존경을 받은 미실은 가히 살아 있는 여신이라 할 만하였다.

*

언젠가 어머니 대지를 숭배하는 사람들이 월경과 개짐을 땅에 묻을 때, 밭의 조상을 맞아 남녀 교합의 제사를 지내면서 씨를 뿌릴 때, 들판에서 진행되는 분만 앞에 무릎을 꿇고 기도를 바칠 때, 그들은 여성이 다스리는 세상의 복됨을 믿어 의심치 않았다. 어머니의 지혜, 어머니의 공정함, 어머니의 도량을 믿고, 모독받은 어머니의 분노와 원한을 두려워했다. 살아 있는 어머니의 권능은 도저했고 난산으로 죽은 어머니는 영웅으로 모셨다.

그리하여 오랫동안 비가 내리지 않아 땅이 마르고 곡식이 타들어 갈 때, 궁중에서는 엄숙한 천제(天祭)의 의식을 거행하는 한편 민간의 처방을 병행하여 기우제를 치렀다. 무당들은 속곳을 벗고 치마만

걸쳐 입은 채 굿판에 섰다. 물기 하나 없는 바람이 함부로 그녀들의 통통한 허벅지와 가로퍼진 엉덩이를 매만졌다. 무녀들은 분노한 신령과 교접하며 영신(迎神)했다. 치마를 들추어 바람을 희롱하며 가랑이를 번쩍번쩍 들어 한바탕 음란한 춤을 추었다. 가뭄이야말로 양이 음을 이겨 눌러 음력이 부족해 빚어진 탓이었다. 그래서 무녀들이 지닌 음력의 발산을 통해 신령을 위로하고 천기를 다스리려 한 것이었다.

암줄과 수줄을 비녀목으로 연장시키고 줄을 드리는 놀이며, 줄다리기가 끝난 후 당산나무에 줄을 감아 비를 관장하는 수신(水神)인 용과 뱀을 흉내 내는 의식이 모두 이러한 풍요의 기원으로부터 나왔다. 동쪽에 남자들이 서고 서쪽에 여자들이 서서, 올가미를 둥글게 틀어 도래 지은 암줄에 비녀목을 꽂으며 주고받는 음담도 자못 해괴하였다.

「잘 벌려 봐!」

「물건 똑바로 세워!」

「좀 더 세게 해!」

「받쳐 줘야 들어가지!」

이러한 난장은 새 생명이 창조되고 새 질서가 확립되길 염원하는 의식이니, 이때의 통음난무(痛飮亂舞)야말로 신명의 원리에 순순히 응하는 소박한 삶의 몸부림이었다.

미실은 어머니의 법칙으로 정치(政治)하였다. 난군을 물리치고 어린 황제가 즉위한 교체기에 스스로 중심이 되어 여러 사람의 마음을 화합할 방도를 고민하였다.

화랑도는 날로 그 세력이 확대되어 기강을 세울 필요가 절실했다. 신라에 고유한 풍류의 도를 기반으로 노래와 음악을 즐기며 산수를 찾아 유람하는 화랑도는 이때에 이르러 삼한 통일과 그 후를 대비하는 세력으로서 의미가 더해졌다. 계속되는 전쟁 속에 마음 의지할 곳을 잃은 민인들은 효와 충을 강조하는 공자의 뜻과, 무위(無爲)하며 말없이 교훈을 실천하는 노자의 가르침과, 악행을 피하고 선행을 실현하는 석가의 교화로써 인간을 감화시키는 화랑도를 우러러 따르며 받들었다.

그즈음 화랑도의 내부에서는 설원의 운상인과 문노의 호국선이 경쟁하며 맞서 겨루었으나, 점차 거세어지는 삼국의 쟁탈전에 공을 많이 세운 호국선이 기세를 높이기에 이르렀다. 문노는 신분을 가리지 않고 용맹한 자들을 고관에 발탁하니, 초택의 사람들이 앞 다투어 투항하고 귀의한 무리는 문노를 신과 같이 받들었다.

미실은 세종을 잇는 7세 풍월주로 설원을 천거한 바 있으나, 이와 같은 상황에서 설원이 문노에게 미치지 못한다는 사실을 간파하였다. 그리하여 미실은 영을 내려 문노를 선도의 스승으로 삼아 섬기게 하였다. 하지만 언제나 낡은 제도를 개혁하는 데는 기득권을 가진 자들의 저항이 뒤따르기 마련이었다. 설도 중에는 문도에게 주도권이 돌아가는 형편을 불평하는 자가 많았다. 설원 또한 자기 의지와 상관없이 풍월주의 자리를 내놓는 일이 마땅치는 않았다. 하지만 미실의 사랑에 포박된 설원은 마음을 다스리고 낭도들을 타이르며 말하였다.

「총주(寵主)의 명을 어찌 거역하겠는가? 내가 앞장서 문노공을 섬기리라.」

「어제까지도 엄연히 풍월주는 설원공이었습니다. 어찌 하루아침에 신분이 낮은 자에게 머리를 조아리는 수모를 견디려 하시나이까?」

설원은 미실의 뜻을 헤아려 설명하였다.

「국선은 애초에 전왕의 명으로 설치된 것으로, 사실 풍월의 정통은 아니다. 하지만 세종전군 또한 왕자의 신분에도 불구하고 기꺼이 사다함공의 뒤를 잇지 않았던가? 이 모두가 미실궁주의 명에 따른 일이었으니, 나 또한 그것을 귀하게 여겨 세종전군의 뒤를 이었다. 지금 궁주가 다시 양위를 명하시니 하물며 사형(師兄)을 받들어 섬기라는 것을 어찌 감히 거역하겠는가?」

사랑에 충실한 사내는 수치심 따위는 아예 모르는 듯 문노 앞에 무릎을 꿇었다. 문노 역시 미실의 명을 존중하여 따랐다.

「궁주가 이미 명했는데, 신 또한 어찌 거역할 수 있겠습니까?」

마침내 양위식의 날이 밝아 미실은 세종과 함께 수레를 타고 식장에 도착했다. 설원랑은 예복을 갖춰 입고 인부(印簿)와 검장(劍仗)을 받들어 미실과 세종에게 바쳤다. 설원랑은 사뭇 시치름한 낯빛으로 정중히 미실에게 먼저 절을 바치고 뒤이어 세종에게 절을 하고 물러섰다.

본디 화랑의 법에는 후계자가 전주(前主)에게 하배를 올리고 신이라 부르도록 되어 있었다. 그런데 이때의 형편이 누가 누구를 받들어 섬기고 누가 누구에게 신하라 부를 것인지 판단하기 쉽지 않았다. 세종이 망설이다가 미실에게 물었다.

「문노가 화랑도의 도맥으로는 설원의 스승이지만 인통에 의한 통맥으로는 아우이지 않습니까? 그렇다면 누가 어느 자리에 앉아야 마땅하오리까?」

미실은 잠시 생각하다가 곧 명쾌한 지침을 내놓았다.

「설원은 나의 총신이면서 정통으로 문노의 형입니다. 문노가 비록 화랑도의 스승이라지만 정도가 아닌 것도 사실입니다. 그러니 어찌 전주를 받들어 절하지 않을 것입니까?」

세종이 듣고 보니 과연 그러하였다. 이에 세종은 설원에게 명하여 미실의 옆에 앉아 문노의 인사를 받도록 하였다. 문노가 예복을 갖춰 입고 무릎으로 걸어가 미실에게, 세종에게, 설원에게 거푸 절하고 엎드려 말했다.

「소신 풍월주의 위를 감당할 자질이 없사옵니다. 부디 거룩한 명을 거두어 주십시오!」

이 모두가 겸양의 미덕을 존중하는 화랑도의 예법에 따른 절차였다. 미실이 문노에게 인부를 건네주며 말했다.

「네 형을 욕되게 하지 마라.」

세종은 화랑도의 문서를 건네주며 말하였다.

「네 아버지를 욕되게 하지 마라.」

전주인 설원이 검장을 건네주며 말하였다.

「네 어머니를 욕되게 하지 마라.」

인부와 문서와 검장을 모두 받아 든 문노가 감격의 눈물을 흘리며 머리를 조아릴 때, 음악이 터져 나오고 노랫소리가 드높이 울려 퍼지기 시작했다. 유화들이 춤을 추며 꽃을 뿌리니 오묘한 향내와 빛깔이 천지 사방에 그윽이 퍼졌다. 아름다운 꽃비 속에서 미실이 몸을 곧추세워 하늘을 가리키고, 땅을 가리키고, 손을 넓게 펴 좌중의 남녀를 감싸듯 보듬듯 가리키며 말했다.

「하늘과 땅과 사람은 광대무변한 우주의 근원이다. 하늘과 땅과 사람은 하나이며, 또한 여럿일지니라. 땅이 없는 하늘이 없고 하늘이 없는 땅이 없으니, 하물며 사람이 있지 않고서야 하늘과 땅이 무슨 의미를 지니겠는가? 나 없이 우리가 없고 우리 없이 나 또한 없으니, 인간으로 태어난 자 하늘의 뜻을 받들어 음양의 조화를 꾀하고, 땅을 존숭하여 굳셈과 부드러움을 고루 갖추며, 사람을 다스릴 때 어질고 의로워야 마땅하리라. 화랑도는 만대(萬代)에 이 원리를 잊지 말고 행할 것이다.」

이것이 미실이 오랫동안 숙고해 온 삼재지법(三才之法)*이었다. 미실은 어느덧 아름다운 만큼 현명해져 있었다. 하루도 빼지 않고 서책을 들추고 꼼꼼히 수기를 지어 적으며 아름다움의 힘을 지혜로 지키는 일을 게을리 하지 않은 덕택이었다. 몸으로 겪은 바를 마음으로 키워 상생과 박애의 경지를 깨달은 것이었다.

만세! 만세! 만세!

꽃봉오리 같은 소년 소녀들이 미실을 향해 입 모아 축복을 바치고 있었다. 하지만 그들의 환호야말로 마땅히 그들의 것, 그들은 미실이 사라지고 난 세상의 새로운 주인이었다.

숱한 싸움, 더 많은 눈물과 좌절과 이별이 그들 몫으로 놓여 있으리라. 그러나 싸움은 반드시 즐거워야 한다. 즐겁게 싸우는 자만이 이길 수 있다. 적진을 향해 달려 나가 초개(草介)처럼 쓰러질 수 있는 용기도 그로부터 비롯된다. 비겁한 자에겐 삶도 죽음도 정면으로 오지 않는다. 옆구리를 푹 찔리고 뒤통수를 맞으면서야 살아 있었나 혹은 죽어 가나 흐리마리 느낄 뿐, 오직 삶의 즐거움을 맛본 자만이 죽음을 두려워하지 않으리라.

미실은 화랑도를 이끌며 서책이 아니라 자연으로부터 도리를 찾고, 사람들의 본성을 거스르지 않는 문화를 통하여 통합된 삼한을 다스리는 이치를 설파하였다. 평화는 마땅히 그러하여야 할 것이었다. 같은 말을 쓰는 자들끼리의 통일은 그러하여야 옳을 것이었다.

---

* 삼재지법 : 한민족 고유의 천(天) · 지(地) · 인(人) 사상.

문노는 국선으로 화랑의 우두머리가 된 까닭에 선화라는 각별한 이름으로 불렸다. 하지만 선화라는 명칭이 누추한 지난날을 상기시킨다 하여 무리 중에 불평하는 자가 있었다.

「선화가 먼저 스승이 되었음에도 후에 도리어 아우가 되니, 이것은 풍월주의 위를 빌미 삼아 궁주가 공을 팔아먹은 것이 아닙니까?」

하지만 문노는 낭도를 꾸짖으며 말했다.

「궁주는 전군이 살아 있는 신처럼 받드는 바이다. 그런데 어찌 감히 궁주를 상대로 말을 낼 수 있단 말인가?」

문노의 태도가 하도 지엄하기에 낭도들은 감히 다시 불평을 입 밖에 꺼내지 못했다. 물론 문노도 미실의 권위에 감화된 바 없지 않았다. 하지만 대개 문노의 뜻은 미실이 아니라 세종을 위한 것이었다. 세종이 항상 미실을 지극히 받들고 섬기면서도 오히려 모자람이 있지 않을까 두려워하며 삼가기에, 문노는 의리로 그 뜻을 따르지 않을 수 없었던 것이다.

또한 지극히 방정하고 빈틈이 없기로 유명했던 문노는 윤궁을 처로 맞이한 후로 시비를 가리기보다 화목함을 더 좋아하는 사람으로 변했다. 그의 변화를 낯설게 느낀 낭도들은 혹간 지청구하듯 말하기도 하였다.

「문노공은 변했소. 초년의 기상이 모두 없어졌소.」

그러면 문노는 웃으며 이렇게 답했다.

「나도 지난날 전군이 궁주의 말을 듣고 따르는 것을 흥잡아 말했는데, 내가 스스로 그렇게 되고 보니 알겠구나. 너희들 또한 스스로 겪고 당하면 그 아름다운 이치를 알게 될 것이다.」

문노는 미실의 뜻대로 기꺼이 설원에게 하배하며 스스로 신하라 불리는 것을 꺼리지 않았다. 갈등을 풀고 사람의 마음을 어루만지는 기술이야말로 미실을 따를 자가 없었다. 미실은 문노와 설원의 화해를 기뻐하며 말하였다.

「내가 너로 하여금 먼저 굽히게 한 까닭을 이제야 알겠는가? 한 발 물러서지 않고서야 어찌 한 발 더 나아가길 바라겠는가? 오늘에 와서야 겨우 내 마음이 편안하도다.」

설원은 미실의 배려에 감읍하여 절을 올리며 말했다.

「어찌 총주의 사랑을 잊겠습니까? 신의 머리카락 한 올 한 올과 살갗의 작은 숨구멍 하나까지도 총주의 소유가 아닌 것이 없습니다!」

세월이 흐른다는 것이 나쁘지만은 않았다. 시간이 스친 냉정한 흔적은 백발과 주름살로 남았지만, 포개어 쌓인 경험과 연륜이야말로 팽팽한 피부와 흑발과 바꿀 수 없는 재산이었다.

미실은 더 이상 젊지 않은 자신을 끌어안았다. 더 이상 젊지는 않으나 아직 늙지 않은, 늦가을의 한가운데서 지난 계절을 차분히 곱씹는 풍요로운 영육이 뭉클하게 느껴졌다.

'괜찮다, 괜찮다……'

미실은 스스로를 다독이며 말했다. 아무것도 나쁘지 않았다. 그렇다면 반드시 좋은 것이리라. 바람이 건듯 그녀의 뺨을 어루만지고 스쳐 갔다.

사랑의 종언

새벽 첫 예불을 마치고 법당을 나서며 가만히 짚신 안으로 발을 꿰다가 반가운 온기를 느꼈다. 비단신을 신을 때에도 한번 해보지 못한 생각이었다. 이 신발 속이 따스운지 차가운지. 그런데 초라한 짚신 속이 따습게 느껴지는 것이다. 짚신 속의 발이 따뜻한 것이다. 홀로 되어 맞는 군더더기 같은 여일은 이토록 사소하게 확인되곤 하였다. 아직, 살아 있었다.

아침 공양을 마치고 싸리비로 마당을 한바탕 소지하고 나서 흐르는 땀을 훔치며 장명등 아래 몸을 기대고 앉았다. 문득 눈앞이 흔들렸다. 땅이 투명한 불꽃 모양으로 아른아른 지펴 오르고 있었다. 어느덧 재바른 봄이 불쑥 다가와 어깨를 겯고 아는 시늉을 하였다. 눈길이 절로 마당 모퉁이로 달려갔다. 작년 봄부터 꽃을 피우기 시작한 앵두나무 가지가 물이 올라 통통했다. 밑거름을 듬뿍 주고 때때로 눈빛으로 격려하고 보듬었으니 올해는 열매도 맺을 것이다. 깔깔한 입속에 금세 새콤달콤한 기대가 고였다.

돌덩이 같던 땅도 얼음이 풀려 질척했다. 비질한 자국이 동백기름 바른 머리를 얼레빗으로 가린 모양으로 선명했다. 마침 불어온 삽상한 꽃바람에 진땀이 돋았다 식었다 하였다.

「곧 동풍신연(東風新燕)*이 오시겠구나……」

눈에 뵈지 않는 하늘 길의 입구를 찾듯 고개를 꺾어 두리번거려 보았다. 그 어디쯤에는 저승길의 입구도 있고, 커다랗게 걸린 명경대도 찾을 듯하였다. 비추어 보면 낱낱이 투명해질 것이다. 생전에 행한 착한 일과 악한 일, 비밀과 치부와 슬픔과 울분까지도. 얼마만큼이나 부끄럽고, 얼마만큼이나 후련할까.

일전에 방장(方丈)을 따라 산을 내려갔던 공양주가 돌아왔다. 후한 육덕 못잖게 숫진 인심을 가진 공양주의 치마꼬리엔 부모를 잃고 유리걸식하던 대여섯 살쯤 된 계집애 하나가 달랑달랑 달려 있었다. 계집애가 청설모처럼 조르르 절 마당을 가로질러 뛰어간다. 동재(同齋)*하는 공양주를 찾는지 부엌 뒤 조왕단(竈王壇) 곁을 기웃거리다 통통 뛰어나와 풀숲 사이로 새파랗게 스며든다. 어린것들이 하는 짓은 짐승이나 사람이나 같다. 아무리 심술기를 물고 있어도 노는 모양을 따라 좇노라면 입술 사이로 푸푸 웃음이 내뿜어진다. 이리 퉁 저리 퉁 튀기는 꼴이 눈발처럼 꽃잎처럼 난분분하다. 지켜보노라니 어지럽다. 봄은 기어이 오고야 말려나 보다.

참으로 이상한 일이다. 당장 아침 공양에 받은 반찬도 떠오르지 않는데 까마득히 지나간 일들이 날로 새롭다. 지금도 생생한 살아 있는 날들의 냄새, 눈빛, 그리고 숨결……

한 시대가 저물었다. 그 순간 가장 아름다웠던 사람들을 따라 시대

---

*동풍신연 : 봄바람 타고 새로 날아온 제비.

*동재 : 절에서 밥을 짓는 일.

가 갔다. 진평제가 친정(親征)한 고구려와의 전투에서 세종이 문노의 품에 안겨 시신으로 돌아왔다. 영흥사로 출가했던 이화랑과 숙명공주도 세상을 떠났다. 그리하여 미실은 왕성을 떠나 영흥사로 가기로 결심을 굳혔다. 아무것도 거치적거릴 것이 없었다. 하종, 애송, 반야, 난야, 수종, 옥종, 꿈에서 흰 양을 보고 낳은 설원의 아들 보종과 진평제의 씨앗인 막내 보화공주까지…… 여덟 아이들은 애초부터 그녀의 소유가 아니었다. 휘둘러 조종하려 움켜쥔 적 없으니 풀어 돌려놓을 바도 없었다.

비단옷, 상아 빗, 황동 비녀와 금 귀고리가 다 소용없었다. 능직 휘장을 두른 수레와 보석 장식을 한 안장, 금실 은실을 섞어 땋은 말 가슴걸이도 모두 두고 갈 것들이었다. 석회를 바른 벽과 대모와 침향으로 장식한 평상에도 안녕을 고해야 할 것이었다. 기거하며 쓰던 모든 것들이 순간 부질없는 껍데기로 보였다. 아까운 것이 하나도 없었다. 과연 평생토록 그것들을 얻기 위해 애면글면, 또한 잃지 않기 위해 애면글면해 왔던가.

한 번은 등 떠밀려 내쳐졌고 한 번은 몸을 피해 도망쳐 나왔으며, 한 번은 어리벙벙하여 끌려 들어갔고 한 번은 개선 행진하듯 으스대며 들어섰던 궁문을 미실은 어떤 번거로운 의식도 없이 조용히 빠져나왔다. 오직 스스로의 의지에 의해 미실과 함께 불문에 귀의하기로 한 시녀 몇이 간소한 보퉁이를 머리에 이고 따라나섰다. 그때 어떻게 소식을 들었는지 설원이 달려와 무릎을 꿇고 애원하였다.

「궁주가 신녀가 되겠다면 신은 신녀를 호위하는 우두머리 신하가 되리다. 부디 내치지 마시고 낭도들과 함께 궁주를 경계하고 보호하게 해주십시오.」

다섯 명의 아들과 일곱 명의 딸을 두고 일가를 이룬 장년의 가장

이 스스로 가진 것을 모두 버리겠노라며 질척한 흙바닥에 머리를 조아리고 있었다. 그녀에게는 더 이상 나누고 덜어 줄 것이 없음에도, 그는 떠도는 구름을 좇는 미련한 짓을 하겠다고 고집하였다. 미실의 마음이 뭉클하였다.

「세종에게 문노가 있다면 나에게는 네가 있구나! 네가 이토록 함께할 것을 간청하니 어찌 너의 소망을 두고 가타부타 말할 수 있겠는가?」

작별 인사인 양 눈이 오는 날이었다. 가끔 불어오는 칼칼한 바람만 아니라면 산중의 공기는 생각보다 포근했다. 바람에 흩날린 눈은 차곡차곡 키를 높여 쌓여 가고, 먼 하늘은 은은한 자황색을 띠고 있어 사방이 동트기 직전처럼 뿌옜다. 순간에 번진 채색화처럼 몽환적인 하늘을 머리에 이고 말없이 줄지어 걸어가는 일행은 마치 시원(始原)을 찾아가는 순례자 같았다. 미실은 앞장서 덩굴풀을 치고 길을 트는 설원의 등 뒤로 무희처럼 사뿐히 내려앉는 눈발을 망연히 바라보았다.

알 수 없었다. 그가 마지막 인연일까. 번잡스럽게 뒤엉켰던 인연이란 결국 저렇게 비행하다 땅에 내려앉기 무섭게 스르르 녹아드는 눈발처럼 허망한 것들이었을까.

병인년(606) 신월(음력 칠월), 하늘이 타고 땅이 끓는 한여름에 영흥사에 머물던 미실에게 불현듯 사마가 찾아왔다. 수명을 빼앗고 오온(五蘊)*을 파멸시키는 악마는 정체 모를 병으로 미실을 급습한 채 떠나지 않았다. 미실은 그대로 자리보전을 하고 여러 달 동안 일어나지 못하고 앓았다. 유일하게 미실의 곁을 지키기를 허락받은 자는

---

* 오온: 생멸·변화하는 모든 것을 구성하는 다섯 요소.

변함없는 정성으로 미실을 섬기고 받들기에 뭇사람들로부터 미륵선화라는 별칭을 얻은 설원이었다. 병구완이란 결국 그때까지 맺어 온 관계에 의한 것이니, 설원이야말로 이미 미실의 밑바닥까지 보고 겪은 벗이었다.

설원은 미실에게 동정을 바친 이후로 한시도 그녀를 사랑하지 않은 때가 없었다. 설원은 미실에게 한 마리 짐승이라도 좋았다. 먹고 자고 배설하고 짝을 짓는 본능만으로도 그녀 앞에서는 부끄럽지 않았다. 천한 기질을 들킬까 봐 조바심칠 필요도 없었다. 사랑을 고백하고 갈구하는 일을 두려워할 필요도 없었다. 미실 앞에서만은 자유로웠다. 마음과 몸이 다 열려, 시원하고 가벼웠다.

미실의 도움으로 화랑의 풍월주가 되었을 때, 설원은 미실이 시키는 대로 아랫사람들에게 몸을 굽히고 재산을 풀어 위로하였다. 그의 노력에 낭도들이 모두 복종하긴 하였으나 한미한 출신인지라 여전히 미흡함은 남아 있었다. 그때 미실이 한 가지 비방을 제시했다. 모랑공의 과처인 준화낭주를 아내로 맞이하여 설원의 신분을 높이도록 한 것이었다.

미실이 옳을 것이다. 반드시 옳아야만 할 것이다. 하지만 설원은 미실의 비방을 받들고 여원여모(如怨如慕)*의 심경에 이르렀다. 준화낭주의 나이는 이미 서른여덟 살, 혼자 지낸 지 열여덟 해가 넘은 여인이었다. 꼭 그렇게 해서라도 신분을 높이고 권력을 유지해야 하는지, 감성이 섬세한 설원으로서는 쉽게 판단이 서지 않았다. 미실은 설원이 망설이고 있다는 것을 눈치 채고 완곡하게 타일러 말하였다.

「그대는 좋은 소를 고르는 방법을 아는가? 소를 고를 때는 먼저

---

* 여원여모 : 원망하는 것 같기도 하고 사모하는 것 같기도 함.

골격을 살핀다. 두상은 늠름한가, 등은 구부러지지 않았는가, 정면에서 마주 보아 앞다리가 튼튼하고 바로 서 있는가, 가슴이 약간 벌어지고 균형이 잘 잡혀 있는가를 본다. 그러고 나서 털의 색상이 선명하고 윤기가 있는지를 살피고, 눈이 크고 눈물을 흘리지는 않는지, 이빨은 고루 잘 나 있는지를 본다. 그토록 외양을 꼼꼼히 살피는 까닭은 농사에 도움이 되는 튼실한 소를 고르기 위함이다. 좋은 소가 그러하다면 과연 좋은 말은 어떤 것인가?」

「옛말에 장사가 먼 길을 가려면 반드시 준마가 있어야 한다 하지 않았습니까? 우수한 준마란 장사의 벗이 될 만큼 날래고 충직해야 할 것입니다.」

「그대가 아는 바가 틀리지 않았다. 그렇다면 좋은 말을 고르는 특별한 비방은 알고 있는가?」

「……」

「말은 소와 달리 눈에 보이는 외양으로 간품(看品)할 수 없다. 말은 오로지 혈통으로 평가한다. 혈통이 곧 무한한 가능성이며 장사와 한 몸이 되어 소낙비처럼 쏟아지는 화살을 뚫고 곧장 적진을 향해 달려갈 신뢰의 근거이기 때문이다. 이제야 내가 그대에게 준화낭주와 혼인할 것을 강요하는 이유를 알겠는가?」

설원은 미실을 믿었다. 믿을 수밖에 없었다. 온전히 그녀의 판단이 옳다는 믿음과 불리한 국면을 헤쳐 나가는 데 이 혼인이 결정적인 역할을 하게 되리라는 기대 때문만은 아니었다. 설원랑 역시 세종전군과 마찬가지로 미실을 사랑하는 숙명을 타고났기 때문이었다. 의심하고 거부하는 것은 사랑이 아니었다. 맹목적이고 편협하고 어리석은, 그것만이 사랑에 포박된 자의 숙명이었다.

설원은 준화와 혼인한 후에도 미실과의 사랑을 포기할 수 없었으며 미실 또한 그러하였다. 그들은 서로 가장 깊은 상처를 아는 사이였다. 자신의 혈통에 대한 열등감을 가진 설원과 깨진 첫사랑의 상처를 간직한 미실은 마치 낭(狼)과 패(狽) 같았으니 앞다리가 길고 뒷다리가 짧은 이리(狼)와 앞다리가 짧고 뒷다리가 긴 이리(狽)야말로 한 쌍으로 맞춰 걷지 않을 도리가 없었다. 함께 나란히 걷다가 서로 떨어지면 고꾸라지거나 나자빠지기 마련이었다.

설원은 병자의 취기가 스민 방에서 토막 잠을 자며 미실을 돌보았다. 매일 건포로 미실의 몸을 닦아 주고 약을 달여 바치고 미음을 떠먹였다. 그리고 밤마다 관세음보살상 앞에 나아가 울며 기도하였다.

「대자대비한 관세음보살이시여! 궁주를 살려 주십시오! 궁주의 병은 신이 대신하리다. 궁주 대신 죽을 수 있다면 마땅히 그리하리다……」

백발마저 빠져 정수리가 훤히 드러난 미실, 주름 진 피부에 살비듬이 날리는 미실, 아홉 개의 구멍에서 피고름이 흐르고 악취가 풍기는 미실은 그의 눈에 보이지 않았다. 욕창을 방지하기 위해 때때로 자리와 자세를 바꾸어 옮길 때, 새털처럼 가벼운 그녀의 몸에서는 눈 오는 날 혹은 비 오는 날의 일몰과도 같은 냄새가 났다. 눈이 오는 날에도 비가 오는 날에도, 아무도 기억하지 않고 스쳐 지나는 어둑한 그때에도 해는 떴다 진다. 눈에 보이지 않는다고 해서, 안개에 가려져 흐릿하다고 해서 해가 사라진 것은 아니다.

설원은 병색이 완연한 미실조차 낯설지 않았다. 어쩌면 그가 그녀보다 훨씬 오래전부터 중병을 앓아 온 터였다. 마음에 무겁게 드리운 의혹과 불안의 닻돌을 끌어 올려 단번에 그를 사내로 솟구치게 한 관능의 여인, 기쁨으로 덩실덩실 춤추며 삶을 노래하게 한 다정한 여인, 노골적으로 편벽되이 그의 힘과 의지가 되어 준 뜨거운 여인,

미실에게 감염된 채 질병처럼 사랑을 앓아 온 터였다. 아름다움으로 눈이 멀고 사랑으로 불구가 되어, 마침내 목전의 죽음까지도 꺼릴 바 없는 지경이었다. 설원의 깊은 소망은 오직 하나였다. 그녀와 함께 가고 싶다. 마지막까지 그녀의 모습을 눈에 넣고 갈 수 있도록, 그녀보다 먼저 죽고 싶다…….

의식이 없는 채로 미실은 꿈을 꾸었다. 고열 속에서 탕제보다 더 쓴 추억이 목구멍으로 치밀어 올랐다. 절 마당에는 밤비가 내리고 있었다. 시퍼렇고 비린 여름 냄새가 욕지기가 일 정도로 물씬 풍겼다. 바위틈에서 기어 나와 어슬렁거리는 두꺼비, 온갖 지네와 구렁이들, 전생에 죄 많은 것들이 추물이 되어 악업을 씻어 보고자 난야 근처에서 떠도는 듯했다. 그것들이 꾸물꾸물 미실의 다리를 타고 기어올랐다. 속곳을 들추고 사타구니에까지 파고들고 있었다. 미실은 그것들을 떨쳐 내려 동동거렸다.

「미실! 미실!」

그녀는 불현듯 귓전을 스친 구원의 목소리를 따라 사방팔방으로 마구 달음질하였다. 달릴수록 독두병(禿頭病)으로 휑하게 드러난 두피에 머리칼이 솟고, 빠진 이가 새로 나려는지 잇몸이 간질간질했다. 어느덧 미실은 미추룸한 젊은 모습으로 기름기가 돌고 이들이들한 알몸뚱이를 드러낸 채 숲을 헤매고 있었다. 한 송이 붉은 꽃을 꺾기 위해 벼랑을 기어오르는가 하면, 몸의 열기를 이기지 못해 살얼음이 낀 강 위를 마구 내달리기도 했다. 벼랑 끝의 꽃이 어느새 그녀의 몸에서 돋아, 그녀는 온통 붉게 피어올랐다.

「미실! 미실!」

누군가 거듭 꽃의 이름을 외쳐 불렀다. 꽃실을 기울여 소리 나는 쪽을 쳐다보았다. 말쑥한 얼굴에 몸매가 맷맷한 소년이 날갯짓하듯 팔랑팔랑 손짓하며 웃고 있었다. 대답하려 했지만 꽃덮이로 가려진 입이 떨어지지 않았다. 소년은 자꾸만 손짓하며 소리쳤다.

「아프지 마오! 아프지 마오!」

아프지 말라는 한마디가 어쩌자고 정녕 그토록 아프게 느껴지던 지. 미실은 문득 벌침에 쏘인 듯 따끔한 느낌과 함께 놀라 깨어났다. 온몸에 진땀이 엉겨 끈끈하고 쿼쿼했지만 들끓던 신열이 내려 시원하고 상쾌한 기분이었다. 아프고 저리던 몸 마디마디가 움이 돋는 가지처럼 기운이 솟았다.

「물…… 목이 마르구나. 배가 고프구나!」

살아 있음의 징표처럼 갈증과 허기가 찾아왔다. 미실은 비로소 자신의 병이 나았음을 깨달았다. 하지만 경사를 맞아 죽을 끓여 올리고 보제를 지어다 바치는 자들의 낯빛이 어쩐지 어둡고 무거웠다. 정신을 차리고 돌아보니 미실의 쾌차를 가장 먼저 반기고 기뻐할 설원이 보이지 않았다.

「설원은, 설원랑은 어디 있는가?」

「놀라지 마십시오. 미륵선화께서는 궁주의 병을 대신하여 세상을 떠나셨습니다.」

'아프지 마오! 아프지 마오!'

꿈속에서 그녀를 향해 손짓하던 소년의 얼굴이 생생하게 떠올랐다. 껑충한 키에 강말라 구부슴한 어깨를 숙이고 눈조차 마주하지 못해 수줍은 듯 고개를 모로 꼬던 어린 소년이, 이제야 자기를 알아보느냐고 토라진 듯 눈을 샐쭉 흘겼다.

「누가 말했더냐? 백 일 붉은 꽃이 없고 천 일 좋은 사람 없다고……. 설원이 나에게 남은 목숨을 주고 갔구나. 내가 정녕 이 선물을 받아야 옳단 말인가? 이 버겁고 구차하면서도 갚을 길 없이

344

값진 선물을······.」

미실은 설원의 시신이 안치된 목관을 붙잡고 슬픔을 견디지 못해 통곡하였다. 미실은 삶을 탕진했다. 아낌없이 모두 낭비했다. 그럼에도 죽음 앞에 남은 사람의 죄라곤 더 사랑하지 못한 것뿐이었다. 고작 그만큼밖에 사랑하지 못한 것이었다.

파르라니 삭발하여 향물로 목욕한 설원의 얼굴은 갱소년한 듯 맑고 조촐하였다. 그의 얼굴엔 원망이 없었다. 후회도, 한탄도, 미련 따위도 없었다. 그리하여 더욱 슬프고 무서웠다. 어쩌면 생시에 그녀를 바라보던 열망으로 이글거렸던 눈보다도 열없는 듯 조용히 감은 눈이 더 뜨거웠다. 마침내 사랑을 알고야 만 사람의 얼굴이었다. 그 사랑을 조롱했던 사람들을 부끄러움에 몸서리치게 하는 얼굴이었다.

몸이 죽으면 어디로 가나. 지친 몸과 부대끼던 마음은 어느 곳으로 흐르나. 그 알 수 없고 엿볼 수 없는 비밀의 내막이 두려워 사람들은 숨이 다해 차가워진 몸을 꽁꽁 묶어 땅에 묻는다. 땅만은 영생을 보장하리라 굳게 굳게 믿으며, 언젠가 언 땅을 비집고 새파랗게 싹을 돋우던 곡식의 낟알처럼 그들의 가엾은 영혼도 부활하기를 꿈꾼다. 지상에 존재하는 모든 생명의 나고 죽음을 관장하는 영원의 대지, 그들의 종교는 오로지 간명한 그것에서 비롯된다. 땅에 묻히지 못한다면 다시 살아날 수도 없으리니.

그러나 미실은 그악스럽게 자라는 산악의 수풀에 가려 영영 사람에게 발견되지 못한다 하여도, 이대로 바람에 삭고 비에 썩어 흘러도 나쁘지 않다고 생각한다. 다시는, 사람으로 태어나고 싶지 않다······.

미실은 자신을 대신하여 죽은 정인, 목숨과 바꾼 사랑을 향해 자기 무덤에 절을 하듯 재배하였다. 그리고 마지막 선물에 대한 답례로 속곳을 벗어 설원의 관에 넣었다. 언젠가 그들이 재회할 그곳은 수치도 오욕도 없이 오직 즐거움으로 가득 찬 환희불의 극락이리라. 그때 다시 한 번 농탕치며 뒤엉키리라. 부끄러움이라곤 애당초 모르는 짐승처럼, 피고 지길 두려워하지 않는 풀과 꽃과 나무처럼, 야생의 모든 숨붙이처럼.

미실은 관 뚜껑을 덮으며 아무에게도 들리지 않게 속살거렸다.

「홀로 오래 기다리게 하지 않을 것이다. 나 또한 곧 그대를 따라 하늘로 가리라.」

> 이 집 지은 사람 이제 보았으니
> 너는 다시 집을 짓지 마라
> 너의 모든 서까래는 부서지고
> 기둥과 대들보도 내려앉았다
> 이제 내 마음을 짓는 일 없거니
> 사랑도 욕망도 말끔히 사라졌다*

연록의 움이 돋는 수풀을 헤치고 아이가 팔랑팔랑 날듯 뛰어온다. 다가올수록 성큼 숙성해지는 아이의 모습이 낯설지 않다. 눈앞은 아슴푸레 자꾸만 흐리마리한데, 아이가 치마폭에 가득 움켜 싼 저것은 아, 언젠가 떨어지지 않고 사라져 놓쳐 버린 농란(濃爛)한 앵두인가 싶다. 아이의 입가에도 손에도 흰옷에도 검질긴 과즙이 어지러이 번졌다. 붉은 기운이 비질로 팬 골창을 타고 흘러와 입가에 달콤새큼한 미소로 괸다.

---

*《법구경》.

좀 나눠 주려나, 느닷없는 탐심으로 송낙을 벗어 들이민다. 오랜 그리움의 증거처럼 그 선물을 들이민다면, 저승에서도 다시 한 번 붉은 날이 꽃피려나. 혼이 입덧하는 듯 언젠가 정인이 잡아 바친 멧짐승의 육미가 입 안에서 맴돌고, 자꾸만 기울어지는 몸과 마음이 부질없고 열없는 망집으로 들뜬다.

「방장님! 보살님! 나와 보셔요. 여스님이 이상해요!」

흘러내리는 것은 흘러내리는 대로, 걸리는 것은 걸리는 대로, 무엇에도 조바심치거나 부러 채근하지 않고 천천히. 스치고 스쳐 지나가고, 흐르고 흘러 사라지는 모든 것들에 마음까지도 껴묻고.

미실이 봄을 따라 세상에서 사라졌다.

세계일보 제정, 제1회 세계문학상 당선작 심사평

《화랑세기》에 기록된 역사 속의 인물로 6세기 후반 신라 사회를 뒤흔들어 놓았던 미실은 왕후도, 사제도, 기생도 아니었지만 작가의 적극적인 탐구 정신, 거침없는 상상력, 호방한 서사 구조에 의해 진지하게 형상화됨으로써 천오백 년의 시공을 뛰어넘어 아름다운 신라 여인으로 되살아났다. 작가가 문장에 공을 들이고 애쓴 흔적이 역력한 소설이다. ─김윤식(문학평론가)

호주제 폐지가 기성사실화된 현시점에 《미실》이야말로 여성 인권 신장에 한 켜를 보탠 혁신적인 성과다. 신라의 전성기에 진흥왕, 사다함 등 당대의 영웅호걸을 미색(美色)으로 녹여낸 미실의 능동적이고 진취적인 사고야말로 오늘의 여성 상위 시대를 이미 천오백 년이나 앞질러 성취했다. 장려한 문장, 거침없는 성애(性愛) 묘사가 역사와 소설의 행간 사이를 곡예사처럼 숨 가쁘게 건너뛴다.
─김원일(소설가)

남성과 달리 여성은 신 또는 우주로 가는 길을 알고 있다. 그들은 본래부터 창조적 생산성을 갖고 태어나기 때문이다. 《미실》은 단순히 신라 여인을 재생시킨 것이 아니다. 거침없는 소설 문법, 정려한 문체, 도발적 캐릭터로 요약되는 《미실》은 그런 의미에서 새로운 서사의 가능성과 함께 여성의 새 시대를 예고하고 있다.
─박범신(소설가)

미실은 오래도록 잊고 있었던 자유혼, 모성의 관능을 느끼게 해준다. 동시에 여성의 냉정한 평가와 선택이 세상을 지탱하게 한 가장 큰 힘이었음을 새삼스럽게 일깨워 준다. 미실은 부드럽고도 강하다. 힘이란 이런 것이다. ─성석제(소설가)

미실은 그동안 우리 문학에서 만나지 못했던 새로운 여성상을 그려 보인다. 그녀는 '테미테르' 같은 모성의 여신도 아니고, '팜므 파탈'인 치명적 매혹의 여성도 아니고, 남성 권력에 의존하는 여성도 아니다. 작가는 이 소설에서 여성을 통제하는 제도가 확립되기 전, 현대와 같은 성(性) 모럴이 정립되기 전의 여성을 되살려 냈고, 그녀를 통해 가장 자연스러운 여성의 본질이 무엇인가를 묻고 있다.

─김형경(소설가)

최종심까지 남은 작품은 모두 셋이었다. 일장일단이 있어 우열을 가리기 힘들었다. 세련미와 참신성과 주제 의식 중 어느 하나를 택해야 했다. 결국 나는 《미실》에 손을 들어 주었다. 《화랑세기》속에 묻혀 있던 한 인물의 모습을 그려 냄으로써 《미실》이 환기하고자 하는 의미를 높이 샀기 때문이다. 《미실》이 그려 낸 세계는 유교적 금욕주의가 지배 이데올로기가 되기 이전의 세상 모습이다. 여기에서 성(性)은 중세의 윤리와는 현저히 다르며 지금 우리 시대와도 또 다르다. 《미실》은 우리 역사의 일부이면서도 우리가 잊고 있었던 중요한 삶의 모습을 생생하게 재현해 냈고, 그럼으로써 그 자체가 우리의 통념에 대한 한 편의 음화(淫畵)가 된다. 아마도 그 때문이었을 것이다. 《미실》을 읽는 동안 나는 내내 불편했다.

─서영채(문학평론가)

이 소설로 인해 미실은 천오백여 년의 세월을 뛰어넘어 한국 문학 사상 가장 개성 있는 여성으로 거듭 태어났다. 미실의 위광(威光)은 놀라움을 넘어 경이로움에까지 이른다. ─하응백(문학평론가)

'팜므 파탈'의 전형으로 평가되어 온 《화랑세기》 속의 여인 미실은 아름답기에 치명적이고, 치명적이기에 위험한 여성 주체의 기표 그 자체이다. 그래서 텅 빈 채 떠돌아다닐 수밖에 없는 그녀의 몸과 마음을 채우는 것은 그녀를 바라보는 우리들의 욕망과 결핍, 편견과 권력이다. 이 소설 속 미실을 통해서도 우리는 오히려 보고 싶거나 볼 수밖에 없는 현재의 자기 자신들을 보게 된다. 작가가 역사 소설이 아닌 시대 소설, 페미니즘 소설이 아닌 휴머니즘 소설, 역사적 사실이 아닌 소설적 진실의 측면에서 미실을 문제 삼은 것도 이 때문일 것이다. 그렇다면 이 소설은 그대로 읽어 내야 할 소비적 텍스트가 아니라 새롭게 써 내려가야 할 생산적 텍스트다. 미실이라는 존재 자체가 원죄로서의 아름다움이나 약점으로서의 사랑, 선악과로서의 성(性), 인간으로서의 여성을 구현하고 있는 '떠도는 환유'이기 때문이다. ─김미현(문학평론가)

안정적이고 우아한 문체 속에서 금방이라도 튀어나올 듯 생생한 주인공의 모습이 인상적인 소설이다. 《미실》은 우리가 잘 알지 못했던 고대사를 세세한 부분까지 복원했을 뿐만 아니라, 그 모습을 통해 21세기를 살아가는 우리에게 새로운 인간형을 제시한다.
─김연수(소설가)

미 실

초판 1쇄 발행일 • 2005년 2월 28일
초판 50쇄 발행일 • 2008년 1월 10일
지은이 • 김별아
펴낸이 • 임성규
펴낸곳 • 문이당

등록 • 1988. 11. 5. 제 1-832호
주소 • 서울시 성북구 동소문동 4가 111번지
전화 • 928-8741~3(영) 927-4990~2(편)
팩스 • 925-5406
ⓒ 김별아, 2005

홈페이지 http://www.munidang.com
전자우편 webmaster@munidang.com

ISBN 89-7456-270-7 03810